Николай
НОСОВ
Незнайка на Луне

Художник Анатолий Борисов

Издание И.П. Носова

Москва
2007

ЧАСТЬ I

Глава первая

КАК ЗНАЙКА ПОБЕДИЛ ПРОФЕССОРА ЗВЁЗДОЧКИНА

С тех пор как Незнайка совершил путешествие в Солнечный город, прошло два с половиной года. Хотя для нас с вами это не так уж много, но для маленьких коротышек два с половиной года — срок очень большой. Наслушавшись рассказов Незнайки, Кнопочки и Пачкули Пёстренького, многие коротышки тоже совершили поездку в Солнечный город, а когда возвратились, решили и у себя сделать кое-какие усовершенствования. Цветочный город изменился с тех пор так, что теперь его и не узнать. В нём появилось много новых, больших и очень красивых домов. По проекту архитектора Вертибутылкина на улице Колокольчиков было построено даже два вертящихся здания. Одно пятиэтажное, башенного типа, со спиральным спуском и плавательным бассейном вокруг (спустившись по спиральному спуску, можно было нырять прямо в воду), другое шестиэтажное, с качающимися балконами, парашютной вышкой и чёртовым колесом на крыше. На улицах появилось множество автомобилей, спиралеходов, труболётов, авиагидромотоколясок, гусеничных вездеходов и других разных машин.

И это ещё не всё, конечно. Жители Солнечного города узнали, что коротышки из Цветочного города занялись строительством, и пришли к ним на помощь: помогли им построить несколько так называемых промышленных предприятий. По проекту инженера Клёпки была построена большая одёжная фабрика, которая выпускала множество самой разнообразной одежды, начиная с резиновых лифчиков и кончая зимними шубами из синтетического волокна. Теперь уже никому не приходилось корпеть с иголкой, чтобы сшить самые обыкновенные брюки или пиджак. На фабрике всё делали за коротышек машины. Готовая продукция, как и в Солнечном городе, развозилась по магазинам, и там уже каждый брал, что кому нужно было. Все заботы работников фабрики сводились к тому, чтобы придумывать новые фасоны одежды и следить, чтоб не производилось ничего такого, что не нравилось публике.

Все были очень довольны. Единственным, кто пострадал на этом деле, оказался Пончик. Когда Пончик увидел, что теперь можно брать в магазине любую вещь, какая только могла понадобиться, он стал недоумевать: к чему ему вся та куча костюмов, которая накопилась у него дома? Все эти костюмы к тому же вышли из моды, и их всё равно нельзя было носить. Выбрав потемней ночку, Пончик завязал свои старые костюмы в огромный узел, вынес тайком из дома и утопил в Огурцовой реке, а вместо них натаскал себе из магазинов новых костюмов. Кончилось тем, что его комната превратилась в какой-то склад готового платья. Костюмы лежали у него и в шкафу, и на шкафу, и на столе, и под столом, и на книжных полках, висели на стенах, на спинках стульев и даже под потолком на верёвочках.

От такого обилия шерстяных изделий в доме развелась моль, и, чтоб она не изгрызла костюмов, Пончику приходилось ежедневно травить её нафталином, от которого в комнате стоял такой сильный запах, что непривычного коротышку валило с ног. Пончик и сам пропах насквозь этим одуряющим запахом, но настолько привык к нему, что даже перестал замечать. Для других, однако же, этот запах был очень заметен. Как только Пончик приходил к кому-нибудь в гости, у хозяев сейчас же начинала кружиться от одурения голова. Пончика моментально прогоняли и поскорей открывали настежь все окна и двери, чтобы проветрить помещение, иначе можно было упасть в обморок или сойти с ума. По этой же причине Пончик не имел даже возможности поиграть с коротышками во дворе. Как только он выходил во двор, все вокруг начинали плеваться и, зажав руками носы, бросались бежать от него в разные стороны без оглядки. Никто не хотел с ним водиться. Нечего и говорить, что для Пончика это было страшно обидно, и пришлось ему все не нужные для него костюмы отнести на чердак.

Впрочем, главное было не это. Главное было то, что Знайка тоже побывал в Солнечном городе. Там он познакомился с учёными малышками Фуксией и Селёдочкой, которые в то время готовили свой второй полёт на Луну. Знайка тоже включился в работу по постройке космической ракеты и, когда ракета была готова, совершил с Фуксией и Селёдочкой межпланетное путешествие. Прилетев на Луну, наши отважные путешественники обследовали один из небольших лунных кратеров в районе лунного Моря Ясности, побывали в пещере, которая находилась в центре этого кратера и произвели наблюдения над изменением силы тяжести. На Луне, как известно, сила тяжести значительно меньше, чем на Земле, и поэтому наблюдения над изменением силы тяжести имеют большое научное значение. Пробыв на Луне около четырёх часов, Знайка и его спутницы принуждены были поскорей отправиться в обратный путь, так как запасы воздуха были у них на исходе. Всем известно, что на Луне воздуха нет, и, чтоб не задохнуться, всегда надо брать с собой запас воздуха. В сгущённом виде, конечно.

Вернувшись в Цветочный город, Знайка много рассказывал о своём путешествии. Его рассказы очень заинтересовали всех, и особенно астронома Стекляшкина, который не раз наблюдал Луну в телескоп. В свой телескоп Стекляшкин сумел разглядеть, что поверхность Луны не ровная, а гористая, причём многие горы на Луне не такие, как у нас на Земле, а почему-то круглые, вернее сказать — кольцеобразные. Эти кольцевые горы учёные называют лунными кратерами, или цирками. Чтобы понять, как выглядит такой лунный цирк, или кратер, вообразите себе огромное круглое поле, в поперечнике километров двадцать, тридцать, пятьдесят или даже сто, и представьте, что это огромное круглое поле окружено земляным валом или горой высотой всего в два или три километра, — вот и получится лунный цирк, или кратер. Таких кратеров на Луне тысячи. Есть маленькие — километра в два, но есть и гигантские — до ста сорока километров в диаметре.

Многих учёных интересует вопрос, как образовались лунные кратеры, отчего они произошли. В Солнечном городе все астрономы даже поссорились между собой, стараясь разрешить этот сложный вопрос, и разделились на две половины. Одна половина утверждает, что лунные кратеры произошли от вулканов, другая половина говорит, что лунные кратеры — это следы от падения крупных метеоритов. Первую половину астрономов называют поэтому последователями вулканической теории, или попросту вулканистами, а вторую — последователями метеоритной теории, или метеоритчиками.

Знайка, однако ж, не был согласен ни с вулканической, ни с метеоритной теорией. Ещё до путешествия на Луну он создал свою собственную теорию происхождения лунных кратеров. Однажды он вместе со Стекляшкиным наблюдал Луну в телескоп, и ему бросилось в глаза, что лунная поверхность очень похожа на поверхность хорошо пропечённого блина с его ноздреватыми дырками. После этого Знайка часто ходил на кухню

и наблюдал, как пекутся блины. Он заметил, что пока блин жидкий, его поверхность совершенно гладкая, но по мере того как он подогревается на сковородке, на его поверхности начинают появляться пузырьки нагретого пара. Проступив на поверхность блина, пузырьки лопаются, в результате чего на блине образуются неглубокие дырки, которые так и остаются, когда тесто как следует пропечётся и потеряет вязкость.

Знайка даже сочинил книжку, в которой писал, что поверхность Луны не всегда была твёрдая и холодная, как теперь. Когда-то давно Луна представляла собой огненно-жидкий, то есть раскалённый до расплавленного состояния, шар. Постепенно, однако, поверхность Луны остывала и становилась уже не жидкая, а вязкая, словно тесто. Изнутри она была всё ж таки ещё очень горячая, поэтому раскалённые газы вырывались на поверхность в виде громаднейших пузырей. Выйдя на поверхность Луны, пузыри эти, конечно, лопались. Но пока поверхность Луны была ещё достаточно жидкая, следы от лопнувших пузырей затягивались и исчезали, не

оставляя следа, как не оставляют следа пузыри на воде во время дождя. Но когда поверхность Луны остыла настолько, что стала густая, как тесто или как расплавленное стекло, следы от лопнувших пузырей уже не пропадали, а оставались в виде торчащих над поверхностью колец. Охлаждаясь всё больше, кольца эти окончательно отвердевали. Сначала они были ровные, словно застывшие круги на воде, а потом постепенно разрушались и в конце концов стали похожи на те лунные кольцевые горы, которые каждый может наблюдать в телескоп.

Все астрономы — и вулканисты и метеоритчики — смеялись над этой Знайкиной теорией.

Вулканисты говорили:

— Для чего понадобилась ещё эта блинистая теория, если и без того ясно, что лунные кратеры — это просто вулканы?

Знайка отвечал, что вулкан — это очень большая гора, на верхушке которой имеется сравнительно небольшой кратер, то есть отверстие. Если бы хоть один лунный кратер был кратером вулкана, то сам вулкан был бы величиной чуть ли не во всю Луну, а этого вовсе не наблюдается.

Метеоритчики говорили:

— Конечно, лунные кратеры — не вулканы, но они также и не блины. Всем известно, что это следы от ударов метеоритов.

На это Знайка отвечал, что метеориты могли падать на Луну не только отвесно, но и под наклоном и в таком случае оставляли бы следы не круглые, а вытянутые, продолговатые или овальные. Между тем на Луне все кратеры в основном круглые, а не овальные.

Однако вулканисты и метеоритчики настолько привыкли к своим излюбленным теориям, что даже слушать не хотели Знайку и презрительно называли его блинистом. Они говорили, что вообще смешно даже сравнивать Луну, которая является крупным космическим телом, с каким-то несчастным блином из прокисшего теста.

Впрочем, Знайка и сам отказался от своей блинной теории после того, как лично побывал на Луне и видел вблизи один из лунных кратеров. Ему удалось рассмотреть, что кольцевая гора была совсем не гора, а остатки разрушившейся от времени гигантской кирпичной стены. Хотя кирпичи в этой стене выветрились и потеряли свою первоначальную четырёхугольную форму, всё-таки можно было понять, что это именно кирпичи, а не просто куски обыкновенной горной породы. Особенно хорошо это было видно в тех местах, где стена сравнительно недавно обрушилась и отдельные кирпичи ещё не успели рассыпаться в прах.

Поразмыслив, Знайка понял, что эти стены могли быть сделаны лишь какими-то разумными существами, и, когда вернулся из своего

путешествия, опубликовал книжку, в которой писал, что когда-то давно на Луне жили разумные существа, так называемые лунные коротышки, или лунатики. В те времена на Луне, как и теперь на Земле, был воздух. Поэтому лунатики жили на поверхности Луны, как и мы все живём на поверхности нашей планеты Земля. Однако с течением времени на Луне становилось всё меньше воздуха, который постепенно улетал в окружающее мировое пространство. Чтобы не погибнуть без воздуха, лунатики окружали свои города толстыми кирпичными стенами, над которыми возводили огромные стеклянные купола. Из-под этих куполов воздух уже не мог улетучиваться, поэтому можно было дышать и ничего не бояться.

Но лунатики знали, что вечно так продолжаться не может, что со временем воздух вокруг Луны совсем рассеется, отчего поверхность Луны, не защищённая значительным слоем воздуха, будет сильно прогреваться солнечными лучами и на Луне даже под стеклянным колпаком невозможно будет существовать. Вот поэтому-то лунатики стали переселяться внутрь Луны и теперь живут не с наружной, а с внутренней её стороны, так как на самом деле Луна внутри пустая, вроде резинового мяча, и на внутренней её поверхности можно так же прекрасно жить, как и на внешней.

Эта Знайкина книжка наделала много шума. Все коротышки с увлечением читали её. Многие учёные хвалили эту книжку за то, что она интересно написана, но всё же высказывали недовольство тем, что она научно не обоснована. А действительный член академии астрономических наук профессор Звёздочкин, которому тоже случилось прочитать Знайкину книжку, просто кипел от негодования и говорил, что книга эта — вовсе не книга, а какая-то, как он выразился, чёртова чепуха. Этот профессор Звёздочкин был не то чтобы какой-нибудь очень сердитый субъект. Нет, он был довольно добрый коротышка, но очень, как бы это сказать, требовательный, непримиримый. Во всяком деле он ценил больше всего точность, порядок и терпеть не мог никаких фантазий, то есть выдумок.

Профессор Звёздочкин и предложил академии астрономических наук устроить обсуждение Знайкиной книги и разобрать её, как он выразился, по косточкам, с тем чтобы никому больше не повадно было такие книги писать. Академия дала согласие и послала приглашение Знайке. Знайка приехал, и обсуждение состоялось. Оно началось, как и полагается в таких случаях, с доклада, который вызвался сделать сам профессор Звёздочкин.

Когда все приглашённые на обсуждение коротышки собрались в просторном зале и расселись на стулья, на трибуну взошёл профессор Звёздочкин, и первое, что от него услышали, были слова:

— Дорогие друзья, разрешите заседание, посвящённое обсуждению Знайкиной книги, считать открытым.

После этого профессор Звёздочкин громко откашлялся, не спеша вытер платочком нос и принялся делать доклад. Изложив коротко содержание Знайкиной книги и похвалив её за живое, яркое изложение, профессор сказал, что, по его мнению, Знайка допустил ошибку и принял за кирпичи то, что в действительности было не кирпичи, а какая-то слоистая горная порода. Ну, а раз кирпичей на самом-то деле не было, сказал профессор, то не было, следовательно, и никаких коротышек-лунатиков. Их же и не могло быть, потому что если бы они и были, то не смогли бы жить на внутренней поверхности Луны, так как давно всем хорошо известно, что все предметы на Луне, точно так же как и у нас на Земле, притягиваются к центру планеты, и, если бы Луна в действительности была внутри пустая, никто всё равно не смог бы удержаться на её внутренней поверхности: его тотчас притянуло бы к центру Луны, и он беспомощно болтался бы там в пустоте, пока не погиб с голоду.

Выслушав всё это, Знайка поднялся со своего места и сказал насмешливо:

— Вы рассуждаете так, будто вам уже когда-нибудь приходилось болтаться в центре Луны!

— А вы будто болтались? — огрызнулся профессор.

— Я не болтался, — возразил Знайка, — но зато я летал в ракете и наблюдал за предметами в состоянии невесомости.

— При чём тут ещё состояние невесомости? — буркнул профессор.

— А вот при чём, — сказал Знайка. — Да будет вам известно, что во время полёта в ракете у меня была бутылка с водой. Когда наступило состояние невесомости, бутылка свободно плавала в пространстве, как и каждый предмет, который не был прикреплён к стенам кабины. Всё было нормально, пока вода целиком наполняла бутылку. Но когда я половину воды выпил, начались странности: оставшаяся вода не держалась на дне бутылки и не собиралась в центре, а равномерно растекалась по стенкам, так что внутри бутылки образовался воздушный пузырь. Значит, вода притягивалась не к центру бутылки, а к её стенкам. Это и понятно, так как притягивать друг друга могут лишь массы вещества, а пустота ничего притянуть к себе не может.

— Попал пальцем в небо! — сердито проворчал Звёздочкин. — Сравнил бутылку с планетой! По-вашему, это научно?

— Почему же не научно? — авторитетно ответил Знайка. — Когда бутылка свободно перемещается в межпланетном пространстве, она находится в состоянии невесомости и во всём уподобляется планете. Внутри неё всё будет происходить так же, как внутри планеты, то есть внутри Луны, в том случае, конечно, если Луна изнутри пустая.

— Вот, вот! — подхватил Звёздочкин. — Только объясните, пожалуйста, нам, почему вы втемяшили себе в голову, что Луна изнутри пустая?

Слушатели, которые пришли послушать доклад, засмеялись, но Знайка не смутился этим и сказал:

— Вы бы сами легко втемяшили себе это в голову, если бы немного подумали. Ведь если Луна сначала была огненно-жидкая, то она начала остывать не изнутри, а с поверхности, так как именно поверхность Луны соприкасается с холодным мировым пространством. Таким образом остыла и отвердела в первую очередь поверхность Луны, в результате чего Луна стала представлять собой как бы огромный шарообразный сосуд, внутри которого продолжало находиться — что?..

— Ещё не остывшее расплавленное вещество! — закричал кто-то из слушателей.

— Верно! — подхватил Знайка. — Ещё не остывшее расплавленное вещество, то есть, попросту говоря, жидкость.

— Вот видите, сами говорите — жидкость, — усмехнулся Звёздочкин. — Откуда же в Луне взялась пустота, если там была жидкость, садовая вы голова?

— Ну, об этом совсем нетрудно догадаться, — невозмутимо ответил Знайка. — Ведь раскалённая жидкость, окружённая твёрдой оболочкой Луны, продолжала остывать, а остывая, она уменьшалась в объёме. Вы, надо полагать, знаете, что каждое вещество, охлаждаясь, уменьшается в объёме?

— Надо полагать, знаю, — сердито буркнул профессор.

— Тогда вам всё должно быть понятно, — обрадованно сказал Знайка. — Если жидкое вещество уменьшалось в объёме, то внутри Луны само собой должно было получаться пустое пространство на манер воздушного пузыря в бутылке. Это пустое пространство делалось всё больше и больше, располагаясь в центральной части Луны, так как остававшаяся жидкой масса притягивалась к твёрдой оболочке Луны, подобно тому как притягивались остатки воды к стенкам бутылки, когда она находилась в состоянии невесомости. Со временем жидкость внутри Луны и вовсе остыла и затвердела, как бы прилипнув к твёрдым стенкам планеты, благодаря чему в Луне образовалась внутренняя полость, которая постепенно могла заполниться воздухом или каким-нибудь другим газом.

— Верно! — закричал кто-то.

И сейчас же со всех сторон раздались крики:

— Верно! Правильно! Молодец, Знайка! Ура!

Все захлопали в ладоши. Кто-то крикнул:

— Долой Звёздочкина!

Сейчас же двое коротышек схватили Звёздочкина — один за шиворот, другой за ноги — и стащили его с трибуны. Несколько коротышек подхватили Знайку на руки и потащили к трибуне.

— Пусть Знайка делает доклад! — кричали вокруг. — Долой Звёздочкина!

— Дорогие друзья! — говорил Знайка, очутившись на трибуне. — Я не могу делать доклад. Я не подготовился.

— Расскажите про полёт на Луну! — кричали коротышки.

— Про состояние невесомости! — кричал кто-то.

— Про Луну?.. Про состояние невесомости? — растерянно повторял Знайка. — Ну ладно, пусть будет про состояние невесомости. Вы, наверно, знаете, что космическая ракета, для того чтобы преодолеть притяжение Земли, должна приобрести очень большую скорость — одиннадцать километров в секунду. Пока ракета набирает эту скорость, ваше тело испытывает большие перегрузки. Вес вашего тела как бы увеличивается в несколько раз, и вас с силой прижимает к полу кабины. Вы не можете поднять руку, вы не можете поднять ногу, вам кажется, что всё ваше тело как бы налилось свинцом. Вам кажется, будто какая-то страшная тяжесть навалилась на вашу грудь и не даёт вам дышать. Но как только разгон космического корабля прекращается и он начинает свой свободный полёт в межпланетном пространстве, перегрузки кончаются, и вы перестаёте испытывать силу тяжести, то есть, попросту говоря, теряете вес.

— Расскажите, что вы чувствовали? Что вы испытывали? — закричал кто-то.

— Первое моё ощущение при потере веса было, будто из-под меня незаметно убрали сиденье и мне не на чем стало сидеть. Ощущение было такое, будто я потерял что-то, но никак не мог понять что. Я почувствовал лёгкое головокружение, мне стало казаться, будто кто-то нарочно перевернул меня вниз головой. Вместе с тем я ощутил, что внутри у меня всё

замерло, похолодело, как при испуге, хотя самого испуга и не было. Подождав немного и убедившись, что со мной ничего плохого не сделалось, что я и дышу, как обычно, и вижу всё вокруг, и соображаю нормально, я перестал обращать внимание на замирание в груди и в области живота, и это неприятное ощущение прошло само собой. Когда я огляделся вокруг и увидел, что все предметы в кабине на месте, что сиденье, как и прежде, находится подо мной, мне перестало казаться, что я перевёрнут вниз головой, и головокружение тоже прошло...

— Рассказывайте! Рассказывайте ещё! — завопили коротышки хором, увидев, что Знайка остановился.

Некоторые от нетерпения даже застучали по полу ногами.

— Ну так вот, — продолжал Знайка. — Убедившись, что всё в порядке, я хотел опереться о пол ногами, но сделал это так резко, что подскочил кверху и ударился головой о потолок кабины. Я не учёл, понимаете, что моё тело потеряло вес и что теперь было достаточно лишь небольшого усилия, чтоб подскочить на страшную высоту. Поскольку моё тело совсем

ничего не весило, я мог свободно висеть посреди кабины в любом положении, не опускаясь вниз и не поднимаясь вверх, но для этого нужно было вести себя осторожно и не делать резких движений. Вокруг меня так же свободно плавали предметы, которые мы не закрепили перед отправлением в полёт. Вода из бутылки не выливалась даже в том случае, если бутылку перевёртывали вверх дном, но если удавалось вытряхнуть воду из бутылки, то она собиралась в шарики, которые тоже свободно плавали в пространстве до тех пор, пока не притягивались к стенам кабины.

— А скажите, пожалуйста, — спросил один коротышка, — у вас в бутылке была вода или, может быть, какой-нибудь другой напиток?

— В бутылке была простая вода, — коротко ответил Знайка. — Какой же мог быть другой напиток?

— Ну, я не знаю, — развёл коротышка руками. — Я думал, ситро или, может быть, керосин.

Все засмеялись. А другой коротышка спросил:

— А вы привезли что-нибудь с Луны?

— Я привёз кусочек самой Луны.

Знайка достал из кармана небольшой камешек голубовато-серого цвета и сказал:

— На поверхности Луны валяется множество разных камней, и притом очень красивых, но я не хотел их брать, так как они могли оказаться метеоритами, случайно занесёнными на Луну из мирового пространства. А этот камень я отбил молотком от скалы, когда мы опускались в лунную пещеру. Поэтому вы можете быть вполне уверены, что этот камень — кусочек самой настоящей Луны.

Кусочек Луны пошёл по рукам. Каждому хотелось поближе посмотреть на него. Пока коротышки разглядывали камень, передавая его из рук в руки, Знайка рассказывал, как они с Фуксией и Селёдочкой путешествовали по Луне и что там видели. Всем очень понравился Знайкин рассказ. Все остались очень довольны. Только профессор Звёздочкин был не очень доволен. Как только Знайка кончил свой рассказ и сошёл с трибуны, профессор Звёздочкин выскочил на трибуну и сказал:

— Дорогие друзья, нам всем было очень интересно послушать про Луну и про всё прочее, и я от имени всех собравшихся приношу сердечную благодарность знаменитому Знайке за его интересное и содержательное выступление. Однако... — сказал Звёздочкин и со строгим видом поднял кверху указательный палец.

— Долой! — закричал кто-то из коротышек.

— Однако... — повторил, повышая голос, профессор Звёздочкин. — Однако мы собрались здесь вовсе не для того, чтоб про Луну слушать, а для того, чтоб обсудить Знайкину книжку, а поскольку книжку не обсудили, то, значит, не выполнили того, что было намечено, а раз не выполнили того, что было намечено, то надо будет всё-таки выполнить, а раз надо будет всё-таки выполнить, то придётся все-таки выполнить и подвергнуть рассмотрению...

Никто так и не узнал, что хотел подвергнуть рассмотрению Звёздочкин. Шум поднялся такой, что ничего уже нельзя было понять. Отовсюду слышалось только одно слово:

— Долой!

Двое коротышек снова бросились на трибуну, один схватил Звёздочкина за шиворот, другой за ноги, и поволокли его прямо на улицу. Там его посадили в скверике на траву и сказали:

— Вот когда полетишь на Луну, будешь выступать на трибуне, а сейчас пока посиди здесь на травке.

От такого бесцеремонного обращения Звёздочкин ошалел настолько, что не мог произнести ни слова. Потом он понемногу пришёл в себя и закричал:

— Это безобразие! Я буду жаловаться! Я напишу в газету! Вы ещё узнаете профессора Звёздочкина!

Он долго так кричал, размахивая кулаками, но, увидев, что все коротышки разошлись по домам, сказал:

— На этом заседание объявляю закрытым.

После чего встал и тоже пошёл домой.

Глава вторая

ЗАГАДКА ЛУННОГО КАМНЯ

На следующий день в газетах появился отчёт о состоявшемся обсуждении Знайкиной книги. Все жители Солнечного города читали этот отчёт. Каждому интересно было узнать, на самом ли деле Луна внутри пустая и правда ли, что внутри Луны живут коротышки. В отчёте было подробно изложено всё, что говорилось на обсуждении, и даже то, чего вовсе не говорилось. Помимо отчёта, в газетах было напечатано множество фельетонов, то есть шутливых статеек, в которых рассказывалось о разных забавных приключениях лунных коротышек. Все страницы газет пестрели смешными картинками. На этих картинках была изображена Луна, внутри которой вверх ногами ходили коротышки и цеплялись руками за различные предметы, чтобы не оказаться притянутыми к центру планеты. На одном из рисунков был изображён коротышка, с которого силой притяжения стащило ботинки и брюки, сам же коротышка, оставшись в одной рубашке и шляпе, крепко держался руками за дерево. Всеобщее внимание привлекла карикатура, на которой был нарисован Знайка, беспомощно болтавшийся в центре Луны. У Знайки было такое растерянное выражение лица, что на него никто не мог смотреть без смеха.

Всё это печаталось, конечно, только для увеселения публики, но в одной из газет была опубликована вполне серьёзная и научно обоснованная статья профессора Звёздочкина, который признавался, что в споре со Знайкой он был неправ, и просил извинения за допущенные им резкие выражения. В своей статье профессор Звёздочкин писал о том, что наличие пустого пространства внутри Луны не противоречит законам физики и вполне может иметь место, поэтому Знайка не так далёк от истины, как это могло показаться вначале. Вместе с тем трудно предположить, писал

18

профессор, что это пустое пространство расположено в центре Луны, так как центральная часть Луны заполнена твёрдым веществом, которое образовалось ещё до того, как остыла и отвердела лунная поверхность, а следовательно, до того, как внутри Луны начало образовываться пустое пространство. Дело в том, что как теперь, так и в древние времена внутренние слои Луны испытывали огромнейшее давление со стороны внешних слоёв, которые весят многие тысячи и даже миллионы тонн. В результате такого чудовищного давления вещество внутри Луны не могло, согласно законам физики, пребывать в жидком состоянии, а находилось в твёрдом виде. А это значит, что когда Луна была ещё огненно-жидкая, внутри неё уже имелось твёрдое центральное ядро, и когда начала образовываться внутренняя полость Луны, она начала образовываться не в центре, а вокруг этого центрального твёрдого ядра, точнее говоря, между этим центральным ядром и сравнительно недавно отвердевшей поверхностью Луны. Таким образом, Луна — это не полый шар, вроде резинового мяча, как предположил Знайка, а такой шар, внутри которого имеется другой шар, окружённый прослойкой из воздуха или какого-нибудь другого газа.

Что же касается наличия на Луне коротышек или каких-нибудь других живых существ, то это уже относится к области чистой фантастики, писал профессор Звёздочкин. Никаких научных доказательств существования на Луне коротышек нет. Если то, что обнаружил на лунной поверхности Знайка, на самом деле было кирпичной стеной, сделанной когда-то разумными существами, то нет никаких доказательств, что эти разумные существа уцелели до настоящих времён и избрали своим местопребыванием внутреннюю полость Луны. Наука нуждается в достоверных фактах, писал профессор Звёздочкин, и никакие досужие вымыслы не заменят нам их.

По мере того как Знайка читал статью профессора Звёздочкина, его охватывало какое-то острое чувство стыда, смешанное с огорчением. То, что профессор писал о наличии внутри Луны твёрдого ядра, было неопровержимо. Каждый, кто знаком с основами физики, должен был согласиться с этим, а Знайка с основами физики был прекрасно знаком.

— Как же я не учёл такой простой вещи? — недоумевал Знайка и готов был рвать на себе волосы от досады. — Ну конечно же, внутри Луны было твёрдое ядро, а это значит, что пустое пространство могло образоваться только вокруг этого ядра, а не в центре. Ах я осёл! Ах я лошадь! Ах я орангутанг! Надо же было так опозориться! Как было не сообразить такой чепухи! Это позор!

Прочитав статью до конца, Знайка принялся ходить из угла в угол по комнате и поминутно тряс головой, словно хотел вытрясти из неё неприятные мысли.

— «Досужие вымыслы»! — с досадой бормотал он, вспоминая статью профессора Звёздочкина. — Попробуй докажи теперь, что тут никаких вымыслов нет, если не сообразил даже, что в центре Луны было твёрдое вещество!.. Ах, позор!..

Устав от беготни по комнате, Знайка крякал от огорчения, садился с размаху на стул и ошалело смотрел в одну точку, потом вскакивал как ужаленный и принимался метаться по комнате снова.

— Нет, я докажу, что это не досужие вымыслы! — кричал он. — Коротышки есть на Луне. Не может быть, чтоб их не было. Наука — это не одни голые факты. Наука — это фантастика... то есть... тьфу! Что это я говорю?.. Наука — это не фантастика, но наука не может существовать без фантастики. Фантазия помогает нам мыслить. Одни голые факты ещё ничего не значат. Всякие факты надо осмысливать! — сказав это, Знайка с силой стукнул кулаком по столу. — Я докажу! — закричал он.

Тут взгляд его упал на карикатуру в газете, где был изображён он сам в центре Луны с таким идиотским выражением на лице, что невозможно было спокойно смотреть.

— Ну вот! — проворчал он. — Попробуй-ка докажи, когда здесь вот такая рожа!

В этот же день Знайка уехал из Солнечного города. Всю дорогу он твердил про себя:

— Никогда больше не буду заниматься наукой. Даже если меня станут на куски резать. Ни-ни! И думать нечего!

Но, вернувшись в Цветочный город, Знайка постепенно успокоился и принялся снова мечтать о научной деятельности и о новых путешествиях:

«Хорошо бы построить большой межпланетный корабль, взять значительный запас пищи и воздуха и устроить длительную экспедицию на Луну. Надо полагать, что во внешней оболочке Луны имеются отверстия в виде пещер или кратеров потухших вулканов. Сквозь эти отверстия можно будет проникнуть внутрь Луны и увидеть её центральное ядро. Если это ядро существует, а оно, без сомнения, существует, то лунные коротышки живут на его поверхности. Между внешней оболочкой и центральным ядром Луны, наверно, сохранилось достаточное количество воздуха, поэтому условия жизни на поверхности ядра должны быть вполне благоприятными для коротышек».

Так Знайка мечтал, и он уже хотел было приняться за подготовку к новому путешествию на Луну, но вдруг вспомнил всё, что случилось, и сказал:

— Нет! Надо быть твёрдым! Раз я решил не заниматься наукой, значит, должен исполнить. Пусть кто-нибудь другой летит на Луну, пусть кто-нибудь другой найдёт на Луне коротышек, и тогда все скажут: «Знайка был прав. Он очень умный коротышка и предвидел то, чего никто до него не предвидел. А мы были неправы! Мы не верили ему. Мы смеялись над ним. Писали про него всяческие издевательские статейки, рисовали карикатуры». И тогда всем станет стыдно. И профессору Звёздочкину станет стыдно. И тогда все придут ко мне и скажут: «Прости нас, миленький Знаечка! Мы были неправы». А я скажу: «Ничего, братцы, я не сержусь. Я вас прощаю. Хотя мне было очень обидно, когда все надо мной смеялись, но я не злопамятный.

Я хороший! Ведь что для Знайки важнее всего? Для Знайки важнее всего правда. А если правда восторжествовала, то всё, значит, в порядке, и никто ни на кого не должен сердиться».

Так рассуждал Знайка. Обдумав как следует всё, он решил забыть о Луне и никогда больше о ней не думать. Это решение оказалось всё же не так легко выполнимо для Знайки. Дело в том, что у него остался кусочек Луны, то есть тот лунный камень, который он отбил молотком от скалы, когда опускался с Фуксией и Селёдочкой в лунную пещеру.

Этот лунный камень, или лунит, как его называл Знайка, лежал у него в комнате на подоконнике и поминутно попадался на глаза. Взглянув на лунит, Знайка тотчас же вспоминал о Луне и обо всём, что произошло, и снова расстраивался.

Однажды, проснувшись ночью, Знайка взглянул на лунит, и ему показалось, что камень в темноте светится каким-то мягким голубоватым светом. Удивлённый этим необычным явлением, Знайка встал с постели и подошёл к окошку, чтоб рассмотреть лунный камень вблизи. Тут он заметил, что на небе была полная, яркая луна. Лучи от луны падали прямо в окно и освещали камень так, что создавалось впечатление, будто он светился сам собой. Полюбовавшись этим красивым зрелищем, Знайка успокоился и лёг в постель.

В другой раз (это случилось вечером) Знайка долго сидел за книжкой, а когда наконец решил лечь спать, была уже глубокая ночь. Раздевшись и потушив электричество, Знайка забрался в постель. Случайно его взгляд упал на лунит. И опять показалось Знайке, что камень светится сам собой, и на этот раз даже как-то особенно ярко. Зная, что всё это лишь эффект лунного освещения, Знайка не обратил на камень внимания и уже собирался заснуть, как вдруг вспомнил, что в эту ночь было новолуние, то есть, попросту говоря, на небе не могло быть никакой луны. Встав с постели и выглянув в окно, Знайка убедился, что ночь действительно была тёмная, безлунная. На чёрном, как уголь, небе сверкали лишь звёзды, но луны не было. Несмотря на это, лунный камень, лежавший на подоконнике, светился так, что не только был виден сам, но и освещал часть подоконника вокруг себя.

Знайка взял лунит в руку, и рука его осветилась слабым, мерцающим, как бы льющимся из камня светом. Чем больше глядел Знайка на камень, тем ярче, казалось ему, он светился. И уже показалось Знайке, что в комнате стало не так темно, как было вначале. И он мог уже разглядеть в темноте и стол, и стулья, и книжную полку. Знайка взял с полки книгу, раскрыл её и положил на неё лунный камень. Камень осветил страницу так, что вокруг можно было различить отдельные буквы и прочитать слова.

Знайка понял, что лунный камень выделял какую-то лучистую энергию. Он тут же хотел побежать рассказать о своём открытии коротышкам, но вспомнил, что они все уже давно спали, и не захотел их будить.

На другой день Знайка сказал коротышкам:

— Сегодня вечером приходите, братцы, ко мне. Я вам покажу очень занятную штуку.

— Какую штуку? — заинтересовались все.

— Вот приходите, увидите.

Всем, конечно, очень интересно было узнать, что за штуку покажет Знайка. Торопыжка от нетерпения так волновался, что за обедом даже есть ничего не мог. Наконец он не выдержал, пошёл к Знайке и пристал к нему с такой силой, что Знайка вынужден был открыть свой секрет. Таким образом, коротышкам всё стало известно заранее, но это лишь увеличивало их любопытство. Каждому хотелось своими глазами увидеть, как светится в темноте камень.

Как только солнышко скрылось за горизонтом, все уже были у Знайки в комнате.

— Вы рано пришли, — сказал коротышкам Знайка. — Камень сейчас не может светиться, так как ещё слишком светло. Он будет светиться, когда наступит полная темнота.

— Ничего, мы подождём, — ответил Сиропчик. — Нам спешить некуда.

— Ну, ждите, — согласился Знайка. — А я пока, чтоб вам не было скучно, расскажу об этом интересном явлении.

Он положил на стол перед рассевшимися вокруг коротышками лунный камень и принялся рассказывать о том, что в природе встречаются вещества, которые приобретают способность светиться в темноте, после того как подвергнутся действию лучей света. Такое свечение называется люминесценцией. Некоторые вещества приобретают способность испускать видимые лучи света даже под влиянием невидимых ультрафиолетовых, инфракрасных или космических лучей.

— Можно предположить, что из такого вещества как раз и состоит лунный камень, — сказал Знайка.

Чтоб занять коротышек ещё чем-нибудь, Знайка изложил им свою теорию о том, что Луна — это такой большой шар, внутри которого есть другой шар, и на этом внутреннем шаре живут лунные коротышки, или лунатики.

Пока Знайка сообщал своим друзьям все эти полезные сведения, в комнате постепенно сгущался мрак. Коротышки изо всех сил пялили глаза на лунный камень, который лежал перед ними, но не замечали никакого свечения. Торопыжка, который был самый неорганизованный, всё время дёргался от нетерпения и не мог усидеть на месте.

— Ну почему он не светится? Ну когда же он будет светиться? — то и дело повторял он.

— Подожди капельку. Ещё очень светло, — успокаивал его Знайка.

Наконец темнота наступила такая, что не стало видно ни камня, ни даже стола, на котором он лежал. А Знайка всё повторял:

— Подождите капельку, ещё очень светло.

— Действительно, братцы, так светло, что хоть картины пиши! — поддержал Знайку Тюбик.

Кто-то потихонечку засмеялся. В темноте нельзя было разобрать кто.

— Всё это чушь какая-то! — сказал Торопыжка. — По-моему, камень не будет светиться.

— А зачем ему светиться, если и без того светло, — сказал Винтик.

Кто-то опять засмеялся. На этот раз громче. Кажется, это был Незнайка. Он был самый смешливый.

— Ты, Торопыжка, всё куда-то торопишься. Тебе всё поскорей хочется, — сказал Сиропчик.

— А тебе не хочется? — сердито проворчал Торопыжка.

— А куда мне спешить? — ответил Сиропчик. — Разве тут плохо? Тепло, светло, и мухи не кусают.

Тут уже все коротышки не выдержали и громко расхохотались. Всем так понравилось изречение Сиропчика насчёт мух, что его стали повторять на разные лады.

Наконец Гусля сказал:

— Какие там мухи! Все мухи спят давно!

— Верно! — подхватил доктор Пилюлькин. — Мухи спят, и нам спать пора! Представление окончено!

— Вы не сердитесь, братцы, тут просто какая-то ошибка вышла, — оправдывался Знайка. — Вчера камень светился, вот даю вам честное слово!

— Ну, ты не горюй, чего там! Завтра мы снова придём, — сказал Шпунтик.

— Конечно, придём: здесь и светло, и тепло, и мухи не кусают, — подхватил кто-то.

Все, смеясь и толкаясь и наступая друг другу в темноте на пятки, стали выбираться из комнаты. Знайка нарочно не зажёг электричество, так как ему стыдно было глядеть коротышкам в глаза. Как только все разошлись, он с размаху бросился на кровать, зарылся лицом в подушку и обхватил голову руками.

— Так мне, дураку, и надо! — бормотал он в отчаянии. — Не мог держать язык за зубами — теперь расплачивайся! Мало того, что в Солнечном городе опозорился, теперь и здесь все будут смеяться!..

Знайка готов был отколотить сам себя от досады, но, сообразив, что время уже позднее, решил не нарушать режим дня и, раздевшись, лёг спать. Ночью он, однако ж, проснулся и, взглянув случайно на стол, обнаружил, что камень светится. Закутавшись в одеяло и сунув ноги в шлёпанцы, Знайка подошёл к столу и, взяв камень в руки, принялся разглядывать его. Камень светился чистым голубым светом. Он весь как бы состоял из тысячи вспыхивающих, мерцающих точечек. Постепенно его свечение становилось всё ярче. Оно было уже не голубым, как вначале, а какого-то непонятного цвета — не то розовое, не то зелёное. Достигнув наибольшей яркости, свечение понемногу угасло, и камень перестал светиться.

Не сказав ни слова, Знайка положил камень на подоконник и в глубокой задумчивости лёг в постель.

С тех пор он часто наблюдал свечение лунного камня. Иногда оно наступало позже, иногда раньше. Иной раз камень светился долго, всю ночь, иной раз совсем не светился. Как ни старался Знайка, он не мог уловить в свечении камня никакой закономерности. Никогда нельзя было сказать заранее, будет ночью светиться камень или же нет. Поэтому Знайка решил помалкивать и пока никому ничего не говорить.

Для того чтобы получше изучить свойства лунного камня, Знайка решил подвергнуть его химическому анализу. Однако и тут встретились непреодолимые трудности. Лунный камень не хотел вступать в соединение ни с каким другим химическим веществом: не хотел растворяться ни в воде, ни в спирте, ни в серной или азотной кислоте. Даже смесь крепкой азотной и соляной кислот, в которой растворяется даже золото, не оказывала никакого действия на лунный камень. Что же мог сказать химик о веществе, которое не вступает в соединение ни с каким другим веществом? Разве только то, что это вещество — какой-нибудь благородный металл

вроде золота или платины. Однако лунный камень был не металл — следовательно, он не мог быть ни золотом, ни платиной.

Потеряв надежду растворить лунный камень, Знайка пытался разложить его на составные части посредством нагревания в тигле, но лунный камень не разлагался от нагревания. Знайка пробовал жечь его в пламени, но тоже безрезультатно. Лунный камень, как говорится, в огне не горел и в воде не тонул... Впрочем, неправда. В воде лунный камень тонул, только вся беда была в том, что делал это он далеко не всегда. В каких-то случаях лунный камень тонул, как обычно тонет в воде кусок сахара или соли, в других же случаях он плавал на поверхности воды, словно пробка или сухое дерево. Это значило, что вес лунного камня, в силу каких-то непостижимых причин, менялся, и из вещества, которое было тяжелее воды, он превращался в вещество легче воды. Это было какое-то совсем новое, до сих пор неизвестное свойство твёрдого вещества. Ни один минерал на земле не обладал подобными свойствами.

Проводя свои наблюдения, Знайка заметил, что обычно температура лунного камня была на два-три градуса выше температуры окружающих предметов. Это значило, что наряду с лучистой энергией лунный камень выделял и тепловую энергию. Однако такое повышение температуры наблюдалось опять-таки не всегда. Это значило, что выделение тепловой энергии происходило не постоянно, а с какими-то перерывами. Иногда температура лунного камня оказывалась на несколько градусов ниже окружающей. Что это значило, было просто невозможно понять.

Все эти странные вещи озадачивали Знайку и в конце концов надоели ему. Не умея объяснить всех этих странностей, Знайка перестал изучать свойства камня и, как говорится, махнул на него рукой. Лунный камень лежал в его комнате на подоконнике, словно какая-то никому не нужная вещь, и потихонечку покрывался пылью.

Глава третья

ВВЕРХ ДНОМ

В дальнейшем произошли события, которые заставили Знайку и вовсе забыть на какое-то время о лунном камне. То, что случилось, было настолько удивительно и необыкновенно, что с трудом поддаётся описанию. Знайке, говоря попросту, было не до того, чтоб думать о каком-то камне, в котором он к тому же не видел никакого проку.

День, в который всё это произошло, начался как обычно, если не считать, что Знайка, проснувшись, встал не сразу, а, вопреки своим правилам, разрешил себе немножко поваляться в постели. Сначала ему просто было лень вставать, а потом стало казаться, будто у него не то болит, не то кружится голова. Некоторое время он не понимал, болит ли у него голова оттого, что он лежит в постели, или же он лежит в постели оттого, что у него болит голова. У Знайки, однако, был свой собственный способ бороться с головной болью, а именно — не обращать на боль никакого внимания и делать всё так, будто никакой боли не было. Решив прибегнуть к этому способу, Знайка бодро вскочил с постели и принялся делать утреннюю зарядку. Проделав ряд гимнастических упражнений и умывшись холодной водой, Знайка почувствовал, что ни боли, ни головокружения у него уже не было.

Настроение у Знайки улучшилось, а так как до завтрака оставалось время, он решил произвести уборку помещения: подмёл пол в комнате, протёр влажной тряпочкой стенные шкафы, в которых у него хранились различные химические вещества в баночках и коллекции насекомых, а главное — разложил по полочкам книги, которые накопились у него на столе, на тумбочке возле кровати и даже на подоконнике. Это давно надо было бы сделать, да у Знайки всё как-то времени не хватало.

Убирая с подоконника книги, Знайка решил заодно убрать и валявшийся там лунный камень. Открыв шкаф, в котором у него хранилась коллекция минералов, Знайка сунул лунный камень на нижнюю полочку, так как на верхних полках не обнаружилось ни одного свободного местечка. Для этого Знайке пришлось нагнуться, а нагнувшись, он снова почувствовал лёгкое головокружение.

— Ну вот! — сказал сам себе Знайка. — Опять голова кружится! Может быть, я на самом деле больной? Надо будет сказать Пилюлькину, чтоб каких-нибудь порошков дал.

Вместе с головокружением у Знайки появилось какое-то странное ощущение зависания вниз головой, то есть ему на какой-то миг показалось, будто он перевёрнут кверху ногами. Оглядевшись по сторонам и убедившись, что он вовсе не вверх ногами, Знайка закрыл дверцу шкафа и уже хотел выпрямиться, но как раз в это время его снизу словно толкнуло что-то и подбросило под потолок. Ударившись о потолок головой, Знайка упал на пол и, чувствуя, что его как бы подхватило ветром и куда-то несёт, ухватился рукой за стул. Это ему, однако ж, не помогло удержаться на месте. В следующее мгновение он уже снова был в воздухе, и притом вместе со стулом в руках. Отлетев в угол комнаты, Знайка ударился спиной о стену, отскочил от неё, словно мячик, и полетел к противоположной стене. Зацепив по пути стулом за люстру и расколотив лампу, Знайка врезался головой в книжную полку, отчего книги разлетелись в разные стороны. Увидев, что от стула никакой пользы нет, Знайка отшвырнул его от себя. В результате стул полетел вниз и, ударившись о пол, подскочил кверху, словно резиновый, сам же Знайка отлетел к потолку и, отскочив от него, полетел вниз. По пути он столкнулся с летящим навстречу стулом и получил удар спинкой стула прямо по переносице. Удар был настолько силен, что Знайка ошалел от боли и на некоторое время перестал трепыхаться в воздухе.

Придя постепенно в себя, Знайка убедился, что висит в какой-то нелепой позе посреди комнаты, между полом и потолком. Неподалёку от него повис кверху ножками стул, люстра висела в каком-то противоестественном состоянии: не отвесно, как бывает всегда, а наискось, словно какая-то неведомая сила притягивала её к стене; вокруг по всей комнате плавали книги. Знайке показалось странным, что и стул, и книги не падают на пол, а как бы взвешены в воздухе. Всё это было похоже на состояние невесомости, которое Знайка наблюдал в кабине космического корабля во время путешествия на Луну.

— Странно! — пробормотал Знайка. — Очень странно!

Стараясь не делать резких движений, он попробовал поднять руку. Его удивило, что для этого ему не потребовалось никакого усилия. Рука поднялась как бы сама собой. Она была лёгкая, как пушинка. Знайка поднял другую руку. И эта рука словно не весила ничего. Её даже как будто подталкивало что-то снизу. Теперь, когда волнение его несколько улеглось, Знайка почувствовал во всём теле какую-то необычную лёгкость. Ему казалось, что стоит только взмахнуть руками, и он начнёт порхать по комнате, словно мотылёк или какое-нибудь другое крылатое насекомое.

«Что же со мной случилось? — в смятении думал Знайка. — Одно из двух: либо я нахожусь в состоянии невесомости, либо я сплю и всё это мне во сне снится».

Он принялся изо всех сил таращить глаза, стараясь проснуться, но, убедившись, что и без того не спит, окончательно пришёл в уныние и закричал жалобным голосом:

— Братцы, спасите!

Так как на помощь никто не шёл, Знайка решил поскорей выбраться из комнаты и посмотреть, что делают остальные друзья-коротышки.

Начав осторожно делать руками и ногами плавательные движения, Знайка стал медленно перемещаться по воздуху и постепенно доплыл до двери. Там он уцепился руками за притолоку и принялся изо всех сил толкать дверь ногами. Казалось бы, открыть дверь — дело нехитрое, однако в состоянии невесомости это не так просто, как кажется. Знайке пришлось потратить немало усилий, прежде чем дверь оказалась открытой.

Выбравшись наконец из комнаты и очутившись на лестнице (вернее сказать, над лестницей), Знайка принялся раздумывать, как бы ему спуститься вниз. Каждый может легко догадаться, что спускаться обычным способом, то есть сходя по ступенькам, Знайка теперь не мог, так как сила тяжести уже не тянула его вниз, и сколько бы он ни перебирал ногами, это ни к чему бы не привело.

В конце концов Знайка всё же придумал хороший способ. Дотянувшись до перил, он стал спускаться, цепляясь за перила руками. Наверно, со стороны это выглядело очень смешно, потому что Знайкины ноги болтались в воздухе, как у комара, и по мере того как он опускался всё ниже, ноги его задирались всё выше и он всё больше перевёртывался вниз головой.

Спустившись таким оригинальным способом с лестницы, Знайка очутился в коридоре перед дверью в столовую. Из-за двери доносились какие-то приглушённые крики. Знайка прислушался и понял, что находившиеся в столовой коротышки чем-то встревожены. После нескольких неудачных попыток Знайка отворил дверь и очутился в столовой. То, что он увидел, привело его в изумление. Коротышки, собравшиеся в столовой, не сидели, как всегда, за столом, а плавали в различных позах по воздуху. Вокруг них плавали стулья, скамейки, миски, тарелки, ложки. Тут же плавала большая алюминиевая кастрюля, наполненная манной кашей.

Увидев Знайку, коротышки подняли невероятный шум.

— Знаечка, миленький, помоги! — завопил Растеряйка. — Я не пойму, что со мной происходит!

— Слушай, Знайка, мы все почему-то летаем! — закричал доктор Пилюлькин.

— А у меня ноги отнялись! Я ходить не могу! — визжал Сиропчик.

— И у меня ноги отнялись! У всех ноги отнялись! И стены шатаются! — кричал Ворчун.

— Тише, братцы! — закричал в ответ Знайка. — Я сам ничего не могу понять. По-моему, мы в состоянии невесомости. Мы потеряли вес. Я испытывал такое же состояние, когда летел на Луну в ракете.

— Но мы ведь никуда не летим, — сказал Тюбик,

— Это, наверно, кто-то нарочно придумал такое баловство! — закричал Торопыжка,

— Кто-то подшутил над нами! — подхватил Растеряйка.

— Ну что за шутки ещё! — завизжал Пончик. — Прекратите сейчас же! У меня голова кружится! Почему стены шатаются? Почему всё перевернулось вверх дном?

— Всё на месте, — ответил Пончику Знайка. — Ты сам перевернулся вниз головой, от этого тебе и кажется, что всё вокруг вверх дном.

— Ну так пусть меня сейчас же перевернут обратно, а то я за себя не отвечаю! — продолжал кричать Пончик.

— Спокойствие! — сказал Знайка. — Сначала нам надо выяснить, отчего мы потеряли вес.

А Незнайка сказал:

— Если мы потеряли вес, так его надо найти, и дело с концом. Чего тут ещё выяснять?

— А ты, дурачок, молчи, если ничего дельного предложить не можешь, — сказал с раздражением Шпунтик.

— А ты меня дурачком не называй, а то как дам кулаком!

С этими словами Незнайка взмахнул кулаком и дал Шпунтику такого сильного подзатыльника, что Шпунтик завертелся волчком и полетел через всю комнату.

Незнайка тоже не удержался на месте и, полетев в противоположную сторону, стукнулся головой о кастрюлю с кашей. От толчка жидкая манная каша выплеснулась прямо в лицо находившемуся неподалёку Пончику.

— Братцы, это что?.. За что?.. Это безобразие! — кричал Пончик, размазывая по лицу манную кашу и плюясь во все стороны.

Стараясь избежать столкновения с плюющимся Пончиком и плывущими по воздуху комьями манной каши, коротышки принялись делать резкие движения руками и ногами, в результате чего стали летать по комнате во всех направлениях, сталкиваясь друг с другом и нанося друг другу различные повреждения.

— Тише, братцы! Спокойствие! — надрывался Знайка, которого толкали со всех сторон. — Старайтесь не двигаться, братцы, а то я не знаю, что будет! В состоянии невесомости нельзя делать слишком резких движений. Слышите, что я вам говорю? Спокой-стви-е!!!

Рассердившись, Знайка стукнул кулаком по столу, возле которого в тот момент находился. От такого резкого движения Знайку самого перевернуло в воздухе и довольно сильно ушибло затылком об угол стола.

— Ну вот, я же говорил! — закричал он, почёсывая рукой ушибленное место.

Коротышки в конце концов поняли, что от них требовалось, и, перестав делать бесцельные движения, застыли в воздухе: кто вверху, под потолком, кто внизу, недалеко от пола, кто вверх головой, кто вниз головой, кто в горизонтальном, кто в наклонном, то есть косом, положении.

Увидев, что все наконец успокоились, Знайка сказал:

— Слушайте меня внимательно. Сейчас я прочту вам лекцию о невесомости... Все вы знаете, что каждый предмет притягивается к земле, и это притяжение мы ощущаем как силу тяжести, или как вес. Благодаря силе тяжести, или весу, мы можем свободно передвигаться по земле, так как наши ноги под тяжестью нашего тела прижимаются к земле и приобретают сцепление с ней. Если вес пропадёт, вот как сейчас, то никакого сцепления уже не будет и мы не сможем передвигаться обычным способом, то есть не сможем ходить по земле или по полу. Что в таком случае делать?

— Да, да, что делать? — отозвались со всех сторон коротышки.

— Надо приспосабливаться к создавшимся новым условиям, — ответил Знайка. — А для этого всем вам нужно усвоить третий закон механики, который особенно наглядно проявляется в условиях невесомости. О чём говорит этот закон? Этот закон говорит о том, что всякое действие вызывает равное и противоположно направленное противодействие. Например: если я, находясь в состоянии невесомости, подниму руки вверх, то всё моё тело сейчас же опустится вниз. Вот смотрите...

Знайка решительно поднял обе руки вверх, и всё его тело начало плавно опускаться вниз.

— Если же я опущу руки вниз, — сказал он, — то все моё тело начнёт подниматься вверх.

Не долетев до пола, Знайка быстро опустил руки вниз, в результате чего плавно полетел вверх.

— А теперь смотрите! — закричал Знайка, остановившись под потолком. — Если я отведу руку в сторону — например, вправо, — то всё моё тело начнёт вращаться в противоположном направлении, то есть влево.

Энергично отбросив правую руку в сторону, Знайка пришёл во вращательное движение и перевернулся вниз головой.

— Видите? — закричал он. — Сейчас я вниз головой, и вся комната представляется мне в перевёрнутом виде. Что мне нужно сделать, чтоб перевернуться обратно? Для этого достаточно махнуть рукой в сторону.

Знайка махнул в сторону левой рукой и, снова придя во вращательное движение, перевернулся обратно вверх головой.

— Вы видите, что, выполняя несложные движения руками, можно придавать своему телу любое положение в пространстве. Теперь послушайте, что от нас требуется в первую очередь. В первую очередь тем из вас, которые находятся вниз головой, нужно перевернуться вверх головой.

— А тем, которые вверх головой, надо перевернуться вниз головой? — спросил Незнайка.

— А вот этого как раз не нужно, — ответил Знайка. — Все должны быть вверх головой, потому что такое положение является привычным для каждого нормального коротышки. Во-вторых, всем надо опуститься вниз и стараться держаться поближе к полу, так как для каждого нормального коротышки естественно находиться на полу, а не маячить под потолком. Надеюсь, это понятно?

Все принялись делать плавные движения руками, стараясь принять вертикальное положение и опуститься вниз. Это не сразу удалось всем, так как, приняв вертикальное положение и опустившись вниз, коротышка отталкивался ногами от пола и взвивался обратно под потолок.

— Держитесь поближе к стенам, братцы, — советовал коротышкам Знайка, — а опустившись вниз, хватайтесь руками за что-нибудь неподвижное: за подоконник, за дверную ручку, за трубу парового отопления.

Этот совет оказался очень полезным. Прошло немного времени, и все коротышки расположились внизу, если не считать Пончика, который продолжал неуклюже кувыркаться по воздуху. Все наперебой давали ему советы, как опуститься вниз, но это не приносило пользы.

— Ну ничего, — сказал Знайка. — Пусть он потренируется. Со временем и у него всё будет хорошо получаться. А мы с вами отдохнём чуточку и постараемся привыкнуть к состоянию невесомости.

— Как же! Привыкнешь к нему! — насупившись, проворчал Ворчун.

— Ко всему можно привыкнуть, — спокойно ответил Знайка. — Главное — это не обращать на невесомость внимания. Если кому-нибудь покажется, что он падает вниз или переворачивается вверх ногами, а такие ощущения бывают в состоянии невесомости, то надо поскорей оглядеться по сторонам. Вы увидите, что находитесь в комнате и никуда не падаете, и перестанете волноваться. У кого есть вопросы?

— Меня очень беспокоит один вопрос, — сказал Незнайка. — Мы будем сегодня завтракать или по случаю невесомости всякие там завтраки и обеды целиком отменяются?

— Завтраки и обеды вовсе не отменяются, — ответил Знайка. — Сейчас дежурные по кухне будут готовить завтрак, а мы тем временем займёмся работой. Прежде всего необходимо закрепить все подвижные предметы, чтоб они не летали по воздуху. Столы, стулья, шкафы и прочую мебель надо прибить к полу гвоздями; по всем комнатам и коридорам следует протянуть верёвки, как для просушки белья. Мы будем держаться за верёвки руками, и нам будет легче передвигаться.

Все, кроме Пончика, тут же принялись за работу: кто протягивал верёвки по комнатам, кто прибивал мебель к полу. Это было нелёгкое дело. Попробуй-ка забить гвоздь в стену, когда при каждом ударе молотком сила противодействия отбрасывает тебя в противоположную сторону и ты летишь не взвидя света и не зная, обо что стукнешься головой. Теперь всё приходилось делать по-новому. Для того чтоб заколотить один гвоздь, требовалось не менее трёх коротышек. Один держал гвоздь, другой бил по гвоздю молотком, а третий держал того, который бил по гвоздю, чтоб сила противодействия не отбрасывала его назад.

Особенно трудно пришлось дежурным по кухне. Хорошо ещё, что дежурными в тот день оказались Винтик и Шпунтик. Это были два очень изобретательных ума. Попав на кухню, они тотчас же принялись ворочать, как говорится, мозгами и придумывать разные усовершенствования.

— Для того чтобы нормально работать, необходимо твёрдо стоять на ногах, — сказал Винтик. — Попробуй, например, месить тесто, рубить капусту, резать хлеб или вертеть мясорубку, когда твоё тело без всякой опоры болтается в воздухе.

— Мы не можем твёрдо стоять, потому что у наших ног нет сцепления с полом, — сказал Шпунтик.

— Раз сцепления нет, надо сделать, чтоб оно было, — ответил Винтик. — Если мы прибьём свои башмаки к полу, то сцепление будет вполне достаточное.

— Очень остроумная мысль! — одобрил Шпунтик.

Друзья тотчас сняли ботинки и приколотили их к полу гвоздями.

— Видишь, — сказал Винтик, сунув ноги в ботинки, — теперь мы твёрдо стоим на ногах, и наше тело никуда не летит при малейшем толчке. Руки у нас свободны, и мы можем делать всё, что захочется.

— Хорошо бы прибить рядом с ботинками стулья, чтоб можно было работать сидя, — предложил Шпунтик.

— Блестящая мысль! — обрадовался Винтик.

Друзья быстро приколотили к полу два стула. Теперь, когда их ноги приобрели сцепление с полом, забивать гвозди стало легко.

— Смотри, как замечательно получилось, — сказал Шпунтик, садясь на стул. — Разве я мог бы сидеть на стуле, если бы ботинки не были приколочены? Я смог бы сидеть только в том случае, если бы держался за стул руками, но тогда бы я не смог ничего делать. Теперь же у меня руки свободны, и я могу делать всё, что угодно. Могу и писать, и читать, сидя за столом, а если сидеть надоест, могу встать и работать стоя.

Говоря это, Шпунтик садился на стул и вставал с него, демонстрируя все удобства нового метода.

Винтик вытащил одну ногу из ботинка и сказал:

— Для надёжного сцепления с полом достаточно одной ноги. Вытащив из ботинка другую ногу, я могу сделать шаг вперёд, шаг назад или шаг в сторону. Сделав шаг в сторону, я свободно могу дотянуться до печки; сделав шаг обратно, я могу по-прежнему работать за столом. Моя манёвренность, таким образом, повышается.

— Изумительная мысль! — воскликнул, вскакивая со стула, Шпунтик. — Смотри: если я сделаю шаг вправо, то могу достать рукой до шкафа, а если сделаю шаг влево, то дотянусь до водопроводного крана. Таким образом, не теряя устойчивости, мы с тобой можем перемещаться почти по всей кухне. Вот что значит техническая смекалка!

В это время на кухню заглянул Знайка.

— Ну как тут у вас, завтрак скоро будет готов?

— Завтрак ещё не готов, но зато готово сногсшибательное изобретение.

Винтик и Шпунтик принялись наперебой рассказывать Знайке о своих усовершенствованиях.

— Хорошо, — сказал Знайка. — Мы используем ваше изобретение, но завтрак всё-таки надо готовить. Всем хочется есть.

— Сейчас всё будет готово, — сказали Винтик и Шпунтик.

Знайка ушёл или, вернее сказать, уплыл из кухни, а Винтик и Шпунтик взялись за приготовление завтрака. Это оказалось не так легко, как они предполагали вначале. Во-первых, ни крупа, ни мука, ни сахар, ни вермишель не хотели высыпаться из пакетов; если же высыпались, то не попадали туда, куда нужно, а рассеивались в воздухе и плавали вокруг, набиваясь и в рот, и в нос, и в глаза, что доставляло Винтику и Шпунтику много хлопот. Во-вторых, и вода из водопровода не хотела набираться в кастрюлю. Вытекая под напором из крана, она ударялась о дно кастрюли и выплёскивалась наружу. Здесь она собиралась в крупные и мелкие шарики, которые плавали в воздухе и тоже лезли Винтику и Шпунтику в рот, и в нос, и в глаза, и даже за шиворот, что тоже было не так уж приятно.

В довершение всех бед огонь в печи не хотел гореть. Ведь для того чтобы пламя горело, необходим беспрерывный приток свежего кислорода. Когда пламя горит, оно нагревает окружающий его воздух. Нагретый воздух легче холодного и поэтому поднимается вверх, а на его место к пламени с разных сторон притекает свежий воздух, богатый кислородом. Но в условиях невесомости как холодный, так и нагретый воздух совсем ничего не весит. Поэтому нагретый воздух не делается легче холодного и не поднимается вверх. Как только весь кислород вокруг пламени израсходуется на горение, пламя погаснет, и тут уж ничего не поделаешь!

Сообразив, в чём тут загвоздка, наши друзья решили варить завтрак на электрической плитке.

— А ещё лучше будет, если мы ничего не станем варить, а просто вскипятим чай, — предложил Шпунтик. — В чайник всё-таки легче воды набрать.

— Гениальная мысль! — одобрил Винтик.

Действуя как можно осторожнее, друзья наполнили водой чайник, поставили его на электроплитку и крепко-накрепко привязали верёвкой к столу, чтоб он никуда не уплыл. Вначале всё шло хорошо, но через несколько минут Винтик и Шпунтик увидели, как из носика чайника начала пузырём вылезать вода, словно её кто-нибудь выталкивал изнутри. Шпунтик поскорей заткнул носик чайника пальцем, но вода тут же начала вылезать пузырём из-под крышки. Этот пузырь становился всё больше, наконец оторвался от крышки и, трясясь, словно был сделан из жидкого студня, поплыл по воздуху.

Винтик поскорей открыл крышку и заглянул в чайник. Чайник был пуст.

— Вот так история! — пробормотал Шпунтик.

Друзья снова наполнили чайник и поставили на горячую плитку. Через минуту вода снова начала лезть из чайника.

Тут опять появился Знайка:

— Ну скоро вы там? Коротышки голодные!

— Тут у нас чудо какое-то! — растерянно сказал Шпунтик. — Пузырь лезет из чайника.

— Пузырь лезет — это ещё не чудо, — ответил Знайка.

Он приблизился к чайнику и строго посмотрел на пузырь, выдувавшийся из носика чайника. Потом сказал «гм» и попробовал заткнуть носик пальцем. Увидев, что пузырь начал вылезать из-под крышки, Знайка снова сказал «гм» и попробовал плотней прижать крышку к чайнику. Убедившись, что это ни к чему не привело, Знайка в третий раз сказал «гм» и на мгновение задумался, после чего сказал:

— Никакого чуда здесь нет, а есть вполне объяснимое научное явление. Все вы знаете, что вода нагревается благодаря перемешиванию. Нижние слои воды в чайнике, нагреваясь на огне или на электроплитке, становятся легче и всплывают вверх, а на их место опускается холодная вода из верхних слоёв. В чайнике получается, как бы это сказать, круговорот воды. Но такой круговорот происходит при наличии у воды веса. Если веса не будет — вот как сейчас, — то нижние слои воды, нагревшись, не станут легче и не поднимутся вверх, а останутся внизу и будут нагреваться до тех пор, пока не превратятся в пар. Этот пар, расширяясь от нагревания, начнёт поднимать находящуюся над ним холодную воду, в результате чего она пузырём вылезет из чайника. А что из этого следует?

— Ну что следует? — развёл Шпунтик руками. — Наверно, из этого следует, что пузырь оторвётся от чайника и будет плавать по воздуху, пока не размажется у кого-нибудь по спине.

— Из этого следует, — строго сказал Знайка, — что кипятить воду в условиях невесомости надо в герметическом сосуде, то есть в таком сосуде, крышка которого закрывается плотно и не пропускает ни воды, ни пара.

— У нас в мастерской есть котёл с герметической крышкой. Я сейчас принесу, — сказал Винтик.

— Давай неси, да поскорее, пожалуйста. Нельзя нарушать режим питания, — сказал, удаляясь, Знайка.

Винтик освободился от прибитых к полу ботинок, оттолкнулся ногой от стола и со скоростью шмеля полетел из кухни. Для того чтоб попасть в мастерскую, ему нужно было выйти во двор. Вылетев из кухни, он принялся пробираться по коридору, отталкиваясь руками и ногами от стен и от всего, что могло встретиться на пути. Наконец он добрался до выходной двери и попытался её открыть. Дверь, однако, была закрыта плотно, и попытки Винтика долго не приводили к успеху: когда Винтик толкал дверь вперёд, реактивная сила неизменно отбрасывала его назад, и ему приходилось затрачивать много усилий, чтобы снова добраться до двери.

Убедившись, что таким путём он ничего не добьётся, Винтик решил прибегнуть к другому методу. Согнувшись в три погибели, он упёрся руками в дверную ручку, а ногами упёрся в пол на некотором расстоянии от двери. Почувствовав, что его ноги приобрели достаточное сцепление с полом, Винтик попытался выпрямиться на манер пружины и изо всех сил приналёг на дверь. Неожиданно дверь распахнулась, Винтик вылетел из неё, словно торпеда, выпущенная из торпедного аппарата, и понёсся по воздуху. Поднимаясь всё выше и выше, он пролетел над беседкой, которая стояла в конце двора, и скрылся за забором.

Никто этого не видел.

Глава четвёртая

НЕОЖИДАННОЕ ОТКРЫТИЕ

Оставшись на кухне один, Шпунтик сказал сам себе:

— Пока Винтик разыскивает котёл, я успею немножечко отдохнуть.

Он с удобством уселся на стуле, заложил ногу за ногу и принялся отдыхать. Впрочем, это только так говорилось, потому что отдыхало лишь тело Шпунтика, в то время как его деятельный ум ни на минуту не прекращал работы. Живые, юркие глазки Шпунтика всё время вертелись в разные стороны. Каждый предмет, который попадал Шпунтику на глаза, внушал ему какую-нибудь остроумную мысль. Бросив взгляд на приколоченные к полу ботинки Винтика, Шпунтик подумал:

«Жаль, что из кухни приходится выходить босиком. Не отдирать же каждый раз от пола ботинки. Но если прибить к полу галоши, то ботинки могут оставаться на ногах. Пришёл на кухню, сунул ноги в галоши и работай — сцепление будет достаточное. Гениальная мысль!»

Некоторое время Шпунтик наслаждался пришедшей ему в голову гениальной мыслью. Потом сказал:

— Но галоши можно использовать более рационально. У нас в доме шестнадцать коротышек, у каждого пара галош — всего, значит, тридцать две галоши. Если прибить вдоль комнат и коридоров все эти галоши, каждую на расстоянии шага, то можно будет с удобством ходить по комнатам: сунул ногу в одну галошину — сделал шаг, сунул ногу в другую — ещё шаг... Исключительно гениальная мысль!

Шпунтик хотел побежать рассказать Знайке о своём новом изобретении, но тут же забыл об этом, так как в его голову уже лезли новые мысли.

— Теперь, когда наступило состояние невесомости, всё будет не такое, как прежде, — продолжал рассуждать он. — Возьмём, например, самый обыкновенный стул. На таком стуле можно сидеть, лишь прибив к полу ботинки. Это неостроумно! В будущем появятся новые стулья со стременами. На них нужно будет сидеть верхом. Сел на стул, сунул в стремена ноги и работай спокойно — никуда не улетишь. Зверски гениальная мысль! Кроме того, стулья должны быть вертящимися...

Мысли так и кипели у Шпунтика в голове. Глаза его возбуждённо горели, на лице блуждала счастливая улыбка.

В это время на кухне опять появился Знайка.

— Это что же происходит такое? — закричал с раздражением он. — Где завтрак?

— Какой завтрак? — спросил Шпунтик, очнувшись от своих грёз.

— Смотрите на него! — с возмущением закричал Знайка. — Забыл даже, что завтрак надо готовить! Где Винтик?

— Винтик?.. Он пошёл за этим... за герметическим котлом.

— Так он уже час как пошёл за котлом! Неужели так трудно котёл принести?

— Сейчас пойду разыщу его, — сказал Шпунтик и стал пробираться к выходу.

Знайке, однако, показалось подозрительным, что Винтик так замешкался. Увидев, что Шпунтик уже почти добрался до выходной двери, он закричал с испугом:

— Постой! Не смей выходить во двор!

— Почему? — спросил Шпунтик.

— Остерегись, говорят тебе! — сердито закричал Знайка. — Сейчас надо действовать со всей осторожностью. Ведь мы находимся в состоянии невесомости. Неизвестно, куда тебя понесёт, как только ты очутишься под открытым небом. Малейший толчок — и полетишь прямо в мировое пространство.

Знайка добрался до двери, уцепился руками за дверную ручку и, высунувшись во двор, стал звать:

— Винтик! Винтик!

Винтик не отзывался.

— Неужели Винтика унесло в мировое пространство? — испуганно спросил Шпунтик.

Незнайка, который в это время выглянул в коридор, услыхал слова Шпунтика.

— Вот те на! Винтика унесло в мировое пространство! — пробормотал Незнайка и тут же начал кричать во всё горло: — Братцы, беда! Винтика унесло в мировое пространство!

Все всполошились и бросились к выходу.

— Назад! — закричал Знайка. — Не подходите к двери! Это опасно!

— Где Винтик? Что с Винтиком? — спрашивали коротышки волнуясь.

— Ещё ничего не известно, — ответил Знайка. — Известно, что он отправился в мастерскую и не вернулся оттуда.

— Надо кому-нибудь пойти в мастерскую, может быть, он ещё там, — сказал Тюбик.

— Пойдёшь тут, когда состояние невесомости, — сказал Ворчун.

— А ну тащите сюда подлинней верёвку, — отдал распоряжение Знайка.

Приказ моментально исполнили. Знайка обвязал один конец верёвки вокруг пояса, а другой конец привязал к дверной ручке и строго сказал:

— Смотрите, чтоб никто не смел выходить из дома. Довольно с нас и того, что Винтик пропал!

Придав своему телу наклонное положение, Знайка с силой оттолкнулся ногами от порога и полетел в направлении мастерской, которая находилась неподалёку от дома. Он немного не рассчитал толчка и поднялся выше, чем было надо. Пролетая над мастерской, он ухватился рукой за флюгер, который показывал направление ветра. Это задержало полёт. Спустившись по водосточной трубе, Знайка отворил дверь и проник в мастерскую. Коротышки с напряжением следили за его действиями. Через минуту Знайка выглянул из мастерской.

— Его здесь нет! — закричал он. — Да похоже, что и не было. Сейчас посмотрю в беседке.

Одним прыжком Знайка достиг беседки и заглянул внутрь. Винтика и там не было.

— Пожалуй, лучше всего взобраться на крышу дома и посмотреть вокруг. Сверху всегда виднее. Ну-ка, тяните меня на верёвке к дому! — закричал Знайка.

Коротышки принялись тянуть верёвку и притянули Знайку обратно к дому. Знайка мгновенно вскарабкался по водосточной трубе на крышу и уже хотел оглядеться по сторонам, но налетевший неожиданно порыв ветра

сдул его с крыши и понёс в сторону. Это не испугало Знайку, так как он знал, что коротышки в любой момент могут притянуть его на верёвке обратно.

— Так даже ещё лучше, — сказал сам себе Знайка. — Летая над землёй словно на вертолёте, я гораздо тщательнее разгляжу всё вокруг.

Ему, однако, не удалось ничего разглядеть, так как в следующий момент произошло то, чего никто не ожидал. Не долетев до забора, Знайка вдруг начал стремительно падать, словно какая-то сила неожиданно потянула его вниз. Шлёпнувшись с размаху о землю, он растянулся во весь рост и не успел даже сообразить, что произошло. Ощущая во всём теле страшную тяжесть, он с трудом поднялся на ноги и огляделся по сторонам.

Его удивило, что он снова твёрдо держится на ногах.

— Вот так штука! Кажется, я снова приобрёл вес! — пробормотал Знайка.

Он попробовал поднять руку, потом другую, попробовал сделать шаг, другой… Руки и ноги повиновались с трудом, словно были свинцом налиты.

«Может быть, ощущение большой тяжести — результат быстрого перехода от состояния невесомости к весу?» — подумал Знайка.

Увидев, что коротышки испуганно смотрят на него из дверей дома, он закричал:

— Братцы, смотрите! Здесь нет состояния невесомости!

— А что там есть? — спросил кто-то.

— Здесь есть состояние весомости. На меня по-прежнему действует сила тяжести. Смотрите, я стою… Я хожу… Я прыгаю!..

Знайка сделал несколько шагов и попытался подпрыгнуть. Правда, прыжок у него не получился: Знайка не смог оторвать от земли ног.

Как раз в это время за забором послышался чей-то жалобный стон. Знайка прислушался, и ему показалось, что его кто-то зовёт на помощь. Недолго думая Знайка подбежал к забору и хотел вскарабкаться на него, но это не удалось ему. Тяжесть по-прежнему действовала на него со страшной силой. Услышав явственно, что за забором кто-то зовёт на помощь, Знайка выломал в заборе доску и выглянул в образовавшийся пролом. Неподалёку от забора он увидел лежавшего на земле Винтика. Винтик тоже увидел его.

— Знаечка, миленький, помоги, я, кажется, ногу сломал! — закричал Винтик.

— Как ты сюда попал? — спросил Знайка, подбегая к нему.

— Я, понимаешь, хотел отворить дверь, а дверь открылась, и я как полечу, понимаешь…

— Почему же ты не отзывался? Я тебя тут зову, зову!

— А я ничего не слышал. Наверно, сознание потерял.

Знайка схватил Винтика под мышки, взвалил на спину и потащил сквозь пролом к дому. Сделав несколько шагов, Знайка почувствовал, что тяжесть как будто уменьшилась, а сделав ещё шаг, он неожиданно оторвался от земли и взвился вместе с Винтиком в воздух.

«Что за чудо! Опять попал в состояние невесомости!» — подумал Знайка.

Он растерялся в первый момент, но потом вспомнил, что привязан к верёвке, и закричал:

— Братцы, тащите нас скорее к себе!

Увидев, что Знайка с Винтиком взмывают всё выше, коротышки ухватились за конец верёвки и потащили Знайку к дому. Знайка крепко держал Винтика за шиворот, чтоб он не выскользнул у него из рук. Не прошло и минуты, как они были внутри помещения. Всем хотелось поскорей взглянуть на Винтика, но доктор Пилюлькин сказал:

— А ну, расходитесь, то есть разлетайтесь отсюда все! А больного уложите сейчас же в постель, мне его осмотреть надо.

Коротышки потащили Винтика по коридору.

— Ох, братцы, тихонечко! — молил Винтик. — У меня ножки болят!

Наконец его притащили в комнату, уложили в постель и привязали к кровати верёвкой. Пилюлькин начал осматривать его. Он долго стукал пальцами по ногам, по рукам, по груди и даже по голове больного, прислушиваясь, какой получается звук. Потом сказал:

— Придётся тебе полежать, милый друг, э-э... м-м-м... в постельке... Но ты не пугайся, ничего страшного нет. Ты просто, в некотором роде, ножки отшиб.

— Как это, в некотором роде, ножки отшиб? — спросил Винтик.

— Ну, так м-м-м... ногами сильно ударился, значит, отчего и произошло... м-м-м... некоторое растяженьице жил и... м-м-м... некоторое сотрясеньице в суставчиках... М-м-да-а! Через некоторое время боль в суставчиках у тебя утихнет, и ты снова сможешь, в некотором роде, ходить... если, конечно, понадобится.

— Почему если понадобится? — насторожился Винтик,

— Ну, потому что если будет состояние невесомости, то ходить нам вовсе не надо будет. Будем, в некотором роде, летать.

— Ну ладно, — ответил Винтик. — А нельзя ли мне чего-нибудь, в некотором роде, покушать? Я с утра ничего не ел.

— Слушай, как там у тебя с завтраком? — осведомился Пилюлькин у Шпунтика.

46

— По случаю состояния невесомости завтрак ещё не готов, — отрапортовал Шпунтик. — Но поскольку Знайка нашёл место, где состояния невесомости нет, мы проберёмся туда и быстро сварим на костре завтрак.

— Ты, голубчик, вот что, — сказал доктор Пилюлькин. — Завтрака варить не надо, потому что теперь уже время обедать. Лучше готовь сразу обед, а больному я пока дам хлеба с вареньем.

Пилюлькин отправился за хлебом с вареньем, а Шпунтик, обвязавшись верёвкой, пробрался в конец двора. Почувствовав, что снова приобрёл вес, он привязал конец верёвки к забору и закричал коротышкам:

— Ну-ка, тащите сюда дрова, и спички, и кастрюли, и чайник, и сковородку, и продукты тащите!

Коротышки, держась за протянутую поперёк двора верёвку, принялись таскать Шпунтику всё, что могло понадобиться для приготовления обеда. Все работали очень активно, так как каждому очень хотелось есть. Не работали только больной Винтик да ещё Пончик, который по-прежнему болтался под потолком в столовой. Знайка сказал, что Пончик, очевидно, потерял ориентацию в пространстве и не сумел приспособиться к состоянию невесомости. На самом же деле Пончик прекрасно приспособился к невесомости, но так как он был чрезвычайно хитрый, то решил это скрыть. В то время как все коротышки работали, он летал потихоньку по комнате и уплетал манную кашу, которая вывалилась из кастрюли и плавала вокруг комьями. За небольшой промежуток времени он единолично съел целую кастрюлю каши, так что от неё и следа не осталось.

— Вот я и сыт, и ничего мне больше не надо! — говорил с удовлетворением Пончик. — А остальные пусть трудятся, если им это нравится.

Пока коротышки варили обед, Знайка привязался к верёвке и производил во дворе наблюдения над силой тяжести. Оказалось, что состояние невесомости наблюдалось вокруг дома только на расстоянии двадцати — тридцати шагов. Это была, как её назвал Знайка, зона невесомости. За ней начиналась, как её назвал Знайка, зона тяжести, или зона весомости. Пробравшись через зону невесомости при помощи верёвки, можно было проникнуть в зону весомости и, выйдя из калитки, уже без всяких опасений отправляться в любом направлении по улице.

Установив эти научные факты, Знайка сказал Пилюлькину:

— Теперь нам надо узнать, наблюдается ли состояние невесомости только у нас или оно есть и в других частях города. Сделай-ка сейчас обход по городу и разузнай, не ощущал ли кто-нибудь из жителей признаков невесомости, не кружилась ли у кого голова, не испытывал ли кто-нибудь ощущения зависания вниз головой. Все эти сведения помогут нам выяснить причины этого загадочного явления. Я думаю, пока не следует никому говорить, что у нас невесомость. Как только в городе станет известно об этом, все бросятся к нам, и тогда трудно сказать, что может произойти. Хорошо ещё, что с Винтиком всё обошлось, в общем, благополучно, да и я, нужно сказать, только чудом не переломал себе ног. Мы должны быть крайне осторожны с этим ещё недостаточно изученным явлением природы.

Пока Пилюлькин ходил по городу, коротышки приготовили обед и стали обедать тут же, под открытым небом. Это было особенно приятно, так как на воздухе аппетит всегда улучшается. Конечно, в первую очередь они накормили больного Винтика. Это было не легко сделать, так как кормить его пришлось в состоянии невесомости. Для больного Шпунтик придумал сварить специальный больничный суп-пюре. Но самое остроумное было то, что суп этот Шпунтик придумал налить в чайник, который обычно служил для заварки чая. Чайник был плотно закрыт сверху крышечкой, поэтому суп из него не выплёскивался, когда попадал в состояние невесомости. Больному оставалось только сунуть носик чайника в рот и потихоньку посасывать суп. Питание, таким образом, происходило быстро и притом без потерь.

Кашу Шпунтик придумал сделать для Винтика не очень жидкую, но и не очень густую. Такая каша хорошо прилипала к тарелке, благодаря чему её свободно можно было переносить с места на место, а также брать ложкой, не боясь, что она сползёт с тарелки и начнёт плавать в пространстве. На третье был клюквенный кисель, который также был подан Винтику в чайнике.

Накормив Винтика, коротышки точно таким же образом накормили и Пончика, который, как уже говорилось, потерял не только вес, но вместе с ним и остатки совести, не потеряв, однако ж, при этом своего аппетита.

Вскоре вернулся с обхода Пилюлькин и доложил Знайке, что в городе больше нигде состояние невесомости не наблюдается. Жизнь коротышек, сказал он, идёт обычным порядком. Никто никаких загадочных явлений не наблюдал и никаких болезненных ощущений не испытывал.

Сообщённые Пилюлькиным факты заставили призадуматься Знайку. Ему показалось странным, что зона невесомости ограничивалась их двором.

«Должно быть, в этом кроется какая-то причина. Но в чём она?» — ломал голову Знайка.

Приказав коротышкам вести себя осторожнее, Знайка отправился к себе в комнату, чтобы отдохнуть после обеда и поразмышлять в тишине. По привычке он хотел прилечь на кушетку, но вспомнил, что в состоянии невесомости это можно сделать, лишь привязав себя к кушетке верёвкой, что очень хлопотно да и не нужно. Растянувшись

во всю длину над кушеткой и придав своему телу строго горизонтальное положение, для того чтобы вся комната представлялась ему в привычном виде и ничто не отвлекало от мыслей, Знайка принялся размышлять.

— Странно, что зона невесомости представляет собой как бы круг, в центре которого находится наш дом, — сказал сам себе Знайка. — Мы, таким образом, помещаемся как бы в центре невесомости. Может быть, как раз здесь, где я сейчас нахожусь, или где-нибудь совсем рядом и есть этот центр? Не находится ли причина невесомости в центре?

Знайке на мгновение показалось, что он приблизился к разрешению задачи, но неожиданно его мысль совершила скачок в сторону.

— Как же наступило состояние невесомости? С чего всё началось? Давайте припомним, — сказал Знайка, словно разговаривал с невидимыми собеседниками. — Началось это утром. Сначала всё было как обычно... Я убирал комнату, потом положил в шкаф лунный камень, потом... потом... Что ж было потом? Потом ведь как раз и пришло состояние невесомости!

Мысль Знайки лихорадочно заработала.

«Может быть, тайна невесомости связана с лунным камнем?» — как бы сам собой вспыхнул у него в голове вопрос.

«Что ж, такое предположение вполне допустимо, — мысленно отвечал Знайка. — Ведь что представляет собой лунный камень? Никому не известно, что он собой представляет. Известно, что это вещество с какими-то странными свойствами... Может быть, среди его свойств имеется также свойство уничтожать вес... Но ведь лунный камень у меня давно. Почему до сих пор это свойство не проявлялось?.. Может быть, оно не проявлялось потому, что лунный камень находился не там, где сейчас. Может быть, способность лунного камня уничтожать вес зависит от его местоположения?»

У Знайки слегка захватило дух. Он почувствовал, что овладел очень важной мыслью, и напряг все свои умственные способности, чтобы удержать эту мысль в голове.

— Если так... — сказал он, стараясь отогнать все другие мысли, которые осаждали его. — Если невесомость зависит от местоположения камня, то она должна исчезнуть, как только мы удалим камень из шкафа.

Чувствуя себя на пороге великого открытия, Знайка даже задрожал от возбуждения.

— Что ж, — пробормотал он, — проделаем опыт!

Оттолкнувшись слегка от стенки и совершая руками и ногами плавательные движения, он стал пробираться к шкафчику, в котором хранилась коллекция минералов.

— Ну-ка, проделаем опыт, проделаем опыт... — повторял он, словно боялся забыть, что именно он собирался проделать.

От волнения его движения были, однако, не очень точно рассчитаны, поэтому, прежде чем попасть, куда было нужно, он совершил целое кругосветное путешествие по комнате. Добравшись наконец до шкафа, он ухватился за его дверцу руками и повис перед ним в горизонтальном положении с болтающимися в воздухе ногами.

— Что ж, проделаем опыт! — решительно сказал он.

И сейчас же в его голове мелькнула другая мысль:

«А вдруг из этого опыта ничего не выйдет? Вдруг невесомость не пропадёт?»

Эта мысль подействовала на Знайку на манер ледяного душа. Какой-то холодок пробежал по его спине, сердце сильно забилось в груди, и, уже не соображая, что делает, Знайка открыл шкаф и взял с нижней полочки лунный камень.

То, что произошло вслед за этим, со всей наглядностью показало, что все научные предположения Знайки были правильны. Как только лунный камень очутился у него в руках, Знайка ощутил как бы сильный толчок в спину. Упав на пол, он пребольно ушиб коленки и растянулся на животе, словно чем-то прижатый сверху. В ту же секунду раздался грохот. Это всюду посыпались на пол предметы, плававшие до того в состоянии невесомости. Дом затрясся, как во время землетрясения. Знайка в страхе зажмурился. Ему казалось, что на него вот-вот обрушится потолок. Когда он открыл наконец глаза, то увидел, что комната имела обычный вид, если не считать беспорядочно разбросанных вокруг книг.

Поднявшись на ноги и почувствовав, что к нему вернулось привычное ощущение тяжести, Знайка взглянул на лунный камень, который держал в руках.

— Так вот где причина! — радостно воскликнул он. — Но почему невесомость появляется лишь тогда, когда лунный камень находится в шкафчике?

Может быть, состояние невесомости получается оттого, что энергия, выделяемая лунитом, взаимодействует с каким-нибудь веществом, которое содержится в коллекции минералов. Но как узнать, что это за вещество?

Знайка наморщил лоб и снова крепко задумался. Сначала в его голове клубились какие-то совершенно бесформенные мысли. Каждая мысль — на манер облака или большого расплывчатого пятна на стене, глядя на которое никак не разберёшь, на что оно похоже. И вдруг его мозг озарила совершенно ясная, определённая мысль:

«Надо доставать из шкафчика по очереди все хранящиеся там минералы. Как только будет удалено вещество, с которым взаимодействует лунит, невесомость исчезнет, и мы узнаем, что это за вещество».

Положив лунный камень в шкафчик и почувствовав, что невесомость появилась снова, Знайка начал вынимать лежавшие в шкафчике минералы и следить, не появится ли сила тяжести. Сначала он достал минералы, лежавшие на нижней полке. Здесь были горный хрусталь, полевой шпат, слюда, бурый железняк, медный колчедан, сера. Дальше шли пирит, халькопирит, цинковая обманка, свинцовый блеск и другие. Вынув камни из нижнего отделения, Знайка принялся за лежавшие в верхнем. Наконец все камни были вынуты, но состояние невесомости не пропало. Знайка был страшно разочарован и упал, как говорится, духом. Он уже хотел закрыть дверцу шкафчика, но в это время увидел на нижней полке, в самом углу, ещё один камешек, которого до того не заметил. Это был кусочек магнитного железняка. Уже потеряв надежду на успех своего опыта, Знайка протянул руку и достал магнитный железняк из шкафа. В ту же секунду он почувствовал, как сила тяжести потянула его вниз, и он снова растянулся на полу.

— Значит, невесомость появляется благодаря взаимодействию магнитной энергии и энергии лунного камня, — сказал Знайка.

Поднявшись с пола, он достал из ящика стола раздвижную вычислительную линейку. К одному концу этой линейки он прикрепил лунит, а к другому магнитный железняк и начал осторожно сдвигать оба конца. Когда лунный камень приблизился к магнитному железняку на такое же расстояние, на котором он находился в шкафчике, снова появилось состояние невесомости.

— Как видим... — сказал Знайка, словно читал лекцию невидимым слушателям. — Как видим, состояние невесомости появляется, когда лунный камень и магнитный железняк находятся на определённом расстоянии. Это расстояние можно назвать критическим. Как только расстояние между обоими минералами станет больше критического, невесомость исчезнет и на нас снова будет действовать сила тяжести.

Как бы в доказательство своих слов Знайка раздвинул концы линейки в стороны и в тот же момент ощутил, как сила тяжести дёрнула его книзу. Коленки у него подогнулись, и он с размаху сел на пол. Знайка, однако же, не смутился этим. Наоборот, он торжественно улыбнулся и сказал:

— Вот он, прибор невесомости! Теперь невесомость у нас в руках, и мы будем повелевать ею!

Глава пятая

ГРАНДИОЗНЫЙ ЗАМЫСЕЛ ЗНАЙКИ

Некоторое время Знайка сидел на полу, погружённый в размышления о том, какое огромное значение для науки будет иметь открытие невесомости. Мысли так и копошились у него в голове, толкая друг дружку, так что получался какой-то хаос, и ничего нельзя было разобрать толком. Наконец Знайкой овладела одна-единственная мысль, которая вытеснила все остальные.

«Надо пойти рассказать коротышкам о моём новом открытии и показать им прибор невесомости», — подумал он.

Поднявшись с пола, он отворил дверь и в тот же момент услышал доносившиеся снизу вопли. Забыв о своём открытии, Знайка бросился вниз по лестнице. Первое, что он увидел, были коротышки, окружившие со всех сторон Пончика. Сам Пончик сидел на кресле и держался руками за нос, а доктор Пилюлькин подступал к нему с бинтами и банкой йода в руках.

— Не подходи! — визжал Пончик и старался брыкнуть Пилюлькина ногами. — Не подходи! Вот тебе и весь сказ!

— Но я же должен перевязать тебе нос, — отвечал доктор Пилюлькин.

— Что с ним? — спросил коротышек Знайка.

— Припечатался к столу носом, — сказал Торопыжка.

— Как это припечатался к столу носом?

— Ну он, понимаешь, всё время болтался в воздухе, а когда невесомость пропала, он сверзился и хлоп носом об стол. Хорошо ещё, что не об пол, — объяснил Торопыжка.

— Может быть, ты воздействуешь на него, Знайка? — сказал доктор Пилюлькин. — Полчаса с ним справиться не могу!

Видя, что Пончик продолжает визжать и брыкаться, Знайка строго сказал:

— А ну утихни сейчас же!

Заметив, что в дело вмешался Знайка, Пончик моментально умолк. Пилюлькин быстро остановил кровотечение и наложил Пончику очень аккуратную шарообразную повязку на нос и сказал:

— Вот видишь, как хорошо получилось.

— Ну ладно, ладно! — сердито проворчал Пончик.

Он слез с кресла и стал щупать руками повязку. Пилюлькин треснул его по рукам и сказал:

— Повязка тебе наложена для того, чтоб нос сохранил свою форму, а если ты начнёшь хватать повязку руками, то у тебя вместо носа получится не поймёшь что!

— Ну, я только узнаю, кто это мне всё подстроил! — грозился Пончик. — Я ему покажу!

Услышав эти угрозы, Знайка понял, что, прежде чем делать свой опыт, он должен был предупредить коротышек, чтоб не случилось каких-нибудь увечий. Чувствуя себя виноватым перед Пончиком, Знайка решил пока никому не говорить о своём открытии, а рассказать потом, когда этот случай понемногу забудется.

Убедившись, что невесомость пропала и больше не появляется, Незнайка отправился гулять по городу и всем, кто встречался, рассказывал про то, что у них случилось. Его рассказам, однако, никто не верил, так как все знали, что Незнайка мастер присочинить. Незнайка страшно сердился, встречая со стороны коротышек такое недоверие. Потом он рассказал про состояние невесомости своему другу Гуньке.

А Гунька сказал:

— Это у тебя было, наверно, состояние глупости, а не состояние невесомости.

За такие слова Незнайка отвесил Гуньке хорошенького тумака. А Гунька, чтоб не оставаться в долгу, ответил Незнайке тем же. В результате получилась очередная драка, из которой победителем вышел Гунька.

— Вот и говори после этого правду! — ворчал Незнайка, возвращаясь домой. — И почему это всегда так бывает: стоит выдумать какую-нибудь чепуху — и тебе все поверят, а попробуй скажи хоть самую чистую правду — так тебе накладут по шее, и дело с концом!

Незнайкины рассказы, однако, породили среди жителей Цветочного города разные споры и кривотолки. Одни говорили, что невесомости не могло быть, потому что не могло быть того, чего никогда не было; другие говорили, что невесомость могла быть, потому что всегда так бывает, что сначала чего-нибудь не бывает, а потом появляется; третьи говорили, что невесомость могла быть, но её могло и не быть, если же её на самом-то деле не было, то на самом деле было что-то другое, потому что не могло так быть, чтоб совсем ничего не было: ведь всегда так бывает, что дыма без огня не бывает.

Некоторые самые любопытные жители отправились к домику Знайки и, увидав во дворе Пончика с перевязанным носом, спросили:

— Слушай, Пончик, это правда, что у вас была невесомость?

— Вот она, невесомость ваша, у меня на носу! — сердито ответил Пончик.

Коротышки посмеялись и разошлись по домам. После такого ответа уже никто больше не верил разговорам о невесомости. Вечером, собравшись за чаем, Знайка и его друзья вспоминали о том, что произошло за день. Каждый рассказывал о своих ощущениях и о том, что он подумал, когда появилось состояние невесомости. И вот что любопытно: всем было жалко, что невесомость так быстро кончилась. Всё-таки это было очень интересное приключение. Знайку так и подмывало рассказать, что секрет невесомости он раскрыл, но стоило ему взглянуть на перевязанный нос Пончика, и желание рассказывать пропадало у него само собой.

В эту ночь Знайка долго не мог заснуть: всё думал, какую пользу может принести состояние невесомости.

«Невесомость — это огромная сила, если знать, как подступиться к ней, — размышлял он. — С помощью невесомости можно поднимать и передвигать огромные тяжести. Можно буквально горы свернуть и вверх ногами перевернуть. Можно построить большую ракету и полететь на ней в космическое путешествие. Ведь сейчас, чтоб разогнать ракету до нужной скорости, приходится брать огромнейший запас топлива; если же ракета не будет ничего весить, то топлива понадобится совсем немного, и вместо запасов топлива можно взять побольше пассажиров и побольше пищи для них. Вот когда можно будет совершить длительную экспедицию на Луну, проникнуть в её недра и, может быть, даже познакомиться с лунными коротышками».

Размечтавшись, Знайка не заметил, как погрузился в сон.

И во сне ему снилась космическая ракета, и Луна, и лунные коротышки, и ещё много разных интересных вещей.

А наутро Знайка исчез. К завтраку он не явился, а когда коротышки пришли к нему в комнату, они увидели на столе записку, в которой было всего три слова: «В Солнечный город», и подпись: «Знайка». Прочитав записку, коротышки поняли, что Знайка уехал в Солнечный город.

Знайка, как это все хорошо знали, был неожиданный коротышка. Если ему в голову приходило какое-нибудь решение, он никогда не откладывал его исполнение в долгий ящик. Так и на этот раз. Проснувшись ни свет ни заря, когда все ещё спали, и решив поехать в Солнечный город, он не захотел никого будить, а написал записку и потихоньку вышел из дома. Другой на его месте оставил бы более подробную записку, ну написал хотя бы: «Я уехал в Солнечный город», а не просто «В Солнечный город», но Знайка знал, что чем больше слов, тем больше путаницы, и к тому же был уверен, что слова «В Солнечный город» не могли означать ничего, кроме того, что он уехал в Солнечный город.

Месяца через два от Знайки пришла телеграмма: «Винтик, Шпунтик Солнечный город». Винтик и Шпунтик отлично поняли, что от них требовалось, и, моментально собравшись, тоже уехали.

Некоторое время от них не было никаких вестей, поэтому жители Цветочного города решили, что они вместе со Знайкой совсем переселились в Солнечный город и уже не вернутся обратно.

Вскоре коротышки заметили, что по соседству с Цветочным городом, неподалёку от Огурцовой горки, началось строительство. Сюда то и дело подъезжали грузовики, нагруженные строительными блоками из лёгкой пенопластмассы. Несколько коротышек в голубых комбинезонах собирали из этих блоков небольшие, уютные одноэтажные домики.

Торопыжка первый побежал разузнать, что это за строительство. За ним побежали и другие жители. К своему удивлению, они увидели среди работавших коротышек и Винтика со Шпунтиком.

— Эй, что вы делаете? Что здесь будет? — закричал Торопыжка.

— Космический городок, — отвечал Винтик.

— А для чего Космический городок?

— Вот приедет Знайка, он всё толком расскажет.

А Незнайка сказал с обидой:

— Что же, мы сами не могли сделать Космический городок?

У Незнайки был такой вид, будто он всю жизнь только тем и занимался, что строил космические городки.

— А ты не горюй, работы всем хватит, — сказал ему Винтик. — Во-первых, вокруг домов надо посадить цветы, чтоб было красиво; во-вторых, от электростанции до Космического городка надо провести электролинию, чтоб было электричество; в-третьих, надо сделать дорогу, заасфальтировать улицы, провести водопровод, отделать помещения... Да мало ли что ещё!

Жители Цветочного города моментально включились в работу. Кто трудился на прокладке дороги, кто устанавливал столбы для электролинии, кто сажал цветы. Многим нашлась работа по внутренней отделке домов. Тюбик взял на себя руководство всеми малярными работами: составлял краски, указывал, в какие цвета красить стены и крыши домов.

Вскоре в центре Космического городка была сделана круглая бетонированная площадка, на которой начали устанавливать космическую ракету. Части для этой ракеты были изготовлены в Солнечном городе и доставлены в Космический городок на специальных гусеничных грузовозах, которые отличались большой плавностью хода, благодаря чему детали ракеты не могли быть повреждены или деформированы при перевозке. Для сборки был привезён специальный шагающий башенный кран. При помощи этого крана части ракеты снимались с грузовозов и ставились на свои места. Высота ракеты была, однако, так велика, что верхние её части устанавливались уже не с помощью башенного крана, а с помощью вертолёта, который поднимал детали на нужную высоту. Сборка ракеты велась под наблюдением Фуксии и Селёдочки, которые специально для этой цели приехали в Космический городок и поселились в нём.

Через несколько дней сборка ракеты была закончена. Она стояла посреди Космического городка, возвышаясь над домами, как огромная сигара или как поставленный торчком дирижабль. Для защиты от вредного влияния воздуха, водяных паров и других газов внешняя оболочка ракеты была сделана из сверхпрочной нержавеющей стали. Под этой стальной оболочкой была вторая оболочка, сделанная из специальной, так называемой космопластмассы, назначение которой было защищать внутренность корабля от вредоносного действия космических лучей и радиоактивного излучения. Наконец, внутри корабля имелась третья, теплоизоляционная оболочка из термопластмассы, способствовавшая сохранению внутри корабля необходимой температуры.

Для движения ракеты и управления ею имелись три реактивных двигателя. Главный, самый большой двигатель, сообщавший ракете поступательное движение, был расположен в хвостовой части. Сопло этого двигателя было направлено вертикально вниз. При работе двигателя нагретые газы вырывались из сопла вниз, благодаря чему сила противодействия, или, как её иначе называют, реактивная сила, толкала ракету вверх.

В верхней части ракеты, во вращающейся головке, был установлен двигатель поворота. Сопло этого двигателя было установлено горизонтально и могло поворачиваться в любую сторону. Если, например, нужно было повернуть ракету на запад, сопло двигателя поворачивалось на восток. Нагретые газы вырывались в этом случае в восточном направлении. Сама же ракета отклонялась на запад.

В этой же головной части ракеты был установлен третий, так называемый тормозной двигатель, сопло которого было направлено вертикально вверх. Когда тормозной двигатель включался, горячие газы выбрасывались из сопла вперёд, благодаря чему реактивная сила могла замедлить поступательное движение ракеты и даже совсем остановить её.

Внутри ракета была разделена на двенадцать кают. В каждой каюте помещалось по четыре путешественника. Поэтому всего могло отправиться в космическое плавание сорок восемь коротышек. В центральной части ракеты был устроен салон.

В этом салоне космические путешественники могли собраться, чтоб отдохнуть, обсудить какие-нибудь вопросы, а также поесть.

Всё остальное пространство внутри ракеты было использовано для устройства так называемых отсеков. Здесь был пищевой отсек, предназначенный для хранения запасов пищи. Был химический отсек, в котором помещалась аппаратура для очистки воздуха от накопившейся углекислоты и обогащения его кислородом. Был аккумуляторный отсек, в котором были установлены аккумуляторы, питавшие электроэнергией электромоторы, вентиляторы, холодильники, а также нагревательные и осветительные приборы.

В верхней, наиболее защищённой части ракеты находилась кабина управления, в которой помещались изобретённый Знайкой прибор невесомости и электронная машина управления. Эта машина работала по заранее намеченной программе и самостоятельно направляла корабль по заданной трассе, изменяя по мере надобности его скорость и направление и производя посадку в заданной местности Луны.

Рядом с кабиной управления находилась так называемая кнопочная кабина, на двери которой была надпись: «Вход воспрещён». В этой кабине имелся всего один небольшой столик, с одной-единственной кнопкой посреди него. Нажимая на эту кнопку, командир космического корабля включал электронную управляющую машину, а дальше уже сама машина включала прибор невесомости и все остальные приборы и делала всё необходимое для правильного полёта космического корабля.

В верхней части ракеты находились также астрономическая кабина, оборудованная телескопом, радиолокатором и другими приборами для определения местоположения космического корабля в межпланетном пространстве, фотокинокабина, оборудованная фотографическими и киносъёмочными аппаратами для съёмки Луны, аналитическая кабина, в которой можно было производить химические анализы минералов, найденных на Луне. В хвостовой части ракеты был большой склад, в котором хранился значительный запас семян различных полезных растений: огурцов, помидоров, моркови, капусты, репы, арбузов, дынь, вишни, сливы, клубники, малины, пшеницы, ржи, гречихи — всего, что годилось для коротышек в пищу. Эти семена Знайка решил подарить лунатикам в том случае, конечно, если лунатики будут на Луне обнаружены и если у них самих не окажется таких растений.

Помимо кают, кабин, отсеков, склада, салона, в ракете имелось много других подсобных помещений. Ракета представляла собой как бы многоэтажное здание, оборудованное всем, что могло понадобиться для нормальной жизни, и даже лифтом, на котором можно было подняться на любой этаж.

Когда ракета была целиком собрана, каждый желающий мог ознакомиться с её внутренним устройством. Как только набиралось сорок восемь желающих, их пускали внутрь корабля. Там они могли посидеть в салоне, полежать на койках в каютах, заглянуть во все уголки. После осмотра каждый посетитель должен был надеть на себя космический скафандр. Без этого он не мог бы выйти из ракеты. Выход из ракеты был оборудован специальным фотоэлементом, который не позволял открыть дверь, если коротышка был без скафандра.

В ракете постоянно находились Фуксия и Селёдочка. Они знакомили посетителей с внутренним устройством ракеты, отвечали на все вопросы и вели наблюдения над работой приборов, которые очищали воздух, вентилировали помещение, поддерживали нужную температуру и прочее. Незнайка, которому тоже удалось пробраться в ракету, обо всём очень подробно расспрашивал Фуксию и Селёдочку, а когда вышел из ракеты, дождался впуска следующих сорока восьми желающих и опять пошёл с ними. В течение дня он несколько раз побывал в ракете. Фуксия и Селёдочка уже узнавали его и встречали улыбками. Но они не прогоняли его. Селёдочка сказала, что никого прогонять не надо: если кто-нибудь хочет как следует изучить устройство ракеты, то от этого может быть только польза.

Вскоре по соседству с Космическим городком выросло большое белое здание в виде огромной опрокинутой кверху дном круглой фарфоровой чаши. Над его входом было написано большими красивыми буквами: «Павильон невесомости». Теперь все могли убедиться на собственном опыте, что разговоры о невесомости — не досужий вымысел, а самая настоящая правда. Каждый, кто входил в павильон, моментально терял вес и начинал беспомощно барахтаться в воздухе.

В центре павильона имелась небольшая кабина, сделанная из прозрачной пластмассы. В этой кабине помещался прибор невесомости. Знайка, который к этому времени уже вернулся в Цветочный город, строго-настрого запретил кому бы то ни было входить в кабину и трогать прибор. Теперь этот прибор представлял собой не просто линейку, а был заключён в тёмно-синий продолговатый футляр, сделанный из прочной огнеупорной и водонепроницаемой пластмассы. Сближение магнита и лунного камня осуществлялось в приборе автоматически, то есть нажатием кнопки. Каждое утро Знайка лично являлся в павильон и включал прибор, а вечером приходил снова, тщательно проверял, не остался ли кто-нибудь в павильоне, не болтается ли какой-нибудь коротышка под потолком в состоянии невесомости, после чего выключал прибор.

Некоторые читатели, может быть, не поверят, что энергия, выделяемая лунным камнем и небольшим магнитом, могла быть так велика, что побеждала силу земного притяжения. Однако, подумав как следует, эти сомневающиеся читатели сами поймут, что ничего удивительного здесь нет. Ведь запасы энергии внутри вещества очень велики и прямо-таки неисчерпаемы. Теперь каждый знакомый с физикой знает, что запасом энергии, хранящимся в кусочке вещества размером с копеечную монетку, можно заменить энергию, которая получается от сжигания десятков тысяч тонн каменного угля или какого-нибудь другого горючего вещества.

Этому тоже никто не поверил бы в те времена, когда внутриатомная энергия ещё не была открыта, но в наше время это уже никого не удивляет.

Нужно к тому же сказать, что энергия лунного камня уничтожала вес не вообще, а только в ограниченном пространстве, причём она даже не уничтожала вес, а лишь смещала так называемое поле тяготения в стороны. Если в зоне невесомости сила тяжести не ощущалась совсем, то вокруг этой зоны устанавливался так называемый пояс усиленной тяжести. Это ощущал каждый, кто подходил близко к павильону невесомости. Таким образом, в Знайкином открытии ничего удивительного не было. Всё в нём было научно обосновано, что, конечно, вовсе не умаляло значения этого открытия.

Нечего и говорить, какой огромный интерес вызвал павильон невесомости среди жителей Цветочного города. Прошло несколько дней, и во всём городе нельзя было отыскать коротышки, который не побывал в павильоне хоть раз. Многие успели побывать даже по нескольку раз, а что касается Незнайки, то он не вылезал из павильона по целым дням и чувствовал себя в нём словно рыба в воде.

Однажды утром Незнайка встал пораньше и забрался в павильон, так, чтоб никто не видел. Там он взял прибор невесомости и отправился с ним на реку. Ему почему-то захотелось посмотреть, что будут делать рыбы в реке, когда окажутся в состоянии невесомости. Неизвестно, почему ему в голову забралась такая мысль. Может быть, он начал думать о рыбах, потому что сам, словно рыба, целыми днями плавал по павильону в состоянии невесомости.

Очутившись на берегу реки, Незнайка включил прибор невесомости и принялся глядеть в воду. В первый же момент он заметил, что невесомость очень странным образом подействовала на поведение рыб. Одни из них опустились хвостиком вниз и вертелись, как балерины; другие опустились вниз головкой и тоже вертелись; третьи плавали вверх животом. Однако через некоторое время многие из них освоились с состоянием невесомости и стали, как обычно, резвиться в воде. Но вот одна из рыбёшек, попытавшись поймать муху, вившуюся над водой, выпрыгнула из реки и беспомощно закувыркалась в воздухе. Теперь уже сила тяжести не притягивала её книзу, и рыба при всём желании не могла вернуться в реку. Вслед за первой из воды выплеснулась вторая рыба. Не прошло и пяти минут, как над поверхностью реки заплясали, поблёскивая на солнышке, рыбы, лягушки, тритоны, жуки-плавунцы и прочая водяная живность.

Пока Незнайка проводил на реке свои «опыты», Знайка пришёл в павильон, чтобы включить прибор невесомости. Увидев, что прибор из кабины исчез, Знайка страшно перепугался.

— Где прибор? — закричал он волнуясь. — Кто взял прибор? Положите сейчас же на место!

Но никто из коротышек не мог сказать ему, где прибор. Только работавшие неподалёку Винтик и Шпунтик сказали, что видели рано утром Незнайку, который для чего-то заходил в павильон, а потом ушёл по направлению к реке. Узнав это, Знайка во всю прыть побежал к реке. За ним бросились остальные коротышки. Взбежав на Огурцовую горку, Знайка увидел внизу Незнайку, который парил над рекой в состоянии невесомости.

— Вот он, Незнайка! Вот он! — закричали коротышки, бежавшие вслед за Знайкой.

Незнайка услыхал крики. Обернувшись, он увидел разъярённого Знайку и остальных коротышек, которые бежали прямо к нему. Испугавшись, он хотел от них убежать, но только беспомощно затрепыхался в воздухе. Сообразив, что бежать в состоянии невесомости невозможно,

он поскорей нажал кнопку прибора и выключил невесомость. Приобретя вес, он моментально полетел вниз и с размаху шлёпнулся в воду. Вода так и брызнула во все стороны.

— Спасайте его! Спасайте! У него прибор невесомости! — истошно завопил Знайка и, подбежав к реке, бросился в воду.

Коротышки, не раздеваясь, прыгали в воду и плыли на середину реки, где беспомощно барахтался Незнайка. Он уже начал пускать пузыри, когда к нему подоспел Знайка. Схватив Незнайку за шиворот, Знайка потащил его к берегу. Тут подплыли другие коротышки и стали помогать Знайке. К реке уже бежал доктор Пилюлькин со своей походной аптечкой. Увидев, что коротышки выволокли Незнайку на берег, он закричал:

— Снимите с него рубашку! Сейчас я ему искусственное дыхание буду делать!

Увидев доктора Пилюлькина с его походной аптечкой, Незнайка вскочил и хотел задать стрекача, но тут Знайка вцепился ему в волосы и закричал:

— Где прибор невесомости? Ты куда дел прибор? Ты утопил прибор, ослиная твоя голова!

— Пусти! — завизжал Незнайка и принялся лягаться ногами.

— А, так ты ещё дерёшься! — захрипел Знайка. — Утопил прибор и ещё дерёшься! Вот я тебе покажу, как приборы топить!

И он дёрнул Незнайку за волосы с такой силой, что у того на глазах показались слёзы. В ответ Незнайка стукнул Знайку кулаком в грудь. У Знайки захватило дыхание, и он выпустил Незнайкины волосы из рук. Почувствовав свободу, Незнайка как петух налетел на обидчика, и они принялись драться. Коротышки бросились разнимать их. Одни держали за руки Знайку, а другие — Незнайку. Знайка изо всех сил вырывался из рук, стараясь лягнуть Незнайку, и кричал:

— Как мы теперь на Луну полетим без прибора? Теперь всё пропало! Пустите меня, я ему покажу, как приборы топить в реке!

Незнайка тоже вырывался из рук и кричал:

— А ну-ка, пустите меня! Я ему дам прибор!

Ему наконец удалось освободиться от коротышек, но Торопыжка успел схватить его за шиворот. Незнайка рванулся с такой страшной силой, что выскользнул из рубашки, и тут все увидели, как на землю упал прибор невесомости, который до этого лежал у Незнайки за пазухой.

— Вот он, прибор невесомости! — закричал доктор Пилюлькин.

— Чего ж ты не говорил, что прибор у тебя? — спросил Торопыжка.

— А как я мог сказать, когда вы налетели на меня как вороньё? Я как только увидел, что падаю в воду, так сейчас же спрятал прибор за пазуху, чуть не утонул из-за него, а они, вместо того чтоб спасибо сказать, дерутся!

Знайка поднял прибор с земли и, сердито сверкнув на Незнайку глазами, сказал:

— За это не полетишь на Луну!

— Ну и летите сами, — ответил Незнайка. — Очень мне нужна ваша Луна!

— С тобой разговаривать — только собственное достоинство терять! — сказал Знайка и, не проронив больше ни слова, ушёл.

— Подумаешь, какая цаца! — кричал ему вдогонку Незнайка. — Ну и целуйтесь со своей Луной! Я и без Луны проживу!

Глава шестая

ОТЛЁТ

Врал Незнайка! На самом деле ему очень хотелось полететь на Луну. Его не оставляла надежда, что Знайка как-нибудь позабудет о том, что случилось, и не станет приводить в исполнение свою угрозу. Однако он напрасно надеялся. Знайка ничего не забыл. Через некоторое время назначен был день отлёта, и Знайка составил список коротышек, которые должны были лететь на Луну. Как и следовало ожидать, в этом списке Незнайки не было. В нём не было также Пончика и некоторых других коротышек, которые плохо переносили состояние невесомости.

Незнайка, как говорится, был убит горем. Он ни с кем не хотел разговаривать. Улыбка исчезла с его лица. У него пропал аппетит. Ночью он ни на минуту не мог заснуть, а на следующий день ходил такой скучный, что на него было жалко смотреть.

— Нельзя ли всё-таки простить Незнайку? — сказала Знайке Селёдочка. — По-моему, он больше не будет шалить. Притом он так хорошо переносит состояние невесомости. Для него это будет слишком сильное наказание.

— Это не наказание, а мера предосторожности, — строго ответил Знайка. — Путешествие на Луну — не увеселительная прогулка. В это путешествие должны отправиться лишь самые умные и самые дисциплинированные коротышки. Незнайка очень хорошо переносит состояние невесомости, но зато состояние его умственных способностей оставляет покуда желать много лучшего. От своей недисциплинированности Незнайка и сам пострадает, и других подведёт. А космос не такая вещь, с которой можно шутить. Пусть лучше Незнайка подождёт до следующего раза, а за это время постарается поумнеть. Это моё последнее слово!

Услышав такой категорический ответ, Селёдочка больше не возобновляла этого разговора.

Со временем Незнайка понемножечку успокоился и уже не убивался, как прежде. Аппетит вернулся к нему. Сон тоже улучшился. Вместе с другими коротышками Незнайка приходил в Космический городок, наблюдал, как производятся испытания ракеты, как тренируются путешественники перед отправлением в космос, слушал лекции Фуксии и Селёдочки о Луне, о межпланетных полётах. Казалось, что он совершенно примирился со своей участью и уже не мечтает о путешествии на Луну. Даже характер у Незнайки как будто переменился. Самые наблюдательные коротышки замечали, что Незнайка стал часто о чём-то задумываться. Когда у него бывали припадки задумчивости, на лице появлялась какая-то мечтательная улыбка, словно Незнайка чему-то радовался. Никто, однако ж, не мог догадаться, что его настраивало на такой радостный лад.

Однажды Незнайка встретил Пончика и сказал:

— Слушай, Пончик, теперь мы с тобой товарищи по несчастью.

— По какому несчастью? — не понял Пончик.

— Ну, тебя ведь не берут на Луну и меня тоже.

— Мне нельзя на Луну. Я слишком тяжёленький. Ракета не поднимет меня, — сказал Пончик.

— Глупости! — ответил Незнайка. — Все, кто полетит в ракете, будут в состоянии невесомости, так что для ракеты всё равно, тяжёленький ты или не тяжёленький. Никто ничего не будет весить. Понял?

— Почему же тогда меня не берут? Это несправедливо! — воскликнул Пончик.

— Ещё как несправедливо! — подхватил Незнайка. — Так несправедливо, что и сказать нельзя. Мы с тобой должны исправить эту несправедливость.

— Как же её исправить?

— Ночью, накануне отлёта, мы залезем в ракету и спрячемся. А утром, когда ракета улетит в космическое пространство, мы вылезем. Не станут же из-за нас возвращать ракету обратно.

— А разве можно делать такие вещи? — спросил Пончик.

— Почему же нельзя? Вот чудак! Самое главное, понимаешь, — это чтоб нас не успели высадить, пока мы находимся на Земле. А в космосе уж не высадят, можешь не беспокоиться.

— А где мы спрячемся?

— В пищевом отсеке. Там очень удобно и разных продуктов масса.

— Масса продуктов — это хорошо! — сказал Пончик. — Но ведь ракета рассчитана на сорок восемь путешественников.

70

— Чепуха! — сказал Незнайка. — Где это видано, чтоб было сорок восемь путешественников. Что это за цифра такая, подумай сам. Для ровного счёта надо, чтоб было пятьдесят. А где поместится сорок восемь, туда влезет и пятьдесят. Потом, нам ведь с тобой не надо места в каюте: мы будем сидеть в пищевом отсеке. В тесноте, как говорится, да не в обиде.

— А ты точно знаешь, что в пищевом отсеке продукты есть? — спросил Пончик.

— Своими глазами видел, вот не сойти с места! — поклялся Незнайка. — Я, брат, ракету всю вдоль и поперёк изучил. Всё, что хочешь, с закрытыми глазами найду.

— Ну что ж, тогда ладно, — согласился Пончик.

Вечером, накануне назначенного для отлёта дня, Незнайка и Пончик не легли спать. Дождавшись, когда все коротышки уснут, они выбрались потихоньку из дома и отправились в Космический городок. Ночь была тёмная, и у Пончика мороз подирал по коже от страха. При мысли, что он скоро унесётся в космическое пространство, душа у него уходила, как говорится, в пятки. Он уже раскаивался, что ввязался в такое опасное предприятие, однако стыдился признаться Незнайке, что струсил.

Было уже совсем поздно, когда Незнайка и Пончик добрались до Космического городка. Взошла Луна, и вокруг стало светлей. Прокравшись мимо домов, наши друзья очутились на краю круглой площади, в центре которой возвышалась космическая ракета. Она поблёскивала своими стальными боками в голубоватом свете Луны, а Незнайке и Пончику казалось, что ракета светится сама собой, словно была сделана из какого-то светящегося металла. В её очертаниях было что-то смелое и стремительное, неудержимо рвущееся кверху: казалось, что ракета вот-вот сорвётся со своего места и полетит ввысь.

Стараясь проскользнуть незамеченными, Незнайка и Пончик пригнулись к земле и в таком скрюченном виде пересекли площадь. Очутившись возле ракеты, Незнайка нажал пальцем кнопку, которая имелась в её хвостовой части. Бесшумно открылась дверца, и к ногам путешественников опустилась небольшая металлическая лестничка. Увидев, что Пончик медлит, Незнайка взял его за руку. Они вместе поднялись по ступенькам и вошли в так называемую шлюзовую камеру. Это была как бы небольшая комнатка с двумя герметически закрывающимися дверями. Одна дверь, через которую вошли Незнайка и Пончик, вела наружу, другая вела внутрь космического корабля.

Как только друзья вошли в шлюзовую камеру, наружная дверь автоматически закрылась. Пончик увидел, что путь к отступлению отрезан, и от испуга у него всё похолодело внутри. Он хотел что-то сказать, но язык словно одеревенел во рту, а голова стала как пустое ведро. Он уже сам не понимал, о чём думал, и не знал, думал ли он о чём-нибудь вообще. В голове у него почему-то всё время вертелись слова песенки, которую он слышал когда-то: «Прощай, любимая берёза! Прощай, дорогая сосна!» От этих слов ему стало как-то обидно и грустно до слёз.

Незнайка между тем нажал кнопку у второй двери. Дверь так же бесшумно открылась. Незнайка решительно шагнул в неё. Пончик машинально шагнул за ним.

— Прощай, любимая берёза! — угрюмо пробормотал он. — Вот тебе и весь сказ!

Раздался щелчок. Вторая дверь захлопнулась так же плотно, как первая. Она словно непроходимой стеной отгородила наших путешественников от внешнего мира, от всего, с чем они были до сих пор связаны.

— Вот тебе и весь сказ, — ещё раз повторил Пончик и почесал рукой за ухом.

Незнайка в это время уже открыл дверцу лифта и, дёрнув Пончика за рукав, сказал:

— Ну иди! Почесаться ещё успеешь!

Пончик безмолвно залез в кабину лифта. Он был бледный, как привидение. С мерным

журчанием кабина начала подниматься кверху. Когда она поднялась на нужную высоту, Незнайка вышел из неё и сказал:

— Ну, вылезай! Что ты там как неживой всё равно?

Пончик вылез из лифта и увидел, что очутился в узеньком, кривом коридорчике, который как бы кольцом огибал шахту лифта. Пройдя по коридорчику, Незнайка остановился у круглой металлической дверцы, которая напоминала дверцу пароходной топки.

— Вот он. Здесь пищевой отсек, — сказал Незнайка.

Он нажал кнопку. Дверь растворилась, словно разинула пасть. Незнайка полез в эту пасть, нащупывая в темноте ногами ступеньки. Очутившись на дне отсека, он отыскал на стене выключатель и включил свет.

— Ну, давай спускайся сюда! — крикнул он Пончику.

Пончик полез вниз. От страха у него затряслись поджилки, поэтому он оступился и скатился по ступенькам прямо в отсек. Он, правда, не очень ушибся, так как в отсеке всё — и стены, и дно, и даже ступеньки были оклеены мягкой эластопластмассой. Внутри ракеты все помещения были оклеены такой пластмассой. Это было сделано для того, чтобы кто-нибудь не ушибся нечаянно, попав в состояние невесомости.

Увидев, что падение не причинило Пончику никакого вреда, Незнайка затворил дверь и сказал с весёлой улыбкой:

— Вот мы и дома! Попробуй-ка найди нас здесь!

— А как мы обратно вылезем? — испуганно спросил Пончик.

— Как влезли, так и вылезем. Вот видишь, у двери кнопка? Нажмёшь её, дверь и откроется. Здесь всё на кнопках.

Незнайка начал нажимать разные кнопки и открывать дверцы стенных шкафов, термостатов и холодильников, на полках которых хранились самые разнообразные пищевые продукты. Пончик, однако, был так сильно расстроен, что даже вид продуктов его не радовал.

— Что с тобой? Ты как будто не рад? — удивился Незнайка.

— Нет, почему же? Я очень рад, — ответил Пончик с видом преступника, которого за какие-то страшные злодеяния решили казнить.

— Ну, если рад, то давай спать ложиться. Уже совсем поздно.

Сказав это, Незнайка растянулся на дне отсека, подложив под голову вместо подушки свой собственный кулак. Пончик последовал его примеру. Устроившись поудобнее на мягкой пластмассе, он принялся обдумывать своё положение, и у него в голове постепенно созрела мысль, что ему лучше всего отказаться от этого путешествия. Он решил тут же признаться Незнайке, что уже расхотел лететь, но подумал о том, что Незнайка начнёт смеяться над ним и упрекать в трусости. Наконец он всё же набрался храбрости настолько, что решился признаться в собственной трусости, но в это время услышал мерное похрапывание Незнайки. Убедившись, что Незнайка крепко уснул, Пончик встал и, стараясь не наступить ему на руки, прокрался к двери.

«Вылезу из ракеты и убегу домой, вот тебе и весь сказ, — подумал он. — А Незнайка пусть летит себе на Луну, если ему так хочется».

Затаив дыхание, Пончик поднялся по лестничке и нажал кнопку у двери. Дверь отворилась. Пончик вылез из пищевого отсека и принялся бродить по кривому коридорчику, стараясь отыскать дверцу лифта. Он не был так хорошо знаком с устройством ракеты, как Незнайка, поэтому несколько раз обошёл коридорчик вокруг, каждый раз попадая к пищевому отсеку. Опасаясь, что Незнайка проснётся и обнаружит его исчезновение, Пончик снова стал нервничать и терять соображение. Наконец ему всё же удалось отыскать дверцу лифта. Недолго думая он забрался в кабину и нажал первую попавшуюся кнопку. Кабина, вместо того чтобы опуститься вниз, поднялась вверх. Но Пончик не обратил на это внимания и, выйдя из кабины, принялся искать дверь шлюзовой камеры, через которую можно было выйти наружу. В шлюзовую камеру он, конечно, попасть не мог, потому что её здесь и не было, а попал вместо этого в кнопочную кабину и стал ощупывать в темноте стены, стараясь найти выключатель. Выключателя ему не удалось обнаружить, но посреди кабины он наткнулся на небольшой столик, на котором нащупал кнопку. Вообразив, что посредством этой кнопки включается свет, Пончик нажал её и сразу подскочил кверху, оказавшись в состоянии невесомости. Одновременно с этим он услышал мерный шум заработавшего реактивного двигателя.

Некоторые самые догадливые читатели, наверно, сразу сообразили, что Пончик нажал как раз ту кнопку, которая включала электронную управляющую машину. А электронная управляющая машина, как это и было предусмотрено конструкторами, сама собой включила прибор невесомости, реактивный двигатель и всё остальное оборудование, благодаря чему ракета отправилась в космический полёт в тот момент, когда этого никто не ожидал.

Если бы кто-нибудь из обитателей Космического городка в эту минуту проснулся и выглянул в окно, то был бы до крайности удивлён, увидев, как ракета медленно отделилась от земли и плавно поднялась в воздух. Это произошло почти бесшумно. Из нижнего сопла двигателя с лёгким шипением вырывалась тонкая струя нагретых газов. Реактивной силы от этой струи было достаточно, чтобы сообщить ракете поступательное движение, так как благодаря наличию прибора невесомости сама ракета ровным счётом ничего не весила.

Как только ракета поднялась на достаточную высоту, электронная управляющая машина включила механизм поворота, благодаря чему головная часть ракеты начала описывать круговые движения, с каждым кругом наклоняясь всё больше и больше. Но вот ракета приобрела такой угол наклона, что в поле зрения оптического прибора, оборудованного фотоэлементом, попала Луна. Свет от Луны был преобразован фотоэлементом в электрический сигнал. Получив этот сигнал, электронная управляющая машина ввела в действие самонаводящееся устройство, в результате чего ракета, совершив несколько затухающих колебательных движений, стабилизировалась и полетела прямо к Луне. Благодаря самонаводящемуся устройству ракета, как принято говорить, оказалась нацеленной на Луну. Как только ракета в силу каких-нибудь причин отклонялась от заданного курса, самонаводящееся устройство возвращало ракету на этот курс.

На первых порах Пончик даже не понял, какую страшную он совершил вещь. Почувствовав, что попал в состояние невесомости, он стал делать попытки выкарабкаться из кнопочной кабины, воображая, что в другом каком-нибудь месте состояния невесомости нет. После ряда усилий это ему удалось, и он вернулся обратно к лифту. На этот раз он как следует разобрался в кнопках, которые имелись в кабине лифта, и нажал именно ту, которая обеспечивала спуск кабины на самый нижний этаж, то есть в хвостовую часть ракеты. Выйдя из лифта, он очутился перед дверью в шлюзокамеру, через которую, как уже сказано, можно было выйти наружу. Рядом с дверью Пончик обнаружил на стене кнопку. Однако сколько ни нажимал он на эту кнопку, сколько ни колотил в дверь ногами, дверь и не думала открываться. Пончик не знал, что дверь шлюзокамеры могла открываться лишь в том случае, если бы он надел на себя космический скафандр. И, надо сказать, хорошо, что Пончик этого не знал. Если бы он нажал кнопку, предварительно надев на себя скафандр, дверь отворилась бы и Пончик, покинув ракету, вывалился бы прямо в космическое пространство. Конечно, в этом случае он уже никогда бы не смог вернуться домой, так как остался бы на веки вечные летать в космосе на манер планеты.

Отбив о дверь кулаки и пятки, Пончик решил вернуться к Незнайке и категорически потребовать, чтобы он выпустил его из ракеты. Это решение он, однако, не мог исполнить, так как забыл, на каком этаже оставил Незнайку. Пришлось ему ездить по всем этажам, лазить по всем кабинам, каютам, отсекам. Время было позднее. Пончик очень устал и к тому же зверски захотел спать. Можно было бы сказать, что Пончик валился от усталости с ног, если бы он вообще мог стоять на ногах. Из-за состояния невесомости Пончик вообще не имел возможности стоять на ногах, а плавал на манер карася в банке, то и дело стукаясь головой о стены и кувыркаясь в воздухе. В конце концов он вообще перестал что-либо соображать. В голове у него помутилось, глаза стали закрываться сами собой, и, выбившись из последних сил, он заснул как раз в тот момент, когда поднимался в кабине лифта.

Незнайка тем временем безмятежно спал в пищевом отсеке и даже не чувствовал, что космический полет начался. Среди ночи он, однако, проснулся и никак не мог понять, почему находится здесь, а не дома в постели. Постепенно он вспомнил, что нарочно забрался в ракету. Почувствовав невесомость и обратив внимание на мерный шум реактивного двигателя, Незнайка понял, что космический корабль находится в полёте.

«Значит, пока я спал, Знайка и остальные коротышки погрузились на корабль и отправились на Луну. Всё получилось точно, как я рассчитал!» — подумал Незнайка.

Лицо его расплылось в счастливой улыбке, а внутри словно что-то затрепетало, заметалось от радости. Он уже хотел вылезти из своего убежища и, разыскав Знайку, признаться ему, что без спросу залез в ракету. Поразмыслив немного, он решил всё же подождать, когда ракета отлетит от Земля подальше.

«Сказать Знайке всегда успею. С этим делом можно и не спешить», — подумал Незнайка.

В это время он вспомнил о Пончике и, оглядевшись по сторонам, сказал:

— Позвольте, дорогие друзья, а где же Пончик? Мы ведь вместе с ним залезли в отсек!

Тут Незнайка заметил, что дверь отсека раскрыта настежь.

«Ага! Значит, Пончик уже проснулся и вылез, — сообразил Незнайка. — Ну что ж, если так, то и мне нет смысла тут одному сидеть».

Незнайка выбрался из отсека и, отворив дверцу лифта, увидел в кабине Пончика.

— А, вот ты куда забрался! — воскликнул Незнайка. — Чувствуешь? Уже летим!

— Что? — спросил, просыпаясь, Пончик и зевнул во всю ширину рта.

— Летим! — радостно закричал Незнайка.

— Куда летим? — спросил Пончик и начал протирать кулаками глаза.

— На Луну. Куда же ещё?

— На какую Луну?

— Ну, на какую... Не знаешь, какая Луна бывает!

Тут только Пончик начал понимать, что случилось. Некоторое время он ошалело смотрел на Незнайку, а потом как закричит диким голосом:

— На Луну?!

— На Луну! — радостно подтвердил Незнайка.

— Летим?!

— Летим, в том-то и дело! — закричал Незнайка и, не в силах сдержать свою радость, бросился обнимать Пончика.

От страха у Пончика захватило дух, нижняя челюсть у него отвисла, глаза округлились, и он смотрел на Незнайку остановившимся, немигающим взглядом.

— А где же все остальные? Ты не видал их? — спросил Незнайка, не замечая странного состояния Пончика.

— Ка-а-кие оста-стальные? — спросил, заикаясь от волнения, Пончик.

— Ну, где все коротышки? Где Знайка?

— А они ра-ра-разве здесь?

— А как же? Почему же мы летим, по-твоему? Пока мы с тобой спали в отсеке, все пришли и отправились в полёт. Понял?.. Сейчас мы с тобой поднимемся вверх и найдём всех в каютах.

Незнайка нажал кнопку, и лифт поднял их на этаж выше.

— Вот удивятся-то, когда увидят нас! — сказал Незнайка, останавливаясь перед дверью одной из кают. — Сейчас войдём и скажем: «Здравствуйте, вот и мы!» Ха-ха-ха!

Трясясь от смеха, Незнайка отворил дверь в каюту и, увидев, что там никого не было, сказал:

— Здесь почему-то никого нет!

Он тут же заглянул в другую каюту:

— И здесь почему-то никого нет!

Эти слова он повторял каждый раз, когда заглядывал в пустую каюту. Наконец сказал:

— Знаю! Они в салоне. Наверно, там сейчас происходит какое-нибудь важное совещание, вот все и ушли туда.

Спустившись в салон, друзья убедились, что и там было пусто.

— Да здесь вообще никого нет! — воскликнул Незнайка. — Похоже, что мы в ракете одни.

— Как — одни? — испугался Пончик.

— Так, одни, — развёл Незнайка руками.

— Кто же тогда запустил ракету?

— Не знаю.

— Не могла же ракета запуститься сама!

— Не могла, — согласился Незнайка.

— Значит, её запустил кто-нибудь, — сказал Пончик.

— Кто же мог её запустить?

— Ну, не знаю.

Незнайка подозрительно посмотрел на Пончика и спросил:

— Может быть, это ты её запустил?

— Я? — удивился Пончик.

— Ну да, ты!

— Как же я мог её запустить? — пожал Пончик плечами. — Я и не знаю, как её запускать.

— А зачем ты вылез из отсека? — спросил Незнайка. — Почему, когда я проснулся, тебя в отсеке не было? Ты куда ходил, признавайся?

— Да я, понимаешь, ночью раздумал лететь и хотел уйти домой, да, понимаешь, заблудился в ракете, а потом не мог открыть дверь, вот и раздумал уходить и остался, — лепетал в замешательстве Пончик.

— А ты не нажимал нигде кнопки? Ведь чтоб запустить ракету, достаточно нажать всего одну кнопку. Понял?

— Честное слово, я нигде ничего не нажимал. Я только попал нечаянно в какую-то маленькую кабиночку и нажал там одну совсем-совсем маленькую кнопочку на столе...

— А-а-а! — страшным голосом закричал Незнайка и, схватив Пончика за шиворот, потащил в кнопочную кабину. — Ну-ка, признавайся, ты в этой кабиночке был?

— Ка-а-ажется, в этой, — разевая рот, словно вытащенная из воды рыба, промямлил Пончик.

— Эту кнопочку нажимал?

— Ка-а-ажется, эту, — признался Пончик.

— Ну так и есть! — воскликнул Незнайка. — Значит, это ты запустил ракету! Что теперь прикажете делать?

— А нельзя ли ка-а-ак-нибудь остановить ра-а-а-кету?

— Как же её остановишь?

— Ну, нажать ещё какую-нибудь к-к-кнопочку.

— Я тебе как дам кнопочку! Ты нажмёшь кнопочку, ракета остановится, и мы с тобой застрянем посреди мирового пространства! Нет уж, лучше полетим на Луну.

— Но на Луне ведь, говорят, нечего кушать, — сказал Пончик.

— Ничего, тебе это полезно, похудеешь немного, — сердито ответил Незнайка. — В другой раз будешь знать, как без спросу кнопочки трогать!

Стоило только Пончику вспомнить о еде, как его мысли приняли новое направление. Ему вдруг со страшной силой захотелось есть. Теперь он уже ни о чём не мог думать, кроме еды. Поэтому он сказал:

— Послушай, Незнайка, а нельзя ли нам чего-нибудь покушать? Ведь я со вчерашнего дня ничего не ел.

— Покушать, что ж... Покушать, пожалуй, можно, хотя ты этого и не заслужил, — ворчливо ответил Незнайка.

Вернувшись в пищевой отсек, друзья открыли термостат, в котором хранились горячие космические котлеты, космический кисель, космическое картофельное пюре и другие космические блюда. Все эти блюда назывались космическими потому, что были помещены в длинные целлофановые трубочки, на манер ливерной колбасы. Приставив конец такой трубочки ко рту и сдавливая её в руках, можно было добиться, чтобы пища попадала из трубочки прямо в рот, что было очень удобно в условиях невесомости. Уничтожив по нескольку таких трубочек, друзья закусили космическим мороженым, которое оказалось на редкость вкусным. У этого космического мороженого был лишь один недостаток: от него страшно мёрзли руки, так как всё время приходилось сжимать холодную целлофановую трубочку в руках — иначе мороженое не могло попасть в рот.

Как только Пончик насытился, настроение у него сразу улучшилось.

— Что ж, оказывается, и в ракете можно хорошо покушать! — сказал он.

И ему стало казаться, что ничего страшного не произошло и что ракета не летит вовсе, а продолжает стоять на земле.

— Слушай, Незнайка, почему ты думаешь, что мы куда-то летим? По-моему, мы никуда не летим, — сказал Пончик.

— Откуда же, по-твоему, состояние невесомости? — ответил Незнайка.

— А помнишь, когда мы были дома, я ударился носом о стол. Ведь тогда мы никуда не летели, а невесомость была.

— Сейчас мы поднимемся в астрономическую кабину и посмотрим в иллюминатор, — сказал Незнайка. — В иллюминатор будет видно, где мы находимся.

Друзья быстро поднялись в астрономическую кабину. Посмотрев в боковые иллюминаторы, они увидели вокруг бездонное чёрное небо, усеянное крупными звёздами, среди которых сияло ослепительно яркое солнце. Казалось, был день, но в то же время была и ночь. Так на Земле никогда не бывает. Когда на Земле видно солнце, то не видно звёзд, и, наоборот, когда есть звёзды — нет солнца. В одном из верхних иллюминаторов ярко светилась Луна. Она казалась несколько крупнее, чем обычно кажется нам с Земли.

— Совершенно ясное дело, — сказал Незнайка. — Мы уже далеко от Земли. Мы в космосе!

— Вот тебе и весь сказ! — разочарованно пробормотал Пончик.

Глава седьмая

КАК НЕЗНАЙКА И ПОНЧИК
ПРИБЫЛИ НА ЛУНУ

Теперь, когда Пончик окончательно убедился, что о возвращении на Землю не может быть никакой речи, он понемногу успокоился и сказал:

— Ну что ж, поскольку мы летим на Луну и назад все пути отрезаны, теперь у нас только одна задача — пробраться обратно в пищевой отсек и как следует позавтракать.

— Мы ведь только что завтракали, — сказал Незнайка.

— Так разве это был настоящий завтрак? — возразил Пончик. — Этот завтрак был пробный, так сказать, черновой, тренировочный.

— Как это — тренировочный? — не понял Незнайка.

— Ну, мы ведь завтракали в космосе первый раз. Значит, вроде как бы не завтракали, а только как бы осваивали процесс питания в космосе, то есть тренировались. Зато теперь, когда тренировка закончена, мы можем позавтракать по-настоящему.

— Что ж, это, пожалуй, можно, — согласился Незнайка.

Друзья спустились в пищевой отсек. Незнайке совсем ещё не хотелось есть, и он только для того, чтоб составить компанию Пончику, съел одну космическую котлетку. Но Пончик решил не теряться в создавшейся обстановке и отнёсся к делу со всей серьёзностью. Он заявил, что должен произвести в пищевом отсеке ревизию и проверить качество всех космических блюд, а для этого ему нужно съесть хотя бы по одной порции каждого блюда.

Эта задача оказалась, однако, для него не под силу, потому что уже на десятой или на одиннадцатой порции его сморил сон, и Пончик заснул с недоеденной космической сосиской во рту. В этом ничего удивительного не было, так как ночью Пончик спал мало, к тому же каждый, кто находится в состоянии невесомости, может заснуть в любой позе, не укладываясь для этого специально в постель.

Зная, что Пончик всю ночь прокувыркался в поисках выхода из ракеты, Незнайка решил дать ему отдохнуть, а сам отправился в астрономическую кабину, чтобы взглянуть, насколько приблизился космический корабль к Луне. В иллюминаторах по-прежнему чернело небо со звёздами, с ярко сверкающим диском солнца и серебристой, светящейся Луной сверху. Солнце было такого же размера, каким оно обычно видно с Земли, но Луна сделалась уже вдвое больше. Незнайке казалось, что он замечает на поверхности Луны такие подробности, которых не замечал раньше, но так как прежде он никогда не смотрел на Луну внимательно, то не мог сказать с уверенностью, видит ли он эти подробности потому, что подлетел к Луне ближе, или он видит их потому, что теперь стал смотреть на Луну внимательнее.

Хотя ракета мчалась со страшной скоростью, покрывая пространство в двенадцать километров в одну секунду, Незнайке казалось, что она застыла на месте и ни на полпальца не приближается к Луне. Это объяснялось тем, что расстояние от Земли до Луны очень большое — около четырёхсот тысяч километров. При таком огромном расстоянии скорость двенадцать километров в секунду не так велика, чтоб её можно было заметить на глаз, да ещё находясь в ракете.

Прошло два или три часа, а Незнайка всё смотрел на Луну и никак не мог от неё оторваться. Луна словно притягивала к себе его взоры. Наконец он почувствовал какое-то мучительное посасывание в животе и только тогда сообразил, что наступила пора обедать. Он поскорей спустился в пищевой отсек и увидел, что Пончик проснулся и уже что-то жуёт с аппетитом.

— Э, да ты, я вижу, уже принялся за обед! — закричал Незнайка. — Почему меня не подождал?

— Так это у меня ещё не обед, а эта самая… тренировка, — ответил Пончик.

— Ну, тогда кончай тренировку и будем обедать, — сказал Незнайка. — Что там у нас имеется повкусней?

— На первое могу порекомендовать очень хороший космический суп-рассольник, на второе — космические голубцы, а на третье — космический кисель из яблок.

С этими словами Пончик достал из термостата несколько трубочек с супом, голубцами и киселём, и друзья принялись обедать. Покончив с этим занятием, Пончик сказал, что для правильного пищеварения после обеда полагается немножко всхрапнуть. Он тут же заснул, повиснув посреди пищевого отсека и разбросав в стороны руки и ноги.

Незнайка решил последовать его примеру, но ему не нравилось, что во время сна в состоянии невесомости руки и ноги разъезжаются в стороны, поэтому он заложил ногу за ногу, как будто сидел на стуле, а руки сложил на груди кренделем.

Приняв такую позу, Незнайка стал делать попытки заснуть. Некоторое время он прислушивался к плавному шуму реактивного двигателя. Ему казалось, что двигатель потихоньку шепчет ему на ухо: «Чаф-чаф-чаф-чаф!» Эти звуки постепенно убаюкали Незнайку, и он заснул.

Прошло несколько часов, и Незнайка почувствовал, что его кто-то тормошит за плечо. Открыв глаза, он увидел Пончика.

— Проснись скорее, Незнайка! Беда! — бормотал Пончик испуганно.

— Какая беда? — спросил, окончательно проснувшись, Незнайка.

— Беда, братец, мы, кажется, проспали ужин!

— Тьфу на тебя с твоим ужином! — рассердился Незнайка. — Я думал, невесть что случилось!

— Удивляюсь твоей беспечности! — сказал Пончик. — Режим питания нарушать нельзя. Всё надо делать вовремя: и обедать, и завтракать, и ужинать. Всё это дело нешуточное!

— Ну ладно, ладно, — нетерпеливо сказал Незнайка. — Пойдём сперва на Луну посмотрим, а потом можешь хоть обедать, хоть ужинать и даже завтракать заодно.

Друзья поднялись в астрономическую кабину и взглянули в верхний иллюминатор. То, что они увидели, ошеломило их. Огромный светящийся шар висел над ракетой, заслоняя небо со звёздами. Пончик напугался до того, что у него затряслись и губы, и щёки, и даже уши, а из глаз потекли слёзы.

— Это что?.. Это куда?.. Сейчас об это треснемся, да? — залопотал он, цепляясь за рукав Незнайки.

— Тише ты! — прикрикнул на него Незнайка. — По-моему, это просто Луна.

— Как просто Луна? — удивился Пончик. — Луна ведь маленькая!

— Конечно, Луна. Просто мы подлетели к ней близко.

Незнайка поднялся под потолок кабины и, прильнув к верхнему иллюминатору, принялся разглядывать поверхность Луны. Теперь Луна была видна так, как бывает видна в телескоп с Земли, и даже лучше. На её поверхности вполне хорошо можно было разглядеть и горные цепи, и лунные цирки, и глубокие трещины или разломы.

— Поднимайся, Пончик, сюда, — сказал Незнайка. — Посмотришь, как хорошо видна Луна.

Пончик нехотя поднялся кверху и стал исподлобья поглядывать в иллюминатор. То, что он увидел, не принесло ему облегчения. Он заметил, что Луна теперь не стояла на месте, а приближалась с заметной скоростью. Сначала она была видна как огромный, величиной с полнеба, сверкающий круг.

Мало-помалу этот круг разрастался и в конце концов заполнил собой всё небо. Теперь, куда ни глянь, во все стороны простиралась поверхность Луны с опрокинутыми вверх ногами горными цепями, лунными кратерами и долинами. Всё это угрожающе висело над головой и было уже так близко, что казалось, стоит только протянуть руку, и можно потрогать верхушку какой-нибудь лунной горы.

Пончик боязливо поёжился и, оттолкнувшись рукой от иллюминатора, опустился на дно кабины.

— Ну её! — проворчал он. — Не хочу я смотреть на эту Луну!

— Почему? — спросил Незнайка.

— А зачем она висит прямо над головой? Ещё упадёт на нас сверху!

— Чудак! Это не Луна на нас упадёт, а мы на неё.

— Как же мы можем на неё упасть, если мы снизу, а Луна сверху?

— Ну, понимаешь, — объяснил Незнайка, — Луна просто притянет нас.

— Значит, мы вроде как бы прицепимся к Луне снизу? — сообразил Пончик.

Незнайка и сам не знал, как произойдёт посадка на Луну, но ему хотелось показать Пончику, будто он всё хорошо знает. Поэтому он сказал:

— Вот-вот. Вроде как бы прицепимся.

— Ничего себе дельце! — воскликнул Пончик. — Значит, когда мы вылезем из ракеты, то будем ходить по Луне вверх ногами?

— Это зачем же ещё? — удивился Незнайка.

— А как же иначе? — ответил Пончик. — Если мы снизу, а Луна сверху, то хочешь не хочешь, а придётся переворачиваться вверх тормашками.

— Гм! — ответил в раздумье Незнайка. — Кажется, на самом деле получается что-то не совсем то, что надо!

Он на минуту задумался и как раз в этот момент заметил, что не слышит привычного шума двигателя.

— Постой-ка, — сказал он Пончику. — Ты слышишь что-нибудь?

— А что я должен слышать, по-твоему? — испуганно насторожился Пончик.

— Шум реактивного двигателя.

Пончик прислушался.

— По-моему, нет никакого шума, — ответил он.

— Вот те на! — растерялся Незнайка. — Неужели двигатель испортился? Долетели почти до самой Луны, и вдруг такая досада!

Пончик было обрадовался, сообразив, что с испорченным двигателем ракета не сможет продолжать полёт и должна будет вернуться обратно. Радость его была, однако ж, напрасна. Реактивный двигатель совсем не испортился, а только выключился на время. Как только ракета достигла максимальной скорости, электронная управляющая машина автоматически прекратила работу двигателя, и дальнейший полёт происходил по инерции. Это случилось как раз в тот момент, когда Незнайка и Пончик заснули. Именно поэтому они не заметили, что двигатель прекратил работу.

Пончик снова поднялся кверху, и они вместе с Незнайкой принялись смотреть в иллюминатор, пытаясь определить, остановилась ракета или продолжает полёт. Этого, однако, им определить не удалось. Неожиданно снова послышалось: «Чаф-чаф-чаф-чаф!» — это включился двигатель поворота. Незнайка и Пончик увидели в иллюминатор, как нависшая над ними, словно безбрежное море, поверхность Луны покачнулась, будто её толкнул кто-то, запрокинулась куда-то назад и всей своей громадой начала перевёртываться в пространстве.

Вообразив, что произошло столкновение ракеты с Луной, Незнайка и Пончик взвизгнули. Им и в голову не могло прийти, что в действительности переворачивалась не Луна, а ракета.

В то же мгновение центробежная сила, возникшая в результате вращения ракеты, отбросила путешественников в сторону. Прижимаясь к стенке кабины, Незнайка и Пончик увидели, как в боковых иллюминаторах промелькнула светящаяся поверхность Луны и, качнувшись ещё раз словно на волнах, ухнула куда-то вниз вместе со всеми горными цепями, лунными морями, кратерами и ущельями.

Зрелище этого космического катаклизма до того потрясло Пончика, что он затряс головой и невольно закрыл руками глаза, а когда открыл их, увидел, что на небе никакой Луны уже не было. Со всех сторон в иллюминаторах сверкали лишь яркие звёздочки. Пончик вообразил, что ракета, врезавшись в Луну, расколотила её на кусочки, которые разлетелись в стороны и превратились в звёзды.

Всё это произошло мгновенно. Гораздо быстрей, чем об этом можно рассказать. Когда ракета повернулась хвостовой частью к Луне, двигатель поворота выключился. На минуточку стало тихо. Но вскоре снова послышалось: «Чаф-чаф-чаф!» На этот раз громче обычного. Это включился основной двигатель. Но так как теперь ракета была обращена хвостовой частью к Луне, нагретые газы выбрасывались из сопла в направлении, противоположном движению, благодаря чему ракета начала замедлять ход. Это было необходимо для того, чтобы ракета приблизилась к Луне с небольшой скоростью и не разбилась при посадке.

Как только ракета замедлила ход, начались перегрузки, и возникшая сила тяжести прижала Незнайку и Пончика к полу кабины. Незнайке всё же не терпелось узнать, что произошло с Луной. Дотащившись на четвереньках до стенки кабины и с трудом поднявшись на ноги, он заглянул в боковой иллюминатор.

— Гляди, Пончик, оказывается, она здесь! — закричал вдруг Незнайка.

— Кто здесь? — спросил Пончик.

— Луна. Она внизу, понимаешь!

Превозмогая всё возраставшую силу тяжести, Пончик тоже добрался до иллюминатора и поглядел вниз. То, что он увидел, поразило его. Внизу, во все стороны на многие километры, до самого горизонта тянулась лунная поверхность со всеми кратерами и горами, которые наши путешественники уже видели на Луне. Разница была лишь в том, что теперь всё это было не перевёрнуто, а стояло нормально, как полагается.

— Как же Луна очутилась внизу? — с недоумением спросил Пончик.

— Понимаешь, — ответил Незнайка, — это, наверно, не Луна перевернулась, а мы сами перевернулись. Вернее сказать, ракета перевернулась. Сперва ракета была повёрнута к Луне головой, а теперь повернулась хвостом. Поэтому нам сначала казалось, что Луна сверху, над нами, а теперь кажется, что она снизу.

— А! — обрадованно закричал Пончик. — Теперь понял. Ракета повернулась к Луне хвостом. Значит, она раздумала лететь на Луну! Ура! Ракета хочет лететь обратно! Молодец, ракеточка!

— Много ты понимаешь! — ответил Незнайка. — Ракета лучше тебя знает, что нужно делать. Она знает, что ей нужно лететь на Луну.

— А ты за ракету не расписывайся! — сказал Пончик. — Ракета сама за себя отвечает.

— А ты лучше посмотри вниз, — сказал Незнайка.

Пончик посмотрел в иллюминатор и обнаружил, что лунная поверхность вовсе не удалялась, а приближалась. Теперь она уже не казалась

пепельно-серой или серебристо-белой, какой она кажется нам с Земли, а была покрыта яркими разноцветными пятнами. Всего этого богатства красок мы не замечаем на лунной поверхности, когда смотрим на неё с Земли, так как из-за дальности расстояния отдельные цвета сливаются между собой, образуя ровный, нейтральный, как бы ничем не окрашенный тон серебристо-белого или пепельно-серого цвета. Такое смешение красок давно известно художникам, которые рисуют свои картины, накладывая на холст маленькие разноцветные точечки или мазочки, которые на расстоянии сливаются и образуют как бы один сплошной цвет.

Конечно, тому, кто всю жизнь смотрит на Луну с Земли, Луна кажется просто беленьким пятнышком с какими-то невзрачными серыми крапинками. В этом ничего нет удивительного. Нам ведь обычно кажется, что Земля наша плоская, в то время как Земля — шар, точно так же как некоторым кажется, будто Солнце ходит вокруг Земли, когда на самом-то деле бывает наоборот. Мало ли чего может показаться тому, кто всю жизнь просидел на Земле, никуда не высовывая своего носа, и к тому же не любит напрягать свои умственные способности.

Незнайка и Пончик невольно залюбовались открывшейся перед ними картиной. Луна теперь уже не казалась им такой безжизненной и пустынной, как раньше. Богатство форм и цветов радовало глаз и внушало бодрые мысли. Пончик сказал, что среди всей этой красоты обязательно должны жить коротышки. Иначе и быть не может.

— А уж если на Луне есть коротышки, — сказал он, — то они обязательно должны что-нибудь кушать, а раз они должны что-нибудь кушать, то у них есть что покушать, и мы не пропадём с голоду.

Пока Пончик высказывал свои догадки, ракета совсем близко подлетела к Луне. Нагретые газы, с силой вырывавшиеся из сопла двигателя, подняли с поверхности Луны тучи пыли, которые, поднимаясь всё выше и выше, окутали ракету со всех сторон.

— Что это? — недоумевал Незнайка. — Не то дым, не то пыль! И откуда тут дым? Может быть, какой-нибудь вулкан внизу?

— Ну вот, я так и знал, что мы в конце концов угодим в вулкан! — проворчал Пончик.

— Откуда ты это знал? — удивился Незнайка.

Но Пончик на этот вопрос не успел ответить. Как раз в этот момент ракета опустилась на поверхность Луны. Произошёл толчок. Не удержавшись на ногах, Незнайка и Пончик покатились на пол кабины. Некоторое время они сидели на полу и молча глядели друг на друга. Наконец Незнайка сказал:

— Прилетели!

— Вот тебе и весь... этот самый... сказ! — пробормотал Пончик.

Поднявшись на ноги, друзья принялись глядеть в иллюминаторы, но вокруг всё было затянуто какой-то серой, клокочущей, словно кипящей массой.

— Кругом какая-то сплошная каша бушует! — с неудовольствием проворчал Пончик. — Небось в самое жерло попали!

— В какое жерло? — не понял Незнайка.

— Ну, в жерло вулкана.

Пыль между тем начала понемногу рассеиваться, и сквозь неё стали просвечивать очертания лунной поверхности.

— Оказывается, это всего-навсего пыль или туман, — сказал Незнайка.

— Значит, мы не сидим в вулкане? — спросил Пончик.

— Нет, нет! Никакого вулкана нет, — успокоил его Незнайка.

— Ну, тогда ещё можно жить! — с облегчением вздохнул Пончик.

— Конечно, можно! — с радостью подхватил Незнайка и, протянув руку Пончику, сказал с важным видом: — Поздравляю вас, дорогой друг, с благополучным прибытием на Луну!

— Спасибо! Поздравляю вас также! — ответил Пончик и пожал ему руку.

— Желаю вам дальнейших успехов в вашей замечательной научной деятельности, — сказал Незнайка.

— Благодарю вас! И вам желаю того же, — ответил Пончик и, шаркнув ножкой, почтительно поклонился Незнайке.

Незнайка тоже отвесил поклон Пончику и шаркнул ножкой. Почувствовав глубокое удовлетворение от своей вежливости, друзья рассмеялись и бросились обнимать друг друга.

— Ну, с чего мы начнём нашу деятельность на Луне? — спросил Незнайка, покончив с объятиями. — Я предлагаю сделать вылазку из ракеты и как следует осмотреться вокруг.

— А я предлагаю сначала покушать, а потом осмотреться, — с приятной улыбкой ответил Пончик.

— Ваше предложение, дорогой друг, принимается, — вежливо согласился Незнайка. — Разрешите пожелать вам приятного аппетита!

— Спасибо! Желаю вам тоже приятно покушать, — широко улыбаясь, ответил Пончик.

Обменявшись любезностями, друзья спустились в пищевой отсек. Там они не спеша поели, после чего поднялись в отсек, где хранились

космические скафандры. Подобрав подходящие им по росту скафандры, друзья принялись надевать их.

Каждый из этих скафандров состоял как бы из трёх частей: космического комбинезона, герметического шлема и космических сапог. Космический комбинезон был сделан из металлических пластин и колец, соединённых гибкой воздухонепроницаемой космопластмассой серебристого цвета. На спине комбинезона имелся ранец, в котором были размещены воздухоочистительное и вентиляционное устройства, а также электробатарея, питавшая током электрический фонарь, который был укреплён на груди. Над ранцем был размещён автоматический складной капюшон-парашют, раскрывавшийся в случае надобности на манер крыльев.

Герметический шлем надевался на голову и был сделан из жёсткой космопластмассы, окованной нержавеющей сталью.

В передней части гермошлема имелось круглое оконце, или иллюминатор, из небьющегося стекла, внутри же была размещена небольшая радиостанция с телефонным устройством, посредством которого можно было переговариваться в безвоздушном пространстве. Что касается космических сапог, то они почти ничем не отличались от обычных сапог, если не считать, что подошвы их были сделаны из специального теплоизолирующего вещества.

Нелишне упомянуть, что за спиной космического комбинезона имелся походный рюкзак, к поясу же, помимо складного альпенштока и геодезического молотка, был привешен космический зонтик для защиты от палящих лучей солнца. Этот зонтик был сделан из тугоплавкого алюминия и в сложенном виде занимал не больше места, чем обычный дождевой зонт.

Надев на себя комбинезон, Незнайка почувствовал, что он довольно плотно облегает тело, а гермошлем был настолько просторен, что Незнайкина голова свободно поместилась в нём вместе со шляпой.

Одевшись в космические скафандры и проверив работу радиотелефонной связи, наши путешественники спустились в хвостовую часть ракеты и очутились перед дверью шлюза. Незнайка взял Пончика за руку и нажал кнопку. Дверь отворилась бесшумно. Друзья шагнули вперёд и оказались в шлюзовой камере. Дверь бесшумно закрылась за ними. Теперь от лунного мира наших путешественников отделяла лишь одна дверь.

Незнайка невольно задержался перед этой дверью.

Каким окажется этот таинственный, неизведанный мир Луны? Как он встретит незваных пришельцев? Окажутся ли скафандры надёжной защитой в безвоздушном пространстве? Ведь одной небольшой трещинки, одного небольшого отверстия в скафандре было достаточно, чтобы воздух из-под него улетучился, и тогда путешественникам грозила неминуемая гибель.

Эти мысли с быстротой молнии пронеслись в голове у Незнайки. Но он не поддался страху. Как бы желая подбодрить Пончика, он обнял его одной рукой за плечо, а другой рукой нажал кнопку у двери. Но дверь не открылась, как ожидал Незнайка. Открылось лишь крошечное отверстие, имевшееся в двери. Пространство внутри шлюза соединилось с наружным безвоздушным пространством, и воздух, находившийся в шлюзовой камере, со свистом начал вырываться на свободу. Незнайка и Пончик почувствовали, что комбинезоны, которые прежде плотно прилегали к телу, вдруг начали становиться просторнее, словно раздувались. Это объяснялось тем, что давление наружного воздуха исчезло и стенки скафандров стали испытывать лишь давление воздуха изнутри. Не поняв, что произошло, Пончик вообразил, что скафандр на нём лопнул, и это так напугало его, что он зашатался и начал валиться на бок. Незнайка заботливо поддержал его под руку и сказал:

— Стой прямо! Ничего страшного ещё нет!

В это время воздух окончательно вышел из шлюзовой камеры, и наружная дверь автоматически отворилась.

Увидев блеснувший впереди свет, Незнайка скомандовал:

— А теперь смело вперёд!

ЧАСТЬ II

Глава восьмая

ПЕРВЫЙ ДЕНЬ НА ЛУНЕ

Взявшись за руки, друзья вышли из шлюзокамеры и, спустившись по лестничке, очутились на поверхности Луны. Картина, открывшаяся перед их глазами, привела их в трепет и восхищение. Внизу, у самых ног путешественников, расстилалась равнина, напоминавшая неподвижно застывшую поверхность моря с неглубокими впадинами и отлого поднимающимися буграми. Как и обычная морская вода, эта волнистая, как бы внезапно окаменевшая поверхность Луны была зеленовато-голубого или, как его принято называть, аквамаринового цвета. Вдали, позади этой зыбкой на вид поверхности, возвышались холмы. Они были жёлтые, словно песчаные. За холмами громоздились ярко-красные горы. Они, словно языки застывшего пламени, взмывали кверху.

По правую руку, невдалеке от наших путешественников, были такие же огненно-красные горы. Они как бы вздымались со дна окаменевшего моря и тянулись своими заострёнными верхушками к небу.

Обернувшись назад, Незнайка и Пончик увидели вдали горы, имевшие более смутные очертания. Казалось, они были словно из ваты и по своему виду напоминали лежавшие на Земле облака. На их вершинах и склонах, будто фантастические стеклянные замки, торчали гигантские кристаллы, напоминавшие по форме кристаллы горного хрусталя. Солнечный свет преломлялся в гранях этих кристаллов, благодаря чему они сверкали всеми цветами радуги.

Над всем этим причудливым миром, как бездонная пропасть, зияло чёрное небо с мириадами крупных и мелких звёзд. Млечный Путь, словно светящаяся дорога, протянулся через всю эту бездну и поделил её на две части. В левой части, среди звёзд, скопившихся над горизонтом, сверкало жгучее Солнце. В правой половине светилась мягким зеленоватым светом планета Земля. Она была освещена солнечными лучами сбоку и поэтому имела вид полумесяца.

На фоне чёрного, зияющего пустотой неба вся поверхность Луны казалась особенно яркой и красочной. Этому способствовало также отсутствие вокруг Луны атмосферы, то есть, попросту говоря, воздуха. Как известно, воздух не только поглощает солнечные лучи, делая их менее яркими, но и рассеивает их, смягчая тени, отбрасываемые предметами. На Луне тени предметов всегда глубокие, тёмные, отчего сами предметы выделяются более чётко и выглядят ярче, красочнее.

Неподалёку от скопления облачных гор возвышалась одинокая гора в виде тёмного конуса или пирамиды. От её подножия к пригорку, на который опустилась ракета, словно тоненький луч протянулась дорожка. Она была светлая, будто кто-то нарочно посыпал в этом месте каменистую почву Луны песком или мелом.

— Это, надо полагать, неспроста, — сказал Незнайка Пончику. — Должно быть, эту пирамиду соорудили лунатики. Они же и дорожку к ней протоптали. Думаю, что первым долгом мы должны обследовать пирамиду. Ты как считаешь?

Не дожидаясь ответа, Незнайка зашагал бодрым шагом по направлению к лунной дорожке. Увидев, что он уже опоздал высказать своё мнение, Пончик развёл руками и покорно пошёл за Незнайкой.

Некоторые воображают, что как только им удастся попасть на Луну, они сейчас же примутся прыгать по её поверхности словно кузнечики, и объясняют это тем, что на Луне сила тяжести чуть ли не в шесть раз меньше, чем на Земле. Этого, однако, не случилось с Незнайкой и Пончиком. Хотя Луна и притягивала их с меньшей силой, чем когда-то притягивала Земля, они не почувствовали всё же, что в их весе произошла какая-то перемена. Это объяснялось тем, что они долгое время провели в состоянии невесомости и успели отвыкнуть от тяжести. Тот вес, который они приобрели на Луне, показался им самым нормальным, самым

обыкновенным весом, который они имели и на Земле. Во всяком случае, они не прыгали по Луне словно какие-нибудь там кузнечики или блохи, а ходили нормально.

Правда, у Пончика по временам появлялось ощущение, будто всё вокруг перевёрнуто вверх ногами. И Луна, и горы, и он сам, и Незнайка, который шагал впереди, — всё это казалось ему вверх тормашками. Ему мерещилось, будто лунная поверхность — вверху, а небо со всеми звёздами и Солнцем — внизу, и сам он висит вниз головой, прицепившись к лунной поверхности подошвами космических сапог, которые были у него на ногах. В такие моменты он опасался, что вот-вот выскользнет из своих сапог и полетит в мировое пространство вниз головой, а сапоги останутся на Луне. Это заставляло его поминутно хвататься руками за голенища сапог и потуже натягивать их на ноги.

Такие ненормальные ощущения объяснялись тем, что благодаря уменьшению силы тяжести на Луне меньшее количество крови в организме притягивалось к нижней части тела, то есть к ногам. Оставшееся в верхней части тела излишнее количество крови оказывало на кровеносные сосуды мозга усиленное давление, то есть такое давление, которое бывает у нас, когда нам случается повиснуть вниз головой. Именно поэтому у Пончика и появлялось ощущение зависания вниз головой. Поскольку он сам себе казался перевёрнутым вверх ногами, постольку и всё окружающее представлялось в перевёрнутом виде, и тут уж ничего поделать было нельзя. Сначала такое противоестественное состояние очень пугало Пончика, но потом он на всё это махнул рукой и решил, что ему, в сущности, всё равно, как ходить — вверх головой или вниз. Справедливость требует отметить, что у Незнайки вовсе не было таких болезненных ощущений, может быть, потому, что он был очень крепенький и не такой толстый, как Пончик.

Дорога к пирамиде оказалась не такой близкой, как это казалось вначале. Нужно сказать, что расстояния на Луне очень обманчивы. Благодаря отсутствию воздуха удалённые предметы видятся на Луне более чётко и поэтому всегда кажутся ближе. Незнайка и Пончик шагали уже чуть ли не целый час, а до пирамиды ещё было далеко. Жаркое солнце всё сильней нагревало скафандры, но Незнайка и Пончик не сообразили, что можно воспользоваться космическими зонтиками, и изнывали от духоты.

— Не спеши так, Незнайка! — взмолился Пончик. — Надо хоть капельку передохнуть.

— А ты, как видно, хочешь изжариться здесь на солнышке, — ответил Незнайка. — Нам надо поскорей добраться до пирамиды и спрятаться в тень. К тому же тут ещё всякие там космические лучи!

— Какие ещё всякие там лучи? — проворчал Пончик.

— Ну это тебе не понять сразу, — ответил Незнайка. — Я это тебе потом растолкую.

На самом деле Незнайка ничего Пончику растолковать не мог, так как сам не знал, какие это космические лучи и чем они отличаются от обыкновенных лучей. Он только слыхал от Фуксии и Селёдочки, что такие лучи бывают и их следует опасаться, находясь на поверхности Луны.

Наконец Незнайка и Пончик прибыли к цели своего путешествия. То, что они приняли издали за пирамиду, оказалось обыкновенной горой или, вернее сказать, потухшим вулканом, склоны которого были покрыты трещинами и застывшей лавой. Дорожка, по которой шагали Незнайка и Пончик, привела их к пещере, образовавшейся в склоне горы. Стараясь как можно скорей укрыться от палящих лучей солнца, наши путники  вошли в пещеру. Здесь было гораздо прохладнее и уютнее, чем под открытым небом. Пончику перестало казаться, что он вот-вот выскочит из своих сапог и унесётся в мировое пространство. Теперь он видел над головой не звёздное небо, а каменистые своды пещеры и чувствовал, что если и полетит, то не сможет улететь далеко. Стащив с ног космические сапоги и усевшись поудобней на гладком камне, который лежал у стены пещеры, Пончик принялся отдыхать.

Незнайка последовал его примеру и тоже присел рядышком. Однако натура у него была слишком деятельная, чтобы он долго мог находиться в неподвижном состоянии. Как только его глаза немного привыкли к темноте пещеры, он вскочил и принялся заглядывать во все уголки. Обнаружив, что пещера вовсе не кончалась поблизости, а вела в глубь горы, Незнайка сказал, что они должны заняться её исследованием.

Пончик нехотя натянул на ноги сапоги, встал, кряхтя, и пошёл за Незнайкой. Не успели они сделать и десяти шагов, как очутились в абсолютной темноте. Пончик сказал, что в такой тьме немыслимо проводить какие бы то ни было исследования, и уже хотел повернуть назад, но как раз в это время Незнайка включил свой электрический фонарь, и мрак моментально рассеялся. Пончик только крякнул с досады. Пришлось ему продолжать путь, а для него это было вдвойне нежелательно, так как, помимо ощущения усталости, он вдобавок начал испытывать на себе и действие низкой температуры. Приятная прохлада, которая вначале так благотворно подействовала на него, сменилась вдруг жутким холодом. У Пончика начали мёрзнуть и руки, и ноги. Он подпрыгивал на ходу, дрыгал ногами, хлопал рукой об руку, чтобы согреться, но всё это очень мало помогало ему.

Незнайка в это время даже как будто и не замечал холода. Он бодро шагал вперёд, стараясь не пропустить ничего, что попадалось на глаза.

Сначала дорога шла широ-
ким, как бы просверлённым
в твёрдой скале тоннелем.
Дно тоннеля понижалось
с каждым шагом, и поэтому
идти было легко: казалось,
будто кто-то всё время под-
талкивает в спину. Неожи-
данно стены тоннеля раз-
двинулись, и путешествен-
ники очутились в огромном
подземном или, как его
правильнее было бы на-
звать, подлунном гроте.

Зрелище, открывшееся
перед ними, было похоже

на какое-то сказочное царство холода. Из-под уходящего ввысь потолка свешивались тысячи прозрачных ледяных сосулек. Одни из них были крошечные и висели под самым потолком искрящейся бахромой, другие были крупней и спускались сверху сверкающими гирляндами. Отдельные сосульки были так велики, что достигали своими остриями чуть ли не самого дна грота, а некоторые даже упирались концами в дно, образуя собой как бы колонны, которые поддерживали своды. Высокие каменистые стены этого ледяного дворца мороз разрисовал фантастическими узорами. Здесь среди причудливого переплетения белых, как бы покрытых инеем елей и пальм распускались невиданные цветы и мерцали радужным светом огромные, словно сотканные из тончайших ледяных лучиков звёзды.

Полюбовавшись этой картиной, Незнайка двинулся дальше. Пончик зашагал следом. Может быть, от присутствия вокруг огромных масс льда, а может быть, и оттого, что температура на самом деле понизилась, Пончик стал мёрзнуть ещё сильнее и с таким усердием заплясал на ходу, что один космический сапог соскочил у него с ноги и полетел куда-то в сторону. Пончик бросился искать его и сразу же заблудился между ледяными колоннами. Испугавшись, он принялся звать Незнайку, но Незнайка уже не мог прийти к нему на помощь. Как раз в это время Незнайка вышел из грота и попал в новый тоннель, дно которого было покрыто льдом. Как только Незнайка ступил на лёд, он поскользнулся и покатился вниз. На гладкой поверхности льда не было ни малейшего выступа, за который можно было бы уцепиться, чтобы задержать падение. Незнайка слышал по радиотелефону крик Пончика, но даже не обратил на него внимания, так как всё равно ничего не мог предпринять.

Тоннель между тем всё круче уходил в глубь Луны. Скоро Незнайка уже не скользил по льду, а просто-напросто падал в какую-то пропасть. Вокруг уже не было так темно. Казалось, что свет проникал откуда-то снизу. Вместе с тем стало значительно теплей, а через несколько минут уже было и вовсе жарко. Яркий свет резал глаза. Незнайка решил, что ему суждено погибнуть в огне, и уже мысленно прощался с жизнью, но неожиданно стены пропасти разошлись в стороны и пропали. Ещё минута, и Незнайка увидел, что над ним простиралось во все стороны светлое, словно покрытое волнистыми облаками небо. А внизу... Незнайка старался разглядеть, что было внизу, но внизу всё было словно в тумане. Прошло немного времени, и сквозь рассеявшийся туман Незнайка разглядел внизу землю с полями, лесами и даже рекой.

— Так вот что здесь такое! — сказал сам себе Незнайка. — Значит, правильно говорил Знайка, что Луна — это такой шар, внутри которого есть другой шар, и на этом внутреннем шаре живут лунные коротышки, или лунатики. Что ж, подождём капельку, может быть, скоро и с лунными коротышками встретимся.

Неизвестная земля между тем приближалась. Внизу уже явственно можно было разглядеть город с его улицами и площадями. Это был один из самых больших лунных городов — Давилон. Скоро Незнайка различал уже дома и даже отдельных пешеходов на улицах. Ветер нёс его, однако, не к центру города, а к одной из окраин, туда, где были видны сады и огороды, где крыши домов утопали в зелени.

«Что ж, это даже хорошо, — подумал Незнайка. — По крайней мере будет помягче падать, а то как шлёпнешься посреди мостовой, так не соберёшь и костей».

Но Незнайка опасался напрасно, так как небольшой крылатый парашют, который был у него за спиной, замедлил падение. Правда, от неожиданного толчка ноги у Незнайки подкосились, и он сел прямо на землю. Парашют автоматически сложился у него за спиной, приняв вид капюшона. Незнайка огляделся по сторонам и увидел, что окружён кустиками с какими-то крошечными зелёными листиками. Заметив, что листочки на кустах колебались, Незнайка сделал вывод, что вокруг имеется атмосфера, то есть воздух. Ведь обычно листья на деревьях колеблются не сами по себе; в действительности листья колеблет ветер, а ветер, как теперь всем известно, это не что иное, как движение воздуха.

Придя к такому умозаключению, Незнайка снял с себя космический скафандр и почувствовал, что не только не задыхается, но даже вполне свободно может дышать. Ему даже показалось, что воздух вокруг гораздо лучше того, которым он дышал на Земле. Но это ему, конечно, только так показалось, потому что он долго пробыл в скафандре и немного отвык от свежего воздуха.

Вздохнув полной грудью, Незнайка почувствовал, что сердце гораздо спокойнее стало биться у него в груди. На душе сделалось весело и легко. Он даже хотел засмеяться, но вовремя спохватился и решил повременить с выражением радости. Прежде всего ему, конечно, следовало оглядеться и выяснить, куда он попал.

Аккуратно сложив скафандр, Незнайка спрятал его под одним из кустов и принялся знакомиться с местностью. Присмотревшись внимательнее к окружавшим его кустам, он убедился, что в действительности это были не кусты, а небольшие карликовые деревья. Каждое дерево лишь в полтора-два раза повыше Незнайкиного роста. Ветви этих деревьев были осыпаны крошечными, величиной с горошину, зелёными яблочками. Сорвав одно яблочко, Незнайка попробовал его и тут же выплюнул — до того оно оказалось кислое. Неподалёку росли такие же карликовые лунные груши. Незнайка решил попробовать лунную грушу, но она была безвкусная, к тому же очень терпкая — должно быть, ещё незрелая.

Отшвырнув в сторону лунную грушу, Незнайка принялся искать, чем бы ещё поживиться. От этих лунных яблок и груш у него только аппетит разыгрался; к тому же с тех пор, как он ел в последний раз, прошло уже много времени. Сделав несколько шагов в сторону, он очутился перед высоким дощатым забором, вдоль которого росли колючие кустики, усеянные уже совсем крошечными красными ягодками. Попробовав одну ягодку, Незнайка убедился, что перед ним была лунная карликовая малина. На вкус она ничем не отличалась от нашей обычной земной малины, только была очень мелкая. Незнайка принялся набивать рот лунной малиной, но сколько её ни ел, никак не мог насытиться.

Впрочем, на этот раз ему так и не удалось утолить голод. Если бы он вёл себя осторожнее, то мог бы заметить, что за ним уже давно следят из-за кустов чьи-то внимательные глаза. Эти внимательные глаза принадлежали лунному коротышке, которого звали Фиксом. Он был одет в рыжий, протёртый на локтях пиджак и в какую-то нелепую засаленную рыжую кепку на голове. На ногах у него были штаны, какие обычно носят, заткнув в сапоги, но сапог не было, а были сандалии, которые он надел на босу ногу. В руках у Фикса была метла, которую он держал наперевес, как ружьё, будто собирался идти с этим ружьём в атаку.

Ничего не подозревая, Незнайка продолжал уплетать малину, как вдруг снизу раздался щелчок, и он почувствовал, как его что-то крепко схватило за ногу. Незнайка вскрикнул от боли и, нагнувшись, увидел, что нога его попала в капкан. В этот же момент следивший за каждым его шагом Фикс выскочил из своей засады и, подбежав к Незнайке, изо всех сил стукнул его метлой по голове.

— Ах ты гадина! Так ты, значит, малину жрать! — закричал Фикс, размахивая метлой.

— Послушайте, — возмутился Незнайка, — что это такое? Зачем метлой? И ещё капкан тут!

Но Фикс не слушал его.

— Я тебе покажу, как малину жрать! — твердил он, выкручивая Незнайке за спину руки и связывая их верёвкой.

Незнайка только пожал плечами.

— Не понимаю, что происходит! — пробормотал он.

— Вот отведу тебя сейчас к господину Клопсу, тогда всё поймёшь! — пригрозил Фикс.

— К какому такому господину Клопсу? — спросил Незнайка.

— Там увидишь, какой такой господин Клопс. А сейчас — марш! — сказал Фикс и потянул за верёвку с такой силой, что Незнайка чуть не полетел с ног.

— Как же я могу идти, неразумное вы существо? Разве вы не видите, что моя нога в капкане? — ответил Незнайка.

— Подумаешь, нежность — нога в капкане! — проворчал Фикс.

Он, однако, нагнулся и освободил из капкана Незнайкину ногу.

— Ну, марш, марш, без разговоров! — скомандовал он и, не выпуская из рук конца верёвки, которой были связаны Незнайкины руки, толкнул его метлой в спину. — Да не вздумай бежать, всё равно от меня не уйдёшь!

Незнайка в ответ только пожал плечами. Бежать он не мог хотя бы потому, что ушибленная пружиной капкана нога сильно болела. Прихрамывая, он брёл по саду, а за ним, сердито сопя, шёл Фикс с метлой на плече. Выйдя из сада, они зашагали вдоль длинных грядок с лунными огурцами и помидорами. Хотя Незнайке было не до того, он всё же поглядывал по сторонам и заметил, что лунные помидоры и огурцы был в десятки раз мельче тех, к которым он привык на Земле.

Вдали трое коротышек производили поливку грядок. Двое вручную качали воду насосом, а третий направлял из брандспойта струю. Струя поднималась высоко и, рассыпаясь на капли, падала сверху дождём.

Скоро грядки с огурцами и помидорами кончились и пошли грядки с лунной клубникой. Несколько коротышек ползали среди грядок и собирали созревшую клубнику, складывая её в круглые плетёные корзины. Один из работавших коротышек увидел Фикса с Незнайкой и закричал:

— Эй, Фикс, опять грабителя изловил?

— Опять, а то как же, — самодовольно ухмыляясь, ответил Фикс.

— К господину Клопсу ведёшь?

— К господину Клопсу, а то к кому же!

— Опять собаками травить будете? — спросил другой коротышка, отрываясь от работы.

— Ну, это уже господин Клопс сами знают, чем травить. Чем прикажут, тем и будем травить.

— Зверьё! — проворчал кто-то из работавших коротышек.

— Что?

— Зверьё, говорю, вы с вашим господином Клопсом!

— Я вот те дам зверьё! — окрысился Фикс. — Вот пойду доложу господину Клопсу, что вы тут языки распускаете, вместо того чтоб работать, — живо на улице очутитесь!

Коротышки молча принялись за работу. Фикс ткнул Незнайку в спину метлой, и они отправились дальше. Поднявшись на холм, Незнайка увидел красивый двухэтажный дом с большой открытой верандой. Вокруг дома были разбиты клумбы с цветами. Здесь были и лунные маргаритки, и анютины глазки, и настурции, и лунная резеда, и астра. Под окнами дома росли кусты лунной сирени. Все эти цветы были такие же, как и у нас на Земле, только во много раз мельче. Впрочем, Незнайка уже начал привыкать к тому, что на Луне растения маленькие, и это уже не удивляло его.

На веранде сидел господин Клопс. Это был толстенький краснощёкенький коротышка с большой розовой лысиной на голове. Глазки у него были узенькие, как щёлочки, а бровей почти совсем не было, отчего лицо его казалось очень весёлым и добрым. Одет он был в просторную шёлковую пижаму тёмно-коричневого цвета с белыми полосочками и шлёпанцы на ногах.

Он сидел за столом и делал сразу четыре дела: 1) ел белый хлеб с маслом; 2) пил чай с вареньем; 3) читал газету; 4) непрестанно отмахивался и отплёвывался от мух, которые роем носились над ним, поминутно садясь ему на лысину и попадая в чай.

Все эти четыре дела господин Клопс делал с таким усердием, что пот буквально струился с него, скатываясь ручейками с лысины прямо по щекам и затылку за шиворот. Это, видимо, не доставляло особенного удовольствия господину Клопсу, так как он то и дело хватал висевшее на спинке кресла полотенце и одним махом вытирал размокревшую лысину, стараясь захватить при этом и шею, после чего вешал полотенце обратно, предварительно покрутив им над головой, чтоб разогнать мух.

Увидев приближавшихся к дому Фикса с Незнайкой, господин Клопс отставил в сторону чашку с недопитым чаем и с любопытством стал ждать, что будет дальше.

— Вот-с, господин Клопс, грабителя изловил, — сказал Фикс, останавливаясь с Незнайкой на почтительном расстоянии.

Господин Клопс встал из-за стола, подошёл к ступенькам, которые вели вниз с веранды, и, сложив на животе свои пухлые ручки, стал оглядывать Незнайку с головы до ног.

— Наверно, в капкан попался? — спросил наконец он.

— Так точно, господин Клопс. Жрал малину и попался в капкан.

— Так, так, — промычал Клопс. — Ну, я тебе покажу, ты у меня попляшешь! Так зачем ты малину жрал, говори?

— И не жрал вовсе, а ел, — поправил его Незнайка.

— Ох ты, какой обидчивый! — усмехнулся господин Клопс. — Уж и слова сказать нельзя! Ну хорошо! Так зачем ты её ел?

— Ну зачем… Захотел кушать.

— Ах, бедненький! — с притворным сочувствием воскликнул Клопс. — «Захотел кушать»! Ну, я тебе покажу, ты у меня попляшешь! А она твоя, малина? Отвечай!

— Почему не моя? — ответил Незнайка. — Я ведь ни у кого не отнял. Сам сорвал на кусте.

От злости Клопс чуть не подскочил на своих коротеньких ножках.

— Ну, я тебе покажу, ты у меня попляшешь! — закричал он. — Ты разве не видел, что здесь частная собственность?

— Какая такая частная собственность?

— Ты что, не признаёшь, может быть, частной собственности? — спросил подозрительно Клопс.

— Почему не признаю? — смутился Незнайка. — Я признаю, только я не знаю, какая это собственность! У нас нет никакой частной собственности. Мы всё сеем вместе и деревья сажаем вместе, а потом каждый берёт, что кому надо. У нас всего много.

— Где это у вас? У кого это у вас? Чего у вас много? Да за такие речи тебя надо прямо в полицию! Там тебе покажут! Там ты попляшешь! — разорялся Клопс, размахивая руками и не давая Незнайке сказать ни слова.

Наконец он хлопнул в ладоши и закричал:

— Фекс!

На крик из дверей выскочил коротышка в таком же одеянии, как и Фикс, только без кепки. Увидев его, Клопс щёлкнул пальцами и показал рукой на пол возле себя. Фекс моментально понял, что требовалось,

и, схватив стоявшее у стола кресло, поставил его позади Клопса. Клопс не спеша опустился в кресло.

— Ну-ка, приведи сюда этого... — сказал он. — М-м-м... Милордика приведи сюда, вот.

Фекс со всех ног бросился исполнять приказание.

— Счастье твоё, что я добренький коротышка, — сказал Клопс Незнайке. — Я тебя в полицию не отправлю. С полицией, братец, лучше не связываться. От полиции никакой выгоды — ни мне, ни тебе, леший её дери!

В это время явился Фекс с большой кудлатой собакой на цепи.

— Так и быть, я тебя отпущу, — продолжал Клопс, обращаясь к Незнайке. — Только ты беги, голубчик, быстренько, а то как бы собачка тебя немножко не покусала... Освободи-ка его! — приказал он Фиксу.

Фикс развязал Незнайке руки.

— Ну теперь беги, чего же ты медлишь? — сказал Клопс. — Или, может быть, хочешь, чтоб на тебя собаку спустили? Ну ка, Фекс, спусти на него собаку.

Увидев, что дело начинает принимать совсем нежелательный оборот, Незнайка со всех ног побежал прочь. В это же время Фекс отвязал цепь, и кудлатый пёс ринулся за Незнайкой.

— Возьми его, Милордик, возьми! — радостно визжал Клопс и захлопал в ладоши.

Заметив, что пёс настигает его, Незнайка круто повернул в сторону. Пёс по инерции проскочил дальше. Этот приём Незнайка повторял каждый раз, когда Милордик подбегал близко, и псу ни разу не удалось укусить его. Они бегали вокруг дома по клумбам с цветами. Вырванные с корнем маргаритки, ромашки, анютины глазки, тюльпаны так и летели из-под их ног в разные стороны.

— Милорик, возьми его! — надрывался. Клопс, — Что же ты медлишь? Не можешь с одним воришкой справиться? Ату его! Ах ты лошадь! Вот я тебе покажу, ты у меня попляшешь!.. Эй, Фекс!

— Что прикажете, господин барин? — Фекс почтительно наклонился к Клопсу.

— Моментально приведи сюда этого... м-м-м... Приведи сюда Цезарино.

— Слушаюсь! — пробормотал Фекс и метнулся в сторону.

Через минуту он привёл бесхвостого поджарого пса с длинными худыми лапами и короткой коричневой шерстью.

— Спускай его! — закричал Клопс. — Ну-ка, возьми его, Цезарино!

Увидев, что к Милордику прибыло подкрепление, Незнайка бросился с холма вниз и запрыгал по грядкам с клубникой. Оба пса носились за ним, не разбирая дороги, и безжалостно топтали клубнику.

— Что они делают! Что они делают! — завопил Клопс, сбегая вниз и хватаясь за лысину. — Они уничтожают мою клубнику! Цезарино, Милордик, хватайте его, чтоб ему пусто было! Окружайте его! Забегайте с разных сторон!.. Ах, олухи, дурачьё, идиоты безмозглые! Два идиота безмозглых не могут с одним безмозглым дураком справиться!.. А вы что рты разинули? — закричал Клопс на работавших коротышек. — Ловите его!.. Стоят и смеются, безмозглые! Вот я вас!

Коротышки бросили работу и принялись бегать за собаками по грядкам. Клопс тут же увидел, что из этого ничего хорошего для клубники не получается.

— Назад! — закричал он. — Вот я вам покажу, как топтать клубнику, вы у меня попляшете!

Коротышки остановились. Клопс самолично бросился догонять Незнайку и попал ногою в капкан.

— Это что же творится такое? — завизжал он, корчась от боли. — Эй, Фикс, Фекс, вы что же, разини, смотрите? Я вам покажу, негодяи, вы у меня попляшете! Понаставили всюду капканов! Освободите меня, злодеи, а то я не знаю, что будет!

Фикс и Фекс подбежали к нему и принялись освобождать его ногу из капкана. В это время Незнайка, Милордик и Цезарино перенесли поле своей деятельности с клубники на грядки с огурцами и помидорами. В одну минуту там всё было перепутано, и уже трудно было разобрать, где росли огурцы и где помидоры.

— Ай-ай-ай! Да что же они там делают! — закричал Клопс, наливаясь от злости кровью. — Эй, Фикс, Фекс, что вы рты пораскрыли, олухи? Скорее тащите сюда ружьё, я убью его как собаку, он у меня попляшет!

Фикс и Фекс моментально исчезли и через минуту возвратились с ружьём.

— Стреляйте в него! — кричал, брызгая слюной, Клопс. — Всё равно мне за это ничего не будет!

Фикс, в руках у которого было ружьё, прицелился и выпалил. Пуля просвистела в двух шагах от Незнайки.

— Ну кто так стреляет? Кто так стреляет? — закричал с раздражением Клопс. — Дайте-ка сюда мне ружьё. Я вам покажу, как надо стрелять!

Он выхватил у Фикса ружьё и выстрелил, но попал не в Незнайку, а в Цезарино. Бедный пёс дико взвизгнул. Подскочив кверху и сделав в воздухе сальто, он упал на спину и остался лежать кверху лапами.

— Ну вот видите, дурачьё! — закричал Клопс, хватаясь за голову. — Из-за вас собаку прикончил!

Увидев, что дело дошло до стрельбы, Незнайка подбежал к забору и, напрягши все силы, с разбегу перескочил через него.

— Ах, ты так! — закричал, задыхаясь от гнева, Клопс. — Ну, это тебе даром не пройдёт! Я тебе ещё покажу! Ты у меня попляшешь!

Он с силой потряс кулаком над своей покрасневшей от злости лысиной, потом плюнул с досады и пошёл домой — подсчитывать нанесённые Незнайкой убытки.

Глава девятая

КАК НЕЗНАЙКА ВСТРЕТИЛСЯ
С ФИГЛЕМ И МИГЛЕМ

Избавившись от преследования, Незнайка во весь дух помчался по улице, огороженной с обеих сторон высокими заборами. Из-за заборов раздавался непрерывный собачий лай, и Незнайке казалось, что свирепые псы всё ещё гонятся за ним. От страха он даже не замечал, где бежал, и начал приходить понемножку в себя, когда очутился на улице с оживлённым движением. Тут только он оглянулся и увидел, что позади уже нет напугавших его собак. Вокруг по тротуарам шагали лунные коротышки: никто никуда не бежал, никто никого не преследовал, никто никаких враждебных действий по отношению к Незнайке не предпринимал. Здесь уже не было глухих дощатых заборов. По обеим сторонам улицы стояли высокие дома, в нижних этажах которых помещались различные магазины.

Незаметно наступил вечер. Повсюду зажглись фонари. Мягким, льющимся изнутри светом осветились витрины магазинов. На стенах домов засверкали, замигали разноцветными огнями световые рекламы. Чем дальше шёл Незнайка, тем шире становились улицы, выше дома, наряднее магазины и ярче огни реклам. Поперёк улиц протянулись ажурные металлические арки и виадуки, на которых были устроены разные аттракционы: качели, карусели, спиральные спуски, «прыгающие лошадки», «летающие велосипеды», а также чёртовы колёса различных систем и размеров. Всё это крутилось, качалось, шаталось, прыгало и брыкалось, и сияло тысячами светящихся электрических лампочек.

Особенно среди всего этого великолепия выделялось одно огромнейшее чёртово колесо, которое мало того что вертелось, как обычное чёртово колесо, но ещё в то же время вихлялось в разные стороны, словно собиралось свалиться на головы прохожим.

Тысячи коротышек карабкались вверх по лестницам, чтобы покачаться на качелях, потрястись на заводных деревянных лошадках, прокатиться над улицей по канату на специальном велосипеде, покружиться на карусели или хотя бы на чёртовом колесе.

Внизу, вдоль тротуаров, были выставлены кривые зеркала, и каждый мог вдоволь нахохотаться, глядя на отражение своей вытянутой, сплюснутой или перекошенной самым неестественным образом физиономии.

Тут же перед многочисленными столовыми и кафе, прямо на тротуаре, стояли столики. Многие коротышки сидели за столиками и ужинали, пили чай, кофе или газированную воду с сиропом, ели мороженое или просто закусывали. Некоторые танцевали тут же под музыку, которая гремела со всех сторон. Официанты и официантки бегали с подносами между столиками и приносили желающим разные кушанья.

Увидев ужинавших коротышек, Незнайка вспомнил, что давно уже хочет есть. Недолго думая он сел за свободный столик. Сейчас же к нему подскочил официант в аккуратненьком чёрном костюме и спросил, чего бы ему желалось покушать. Незнайка пожелал съесть тарелочку супа, после чего попросил принести порцию макарон с сыром, потом съел ещё две порции голубцов, выпил чашечку кофе и закусил клубничным мороженым. Всё это оказалось чрезвычайно вкусным.

Насытившись, Незнайка почувствовал себя счастливым и добрым. От радости ему хотелось запеть или сделать кому-нибудь что-нибудь очень приятное. Он сидел за столом, слушал музыку, смотрел на танцующих, разглядывал сидевших за соседними столами лунатиков. Все они оживлённо беседовали между собой и весело смеялись. У всех были добрые, приветливые лица. И этот чёрненький коротышка, который приносил Незнайке еду, тоже очень приветливо поглядывал на него.

«Что ж, здесь вполне хорошо! — благодушно подумал Незнайка. — Видно, и на Луне живут добрые коротышки!»

Всё, что произошло с ним до этого, стало казаться ему каким-то недоразумением или нелепым сном, о котором не стоит и вспоминать.

Поднявшись из-за стола и помахав официанту издали на прощание ручкой, Незнайка отправился дальше, но официант быстро догнал его и, вежливо улыбнувшись, сказал:

— Вы забыли, дорогой друг, о деньгах.

— О чём? — с приятной улыбкой переспросил Незнайка.

— О деньгах, дорогой друг, о деньгах!

— О каких, дорогой друг, деньгах?

— Ну, вы же должны, дорогой друг, заплатить деньги.

— Деньги? — растерянно произнёс Незнайка. — А что это, дорогой друг? Я, как бы это сказать, впервые слышу такое слово.

Улыбка моментально соскочила у официанта с лица. Он даже как-то неестественно побледнел от злости.

— Ах вот что! — пробормотал он. — Впервые слышишь такое слово? Ну это тебе не пройдёт так!

Схватив Незнайку за руку, он оттащил его в сторону и, достав из кармана свисток, пронзительно засвистел. Сейчас же откуда-то из темноты вынырнул рослый коротышка в синем мундире с блестящими металлическими пуговицами и в медной каске на голове. В руках у него была увесистая резиновая дубинка, а у пояса пистолет в кобуре.

— Господин полицейский, вот этот не отдаёт деньги! — пожаловался на Незнайку официант.

— Ты как смеешь не отдавать деньги, скотина? — заорал полицейский, упёршись руками в бока и выставив вперёд свой толстый живот.

— Во-первых, я не скотина, — с достоинством ответил Незнайка, — а во-вторых, у меня нет никаких денег. Я никаких денег у него не брал и даже не видел.

— А вот это ты видел? — спросил полицейский и сунул Незнайке под нос резиновую дубинку.

Незнайка невольно откинул голову назад.

— Что это, по-твоему? — спросил полицейский. — Ну-ка понюхай.

Незнайка осторожно понюхал кончик дубинки.

— Резиновая палка, должно быть, — пробормотал он.

— «Резиновая палка»! — передразнил полицейский. — Вот и видно, что ты осёл! Это усовершенствованная резиновая дубинка с электрическим контактом. Сокращённо — УРДЭК. А ну-ка, стой смирно! — скомандовал он. — Р-р-руки по швам! И никаких р-разговоров!

Незнайка машинально поднял голову и вытянул руки по швам. Полицейский ткнул его кончиком дубинки в лоб. Раздался треск. Незнайку ударило электрическим током, да так сильно, что искры полетели из глаз, в голове загудело, и он зашатался, не в силах устоять на ногах. Схватив Незнайку за шиворот, полицейский принялся шарить у него в карманах и, ничего в них не обнаружив, потащил его сквозь толпу, которая начала собираться вокруг.

— Р-р-разойдись! И никаких р-разговоров! — кричал он, угрожающе размахивая дубинкой.

Толпа моментально рассеялась. Полицейский протащил Незнайку по улице, свернул в узенький переулок и остановился возле чёрной полицейской машины, напоминавшей автофургон с небольшим зарешеченным окном в кузове. Открыв настежь дверцу, которая была с задней стороны кузова, он повелительно кивнул Незнайке пальцем и, нахмурив брови, сказал:

— Фить! Фить!

— А что это значит — «фить-фить»? — не понял Незнайка.

— А то значит, что быстрей полезай в кузов, пока я не разозлился! — заорал полицейский.

Увидев, что Незнайка медлит, он с такой силой ткнул его в спину дубинкой, что тот кувырком полетел в кузов.

Не успел Незнайка сообразить, что произошло, как дверца за ним захлопнулась. Поднявшись с грязного, заплёванного пола, Незнайка приналёг на дверцу плечом, но она не открывалась. Тогда он изо всех сил забарабанил в дверь кулаком и закричал:

— Эй, что здесь у вас творится?

Полицейский, однако, не удостоил его ответом, а сел в кабину рядом с шофёром и скомандовал:

— Живо в полицейское управление!

Мотор загудел. Автомобиль запрыгал по камням мостовой, и через четверть часа Незнайка уже был в полицейском управлении. Полицейский, которого, кстати сказать, звали Фиглем, сдал Незнайку с рук на руки другому полицейскому, которого звали Миглем. Полицейский Мигль был одет в такой же мундир, как и Фигль, только пуговицы на его мундире не отличались таким ярким блеском, как пуговицы на мундире Фигля. Это, по всей вероятности, объяснялось тем, что служба полицейского Мигля протекала не на открытом воздухе, а в закрытом, плохо проветриваемом помещении, отчего металл, из которого были сделаны пуговицы, постепенно покрывался окислами и тускнел.

Все стены этого помещения были заставлены высокими шкафами, в которых хранились сведения о различных преступниках. Посреди комнаты стоял крепкий дубовый стол с тяжёлыми прямыми четырёхугольными ножками. Позади стола с одной стороны стоял фотографический автомат для изготовления фотокарточек, с другой стороны находился рентгеновский аппарат, с помощью которого просвечивали арестованных насквозь, чтоб узнать, не утаили ли они похищенных ценностей у себя в желудке, предварительно проглотив их. У дверей находилась так называемая штафирка, то есть прибор для измерения роста преступников, состоявший из длинной, установленной на подставке вертикальной рейки с делениями и подвижной планки.

На столе стояли телефонным аппарат, ящик с чистыми бланками для регистрации арестованных, плоская коробочка с чёрной типографской краской для изготовления отпечатков пальцев и медная каска Мигля.

Для точности необходимо сказать, что медная каска Мигля блестела менее ярко, нежели каска Фигля. Это обстоятельство особенно хорошо стало заметно, когда вошедший в комнату Фигль снял с головы каску и поставил её на столе рядышком с каской Мигля. При этом обнаружилось ещё и то, что между Миглем и Фиглем было большое сходство: оба были скуластые, широколицые, у обоих были низкие лбы и тёмные, жёсткие, подстриженные ёжиком волосы, начинавшиеся чуть ли не от самых бровей.

Несмотря на большое внешнее сходство, в характерах Фигля и Мигля было большое различие. Если Фигль был коротышка сердитый, не терпевший, как он сам утверждал, никаких разговоров, то Мигль, наоборот, был большой любитель поговорить и даже пошутить. Как только дверь затворилась за Фиглем, Мигль сказал Незнайке:

— Осмелюсь вам доложить, милейший, что во всём полицейском управлении первое лицо — это я, так как первое, что вы видите, попадая сюда, это не что иное, как моё лицо. Хы-хы-хы-ы! Не правда ли, остроумная шутка?

Не дав Незнайке ответить на заданный вопрос, он продолжал:

— Моей первой обязанностью является выяснить личность каждого пойманного преступника, то есть в данном случае вашу личность.

— Но я же ведь не преступник! — возразил Незнайка.

— Все так говорят, милейший, — перебил его Мигль, — потому что цель каждого преступника — это запутать полицию, заморочить ей, так сказать, голову и, воспользовавшись этим, удрать. Должен, однако, предупредить вас, милейший, что вам это не удастся, так как у нас имеются исключительно точные методы расследования преступлений, и вы сейчас сами удостоверитесь в этом. Прошу вас назвать своё имя.

— Незнайка.

— Вот видите, — сказал Мигль, — вы говорите, что вас зовут Незнайка, но откуда я могу знать, что Незнайка — это настоящее ваше имя? Может быть, под именем Незнайки скрывается какой-нибудь опасный преступник. Ведь преступники любят менять свои имена. Вот и вы, например. Сегодня вы, к примеру сказать, Незнайка, завтра — Всезнайка, послезавтра — ещё какая-нибудь Чертяйка. Хы-хы! Не правда ли, остроумно? Попробуй тут разберись! Мы, однако ж, во всём прекраснейшим образом разберёмся. Смею обратить ваше внимание на эти три шкафа. В них хранятся у нас описания всех преступников, с которыми нам когда-либо приходилось иметь дело. Но если мы начнём искать описание вашей личности во всех трёх шкафах, то не справимся с этим и за три года. Для ускорения розыска мы делим всех преступников на три категории. В первом шкафу у нас хранятся описания преступников высокого роста, во втором — среднего роста, а в третьем — низеньких. Для того чтоб найти ваше описание, мы должны измерить ваш рост.

— Но у вас не может быть моего описания, так как я только сегодня прибыл на вашу планету, — сказал Незнайка.

— Все так говорят, милейший, абсолютно все! — воскликнул Мигль, даже не слушая, что говорил Незнайка. — Вот попрошу вас встать на минутку к штафирочке. Вот так... Стойте смирненько! Пяточки вместе! Руки по швам!

Говоря это, Мигль поставил Незнайку затылком к вертикальной рейке и, опустив ему на голову подвижную планку, заметил деление, на которое указывала стрелка прибора.

— Так, — сказал он. — Ваш рост, выраженный в стандартных измерительных единицах, равняется семидесяти двум. Значит, вы коротышка среднего роста, и искать ваше описание нужно во втором шкафу. Это, однако, ещё не всё. Как вы сами можете убедиться, в каждом шкафу у нас три отделения. В верхних отделениях каждого шкафа у нас хранятся коротышки с большими головами, в средних отделениях — коротышки со средними головами и, наконец, в нижних — коротышки с маленькими головами. Измеряем окружность вашей головы... Вот так... Тридцать единиц. Видим, таким образом, что у вас голова большая; вас, следовательно, надо искать в верхнем отделении. Но и это ещё не всё: в каждом отделении, как видите, имеется по три полки. На первых полках у нас везде коротышки с длинными носами, на вторых — со средними, на третьих — с коротенькими. Измеряем ваш нос и видим, что он длиной лишь в две с половиной единицы, то есть коротенький. Ваше описание, следовательно, надо искать на третьей полке верхнего отделения второго шкафа. Это уже сущий пустяк, так как все бланки с описаниями расположены по росту. Нас не интересуют преступники ростом семьдесят и семьдесят один — отбрасываем их; нас не интересуют головы двадцать восемь и двадцать девять — отбрасываем; нас не интересуют носы два и полтора — отбрасываем. А вот и ваш бланк, всё точно: рост — семьдесят два, окружность головы — тридцать, нос — два с половиной... Знаете, кто вы?

— Кто? — с испугом спросил Незнайка.

— Знаменитый бандит и налётчик, по имени Красавчик, совершивший шестнадцать ограблений поездов, десять вооружённых налётов на банки, семь побегов из тюрем (последний раз бежал в прошлом году, подкупив стражу) и укравший в общей сложности ценностей на сумму двадцать миллионов фертингов! — с радостной улыбкой сообщил Мигль.

Незнайка в смущении замахал руками.

— Да что вы? Что вы! Это не я! — сказал он.

— Да нет, вы, господин Красавчик! Чего вы стесняетесь? С этакими деньжищами, как у вас, вам совершенно нечего стесняться. Думаю, что от двадцати миллионов у вас кое-что осталось. Кое-что вы, несомненно, припрятали. Да дайте вы мне из этих ваших миллионов хотя бы сто тысяч, и я отпущу вас. Ведь никто, кроме меня, не знает, что вы знаменитый грабитель Красавчик. А вместо вас я засажу в тюрьму какого-нибудь бродяжку, и всё будет в порядке, честное слово!

— Уверяю вас, вы ошибаетесь! — сказал Незнайка.

— Ну вот! Стыдно вам, господин Красавчик! Неужели вам жалко каких-то там ста тысяч? При таких доходах, как ваши, я бы и двухсот не пожалел, лишь бы быть на свободе. Ну дайте хоть пятьдесят тысяч... Ну, двадцать... Меньше не могу, честное слово! Дайте двадцать тысяч и убирайтесь себе на все четыре стороны.

— Просто не понимаю, о чём вы говорите, — развёл Незнайка руками. — Я не Красавчик и...

— Знаю, знаю всё, что вы скажете, — перебил Мигль. — Вы не Красавчик и никаких денег не брали, но ведь здесь вот, на бланке, всё ваше.

Рост — семьдесят два. Ваш рост это или не ваш? Голова — тридцать. Ваша голова? Нос — два с половиной... И ещё вот фотокарточка ваша здесь.

Незнайка взглянул на карточку, которая была приклеена к бланку, и сказал:

— Это не моя фотокарточка. Я совсем не похож на коротышку, который здесь снят.

— Верно! Совсем не похожи! А почему? Потому что вы изменили свою внешность. У нас, милейший, за деньги всё можно сделать. И внешность свою изменить, и даже нос другой себе прирастить. Такие случаи уже бывали.

— Я не приращивал себе другого носа! — с возмущением ответил Незнайка.

— Все так говорят, милейший, поверьте мне. Ну да ладно! Не хотите дать двадцать тысяч, дайте хоть десять... Попадёте в тюрьму, там с вас дороже возьмут. Там обдерут вас как липку, и из миллионера вы превратитесь в нищего и будете плакать горькими слезами. Ну дайте хоть пять тысяч... хоть тысячу!.. Что же вы хотите, чтоб я даром вас отпустил? Нет, придётся поместить вас на пару деньков в такелажное отделение, там вы, быть может, ещё одумаетесь, а сейчас мы исполним некоторые формальности.

Достав из ящика чистый бланк, Мигль записал на нём Незнайкино имя, проставил рост, размер головы и носа, снял с него фотокарточку, просветил рентгеном, после чего испачкал ему обе руки чёрной краской и заставил оставить отпечатки пальцев на бланке.

— Мы пошлём отпечаточки ваших пальчиков на исследование и сравним их с отпечатками пальцев Красавчика, тогда, надеюсь, вы сами убедитесь, что вы — это вы, то есть Красавчик, и перестанете спорить. А теперь я вынужден с вами проститься.

Мигль нажал кнопку электрического звонка, и в дверь вошёл полицейский Дригль — такое же широкоскулое, туповатое лицо с низким лбом и подстриженными ёжиком волосами.

— В каталажку! — коротко приказал Мигль, махнув рукой в сторону Незнайки.

Дригль хмуро взглянул на Незнайку и распахнул перед ним дверь:

— Фить! Фить!

Видя, что Незнайка хочет что-то сказать, он угрожающе взмахнул резиновой дубинкой и прокаркал, словно ворона:

— Мар-рш, тебе говор-рят! И никаких р-разговор-ров!

Сообразив, что разговоры действительно не принесут пользы, Незнайка махнул рукой и вышел за дверь.

Глава десятая

В КАТАЛАЖКЕ

Такелажным отделением, или попросту каталажкой, как её окрестили сами арестованные, в полицейском управлении называлась огромная комната, напоминавшая по своему виду корабельную кладовую, где на многочисленных полках хранились различные корабельные снасти, обычно именуемые такелажем. Разница была лишь в том, что на полках здесь лежали не корабельные снасти, а обыкновенные коротышки.

Посреди каталажки стояла чугунная печь, от которой через всё помещение тянулись длинные жестяные трубы. Вокруг печки сидели несколько коротышек и пекли в горячей золе картошку. Время от времени кто-нибудь из них открывал чугунную дверцу, вытаскивал из золы испечённую картошку и начинал усиленно дуть на неё, перебрасывая с руки на руку, чтоб поскорей остудить. Другие коротышки сидели на полках или попросту на полу и занимались каждый своим делом: кто, вооружившись иглой, штопал свою ветхую одежонку, кто играл с приятелями в расшибалочку или рассказывал желавшим послушать какую-нибудь грустную историю из своей жизни.

Помещение было без окон и освещалось одной-единственной электрической лампочкой, висевшей высоко под потолком. Лампочка была тусклая и светила, как говорится, только себе под нос. Как только Незнайка попал в каталажку и дверь за ним захлопнулась, он принялся протирать руками глаза, пытаясь хоть что-нибудь разглядеть в полутьме. Толку из этого вышло мало: он лишь размазал по лицу чёрную краску, которой были испачканы его руки.

Увидев новоприбывшего, несколько самых любопытных коротышек соскочили со своих полок и подбежали к нему. Незнайка в испуге попятился и, прижавшись спиной к двери, приготовился защищаться.

Разглядев его измазанную физиономию, коротышки невольно рассмеялись. Незнайка понял, что бояться не надо, и его лицо тоже расплылось в улыбке.

— За что тебя к нам? За что ты попался? — стали спрашивать коротышки.

— Сам не пойму, братцы! — признался Незнайка. — Говорят, украл двадцать миллионов сам не знаю чего — не то фендриков, не то фертиков...

Громкий смех заглушил его слова.

— Наверно, фертингов, — подсказал кто-то.

— Во-во, братцы, фертингов. А я, честное слово, даже не знаю, какие это такие эти самые фертиги... фентриги...

Все хорошо знали, что фертинги — это деньги, поэтому Незнайкины слова были сочтены за остроумную шутку.

— Ты, я вижу, шутник! — сказал Незнайке коротышка, который стоял впереди всех.

Он был без рубашки. Как раз в тот момент, когда Незнайка вошёл, он зашивал на рубашке дырку и теперь так и стоял с иголкой в руке.

— Ну, допустим, что ты действительно ничего не стащил, — сказал коротышка с круглой стриженой головой, — но за какую-то вину тебя всё-таки сцапали?

— Честное слово, братцы, никакой вины не было. Я просто пообедал в столовой, а этот тип говорит: «Давай деньги». А я-то ведь никаких денег у него не брал!

Все опять громко захохотали.

— Значит, ты пообедал и не заплатил деньги?

— Какие деньги? Объясните хоть вы мне, братцы, что у вас за деньги такие?

— Ну ладно, заладил! — сказал наконец кто-то. — Пошутил, да и хватит!

— Да я не шучу, братцы! Я на самом деле не знаю, какие такие деньги.

— Хватит, хватит! Ты ещё скажешь, что с Луны к нам свалился.

— Нет, братцы, зачем же с Луны! Я прилетел к вам с Земли.

— Ну, это ты не очень удачно придумал, — сказал тот, который был стриженый. — А мы-то с тобой тогда где? Мы-то ведь и есть на Земле.

— Да нет, братцы, вы на Луне.

— Эка хватил! — рассмеялся тот, который был без рубашки. — Луна-то, по-твоему, где? Луна-то вокруг Земли. Эвона она где: сверху! — Он показал вверх иголкой, которую держал в руке. — Луна — это твердь небесная, а Земля — твердь земная. Про это в каждой книжке написано. А Земля наша, словно юла, вертится внутри Луны. Понял?

— Это я знаю, — ответил Незнайка. — Я только не знал, что эта ваша Земля тоже называется Землёй. Я говорю вам о другой Земле, о планете, которая находится там, далеко, за этой вашей наружной Луной.

— Так ты, значит, и прилетел к нам оттуда? — с деланным удивлением спросил стриженый.

— Оттуда, — подтвердил Незнайка.

— Во как! — покрутил головой стриженый. — Так ты пойди поскорей, братец, умойся, а то ты очень запачкался, пока летел.

Незнайка подошёл к раковине и стал умываться под краном. А коротышки заспорили между собой. Одни утверждали, что Незнайка нарочно придумывает разные небылицы, чтоб сбить с толку полицию; другие говорили, что он попросту дурачок и болтает, что придёт в голову; третьи решили, что он сумасшедший. Тот, который был без рубахи, уверял всех, что Незнайка, должно быть, свихнулся с ума, начитавшись книжек, а в книжках на самом деле сказано, что за наружной Луной есть какие-то огромные планеты и звёзды, на которых тоже якобы живут коротышки. Вот он и вообразил, наверно, что прилетел к нам с такой планеты. Сумасшедшие всегда воображают себя какими-нибудь великими личностями, знаменитостями или отважными путешественниками.

В это время Незнайка кончил умываться и спросил:

— А где тут у вас полотенце?

— Ещё чего захотел! — фыркнул стриженый. — Здесь тебе каталажка, а не гостиница. Понял? Таких роскошей, как полотенца, здесь не полагается.

— Как же вытереться?

— Просохнешь и так. Вот если хочешь, посиди возле печки, и высохнешь.

Незнайка подсел к коротышкам, которые грелись у печки. Стриженый тоже сел рядом.

— Так ты на самом деле не знаешь, какие бывают деньги? — спросил он Незнайку.

— На самом деле, — ответил Незнайка.

— Тогда надо показать тебе.

Стриженый достал из кармана несколько медных монеток.

— Вот смотри, — сказал он. — Эта самая маленькая монетка называется сантик, а вот эта, побольше, — два сантика; вот ещё такая же монетка — тоже два сантика, вот ещё две монеты по пять сантиков, видишь? Всего, значит, у меня пятнадцать сантиков. А сто сантиков составляют один фертинг.

— А зачем они, эти сантики? — спросил Незнайка.

— Как — зачем? — удивился стриженый. — На них можно купить что хочешь.

— Как это — купить? — не понял Незнайка.

— Эка дурак! Купить — это купить, — объяснил стриженый. — Вот, к примеру сказать, у тебя есть шляпа, а у меня, видишь, пятнадцать сантиков. Я тебе даю пятнадцать сантиков, а ты мне даёшь свою шляпу. Хочешь?

— Зачем же мне отдавать шляпу? — ответил Незнайка. — Шляпу можно на голове носить, а с сантиками что делать? Они медные и какие-то круглые.

— Вот и видно, что ты круглый осёл! У кого есть сантики, тот за них всё может купить. Вот ты, например, есть хочешь?

— Не хочу пока.

— Ну, скоро захочешь. А захочешь, что станешь делать? Будут у тебя денежки — купишь еды. А нет денег — сиди голодный.

— Соглашайся, — шепнул Незнайке сидевший рядом коротышка с длинным вихром на лбу. — Стрига говорит верно. А мы с тобой на пятнадцать сантиков купим картошки и будем печь в золе. Знаешь, как вкусно!

— Правильно! — подхватил Стрига. — Бери деньги, пока даю. Пятнадцать сантиков хорошая цена за такую шляпу. Тебе всё равно никто больше не даст.

С этими словами он стащил с Незнайки его голубую шляпу и сунул в руку монетки.

— Бери, бери, не сомневайся! — заулыбался вихрастый. — Сейчас мы с тобой картошечки купим и подзакусим на славу!

— А где брать картошку? — спросил Незнайка.

— Ты давай сюда денежки, а я всё устрою. Здесь, знаешь, всё же тюрьма, а не гастрономический магазин.

Вихрастый взял у Незнайки монетки. Десять сантиков он незаметно сунул себе в карман, а пять сантиков зажал в кулаке и, подойдя к двери, негромко стукнул три раза. Звякнул замок. Дверь приоткрылась, и в неё заглянул уже знакомый нам полицейский Дригль.

— Слушай, Дригль, — зашептал вихрастый, — отпусти, братец, картошечки на пять сантиков. Мы хотим маленький пир устроить, новичка картошечкой угостить.

— Ладно, давай монету, — проворчал Дригль.

Вихрастый отдал ему монетку. Дверь затворилась. Через некоторое время она снова открылась, и Дригль сунул вихрастому бумажный пакет с картошкой.

— Видал, как надо? С деньгами, братец, нигде не пропадёшь! — хвастливо сказал вихрастый и высыпал из пакета картошку на пол перед печью.

— Что это? — с удивлением спросил Незнайка.

— Как — что? Сам видишь — картошка.

— Чего же она такая крошечная?

Картошка на самом деле была очень мелкая. Каждая картофелина размером с фасолевое зерно. Незнайка глядел на неё, глядел, и его даже начал разбирать смех. Стрига переглянулся с коротышками и украдкой повертел пальцем возле своего лба, как бы желая этим сказать, что Незнайка свихнулся с ума.

А вихрастый сказал:

— И нечего тут смеяться. Картошка вполне хорошая. Лучше и не бывает.

— Ну, у нас не такая картошка! — сказал Незнайка. — У нас картошка — во! — Незнайка растопырил руки в стороны, словно собирался обхватить слона. — У нас картошка вырастает такая, что её из земли вытащить невозможно. Мы выкапываем какая помельче, а с крупной никто и связываться не хочет. Так и остаётся в земле.

— Ну ладно, — сказал вихрастый, — мы положим картошку в печь, пусть печётся, а ты тем временем будешь сказки рассказывать.

— Да я вовсе не сказки. Я говорю правду, — ответил Незнайка. — Это у вас тут всё какое-то крошечное: яблоки — с кулачок, груши —

смотреть не на что, малина — раз лизнул, и её нет, клубника — с ноготок, огурцы — с пальчик...

— А у вас, что ли, крупней клубника? — спросил Стрита.

— У нас клубника — во! Одному коротышке и не поднять.

И малина у нас — во! Огурцы величиной с коротышку, помидоры тоже. А арбузы величиной с двухэтажный дом.

— Врёт и даже не покраснеет! — сказал кто-то.

— Врёт — что водой хлещет! — подхватил Стрига.

— Да я же не вру, братцы! Вот вы сами увидите. Мы привезли вам семена наших растений. Там и огурцы есть, и помидоры, и арбузы, и свёкла, и морковка, и репа...

— Где же они, семена эти?

— В ракете.

— А ракета где?

— А ракета там. — Незнайка показал пальцем кверху. — На этой самой вашей Луне.

— Ха-ха-ха! — раздалось со всех сторон.

Громче всех хохотал тот, который зашивал рубашку.

— Ну, это ты, брат, ловко придумал! — сказал он. — Попробуй-ка заберись туда.

— А разве туда трудно забраться? — спросил Незнайка.

— Да пока, видать, кроме тебя, там никто ещё не побывал.

— Так надо придумать что-нибудь, — сказал Незнайка.

— Ну так ты думай, братец. Думать у нас тут никому не запрещается.

— Почему же ракета там, а ты здесь? — спросил Незнайку коротышка с чёрными, беспокойно бегающими по сторонам глазками.

— Ну, мы прилунились, то есть сели на поверхность Луны, а потом я пошёл с Пончиком в пещеру, провалился в дырку и очутился здесь.

— Значит, ты и впрямь к нам с Луны свалился?

— Впрямь, — подтвердил Незнайка.

— А может быть, тебе всё это во сне приснилось?

— Честное, говорю, слово, что не во сне.

— Ну, ежели не во сне, то такой случай надо отпраздновать, — подхватил Стрига. — Кстати, и картошка поспела. Ты ведь угостишь своих новых друзей картошкой, не правда ли? Тебя как звать?

— Незнайка.

— Слушайте, братцы! — торжественно объявил Стрига. — По случаю своего прибытия на нашу планету Незнайка всех угощает картошкой!

Лунные коротышки одобрительно загудели. Со всех сторон потянулись руки и стали выхватывать из золы картошку. У печки моментально возникла

свалка. Несколько лунатиков даже подрались между собой. В минуту вся картошка была расхватана, и когда Незнайка потянулся к печке, в ней уже ничего не было.

— Что же это, неужели тебе ни одной картошечки не досталось? — сочувственно спросил вихрастый. — Ты поищи, братец, получше. Там должно быть ещё.

Однако сколько ни рылся Незнайка в печке, он только золой измазался.

— Ну, сам виноват. Так тебе и надо! — сказал Стрига. — Не будешь зевать в другой раз. Здесь знаешь какой народ? На ходу подмётки отрежут. Нос оторвут, так что и не заметишь, дурачина ты, простофиля!

— А ты меня дурачиной не обзывай! — обиделся Незнайка. — Отдавай шляпу обратно! Я с тобой не вожусь больше!

— Это как — отдавай шляпу? Ведь ты мне её продал. Возвращай тогда деньги.

— Нет у меня никаких денег!

— Братцы, смотрите на него! — закричал Стрига. — Сам продал мне шляпу, а теперь отбирает обратно!

— Ты брось дурить, Стрига! Отдай ему шляпу. Это вы с Вихром нарочно подстроили, чтоб облапошить его, — сказал худенький, остроносенький коротышка, которого звали Козлик.

— Что? — закричал Стрига, наступая на Козлика. — Слышишь, Вихор, что он сказал? А ну-ка дай ему перцу!

Вихор бросился с кулаками на Козлика, но получил от него такой удар, что полетел в сторону. Стрига поспешил на помощь своему другу, и они вдвоём принялись тузить противника. Несколько коротышек бросились защищать Козлика, несколько других бросились помогать Вихру и Стриге. Мгновенно вспыхнула общая драка. Через минуту вся каталажка выла, визжала, стонала и крякала от ударов. Многие дрались, даже не зная, из-за чего всё началось. Двое коротышек забрались на верхнюю полку. Один из них, свесившись вниз, колотил палкой всех, кто пробегал мимо, другой плевал им на головы. Какой-то толстенький коротышка набрал из печки горячей золы и старался запорошить ею глаза противникам. В воздухе во всех направлениях летали разные тяжёлые предметы: кружки, ложки, миски и даже ботинки. Чугунная печь была опрокинута, и дым из неё валил прямо в помещение.

Во всей этой сутолоке никто не слыхал, как загремел ключ в замке. Дверь неожиданно отворилась, и в каталажку, как вихрь, ворвались четверо полицейских — Дригль, Сигль, Жмигль и Пхигль. Все четверо были одеты в прорезиненные электрозащитные плащи с капюшонами и вооружены сверхтолстыми усовершенствованными высоковольтными электрическими дубинками. Бросившись в самую гущу драки, они принялись тыкать дерущихся электрическими дубинками — кого в лоб, кого в нос, кого просто в шею или затылок. Электрические искры с треском сыпались направо и налево. Сражённые электрическими ударами, коротышки падали как подкошенные. Незнайка тоже полетел кувырком, испытав сильный электрический удар в ухо. Упавший рядом с ним черноглазенький коротышка толкнул его рукой в бок и зашептал:

— Ползи скорей в сторону. Надо под полкой спрятаться. Живей!

Они оба отползли по-пластунски в сторону и спрятались под полкой — ни дать ни взять два таракана в щёлке.

Не прошло и пяти минут, как все коротышки валялись на полу, словно поленья. Как только кто-нибудь из них делал попытку встать или хотя бы начинал шевелиться, все четверо полицейских подбегали к нему и принимались жалить со всех сторон электрическими дубинками. Кончилось дело тем, что никто уже не пытался подняться на ноги и даже не шевелился.

Окинув взглядом победителя поле боя и убедившись, что все коротышки лежат неподвижно, полицейский Дригль набрал из-под крана ведро воды и залил всё ещё пылавший огонь в опрокинутой печке. Вмиг каталажка наполнилась густым паром.

— Вот вам! — проворчал Дригль, бросая пустое ведро на пол. — Теперь и в баню ходить не понадобится!

Это замечание Дригля вызвало громкий смех Сигля, Жмигля и Пхигля. Нахохотавшись досыта, все четверо полицейских построились в одну шеренгу и отступили на исходные позиции. Хлопнула дверь. Зазвенел ключ в замке. Стало тихо. Вокруг всё словно вымерло. Потом из-под полок один за другим начали вылезать коротышки, спрятавшиеся там в самом начале боя. Это были наиболее рассудительные обитатели каталажки, знавшие, что из-за чего бы ни началась драка, она неизбежно кончалась появлением полицейских, от которых доставалось всем без разбора — и правому, и виноватому. Спустя некоторое время сражённые ударами электрических дубин также начали приходить в себя и расползаться по своим местам.

Отлежавшись на полках и отдохнув после драки, все принялись разыскивать свои вещи и приводить в порядок помещение. Несколько коротышек поставили на место лежавшую на боку печку и снова затопили её. Постепенно порядок был наведён, все вещи были разысканы. Только Стрига нигде не мог отыскать Незнайкину шляпу.

— Вот видишь, что ты наделал! — кричал он на Незнайку. — Я тебе денежки отдал, а шляпа где? Теперь у меня ни денег, ни шляпы.

— Ну ничего, — утешал его Вихор. — Мы ему этого не простим. Он нам заплатит за шляпу. Завтра мы за него возьмёмся, а сейчас пора спать.

Они оба полезли на свои полки. К Незнайке подошёл Козлик.

— Ты, Незнайка, видать, и впрямь дурачок. Зачем свою шляпу отдал? Или тебе, может быть, на остров Дураков захотелось?

— А какой это остров? — спросил Незнайка.

— Разве ты ничего не слыхал про Дурацкий остров? — удивился Козлик.

— Ничего, — признался Незнайка.

— Ну так послушай. У нас здесь всё можно. Нельзя только не иметь крыши над головой и ходить по улице без рубашки, без шляпы или без башмаков. Каждого, кто нарушит это правило, полицейские ловят и отправляют на Дурацкий остров. Считается, что если ты не в состоянии заработать себе на жилище и на одежду, значит, ты безнадёжный дурак и тебе место как раз на острове Дураков. Первое время тебя там будут и кормить, и поить, и угощать чем захочешь, и ничего делать не надо будет. Знай себе ешь да пей, веселись да спи, да гуляй сколько влезет. От такого дурацкого времяпрепровождения коротышка на острове постепенно глупеет, дичает, потом начинает обрастать шерстью и в конце концов превращается в барана или в овцу.

— Не может быть! — воскликнул Незнайка.

— Ну вот! — усмехнулся Козлик. — Я тебе говорю правду.

— Почему же коротышки превращаются там в овец?

— Там, понимаешь, воздух какой-то вредный. Всё от этого воздуха. Каждый, кто не работает и живёт без забот, рано или поздно становится там овцой. Богачам, живущим на Дурацком острове, это выгодно. Сначала они затрачивают деньги, чтоб кормить коротышек, дают им возможность лодырничать, а когда коротышки превратятся в овец, их можно кормить травой и никаких денег тратить не нужно.

— А какие это — богачи? — спросил Незнайка. — У нас никаких богачей нету.

— Богачи — это те, у которых много денег.

— А для чего богачам, чтоб коротышки превращались в овец?

— Будто не понимаешь! Богачи заставляют рабочих стричь этих овец, а шерсть продают. Большие капиталы наживают!

— А почему богачи сами не превращаются там в овец? Разве на них вредный воздух не действует?

— Воздух, конечно, действует и на них, но у кого есть деньги, тот и на Дурацком острове неплохо устроится. За денежки богатей выстроит себе дом, в котором воздух хорошо очищается, заплатит врачу, а врач пропишет ему пилюли, от которых шерсть отрастает не так быстро. Кроме того, для богачей имеются так называемые салоны красоты. Если какой-нибудь богатей наглотается вредного воздуха, то скорей бежит в такой салон. Там за деньги ему начнут делать разные припарки и притирания, чтоб баранья морда смахивала на обыкновенное коротышечье лицо. Правда, эти припарки не всегда хорошо помогают... Посмотришь на такого богача издали — как будто нормальный коротышка, а приглядишься поближе — самый простой баран. Одно только, что деньги у него есть, а дурак дураком, честное слово! Впрочем, пора́ нам спать. Пойдём поищем для тебя полку, — закончил Козлик.

Они принялись бродить между полками, стараясь найти свободное место. Неожиданно кто-то тронул Незнайку за плечо. Незнайка поднял голову и увидел на верхней полке черноглазого коротышку, который помог ему спрятаться от полицейских под лавкой.

— Полезай сюда, — зашептал черноглазый. — Здесь рядом полка свободная.

Незнайка быстро залез на полку.

— Ты, Незнайка, держись поближе ко мне, — сказал черноглазый. — Я тебя в обиду не дам, а то ты, видать, на самом деле откуда-то издалека и совсем незнаком со здешними правилами.

— А как тебя звать? — спросил Незнайка.

— Моё имя Мигс, но ты можешь звать просто Мига.

Незнайка улёгся на полке и уже хотел заснуть, как вдруг вспомнил о Пончике.

— Батюшки! — вскричал он. — А ведь Пончик-то там остался!

— Какой Пончик? — с недоумением спросил Мига.

Незнайка принялся рассказывать Миге, как они летели в ракете с Пончиком. Мига сказал;

— Об этом пока не говори никому ни слова. Тебе всё равно не поверят, и ты только дело испортишь. За всё надо браться с умом. По-моему, тебя здесь долго держать не станут. А мы вот что предпримем. Я тебе дам письмо к одному надёжному коротышке. Как только освободишься, пойдёшь прямо к нему. Он тебя приютит на первое время, а потом мы с тобой встретимся и обтяпаем это дельце. Не беспокойся, всё сделаем: и Пончика выручим, и сами не будем в обиде. У меня уже созрел в голове план...

Мига хотел ещё что-то сказать, но в этот момент глаза у Незнайки закрылись, и он заснул так крепко, как уже давно не спал.

Это была его первая ночь на Луне.

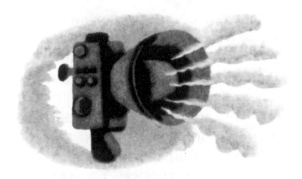

Глава одиннадцатая

ОСВОБОЖДЕНИЕ

Наутро Незнайку разбудил страшный шум.

— Вставай! Раздевайся! В ряды стройся! — оглушительно ревел чей-то противный, гнусавый голос.

Открыв глаза и придя понемногу в себя, Незнайка огляделся по сторонам и убедился, что голос принадлежал стоявшему в дверях полицейскому Дриглю. В руках у Дригля был небольшой аппарат, с виду напоминавший радиоприёмник с громкоговорителем. Дригль выкрикивал слова прямо в аппарат, и громкоговоритель усиливал его голос до такой степени, что невозможно было слушать без содрогания.

Мига увидел, что Незнайка проснулся, и сказал:

— Вставай поскорей, раздевайся!

— А для чего раздеваться?

— Увидишь. Да ты поскорей, а то измокнешь в одежде.

Не сказав больше ни слова, Мига разделся и, оставив одежду на полке, спрыгнул вниз. Незнайка последовал его примеру. Очутившись на полу, он увидел, что все коротышки уже стояли между полками голышом.

— Становись в затылок! Руки по швам! — продолжал разоряться Дригль.

Убедившись, что все коротышки слезли с полок, он нажал одну из кнопок, которые были на стене коридора у двери, и сейчас же Незнайка увидел, что все полки со стойками, на которых они держались, начали опускаться в четырёхугольные отверстия, открывшиеся в полу. Не прошло и минуты, как всё помещение было освобождено от полок и в нём остались одни только голые коротышки. Как только полки исчезли, отверстия, открывшиеся в полу, плотно закрылись снизу. Увидев это, Дригль закрыл дверь на ключ и нажал ещё одну кнопку. Сейчас же из круглых отверстий, имевшихся в стенах, во все стороны брызнули мощные струи воды. Спасаясь от струй, голые коротышки бросились врассыпную, но потоки воды настигали их всюду и сбивали с ног. Не успевал коротышка вскочить на ноги, как опять попадал под водяную струю и снова валился на пол. Бегая во всех направлениях и падая, коротышки тёрлись всеми частями тела о пол и стены; сталкиваясь между собой, они поневоле тёрлись друг о дружку, в результате чего хорошо отмывались.

Тюремное начальство устроило мойку в самой каталажке для того, чтобы не тратить деньги на постройку специальной умывальни, чтобы не водить арестованных в баню, так как это тоже стоило бы денег, да к тому же кто-нибудь из арестованных мог при этом сбежать.

Пока коротышки проходили вышеописанную водную процедуру, их одежда и полки, на которых они спали, проходили так называемую санитарную обработку, то есть окуривались специальными ядовитыми газами, от которых дохли клопы и блохи и другие вредные насекомые. Это, конечно, делалось вовсе не потому, что полиция как-то особенно заботилась об удобствах арестованных коротышек. Полиции было безразлично, кусают арестованных блохи или не кусают. Всё дело было лишь в том, что как только в каталажке разводились клопы или блохи, они расползались по всему полицейскому управлению и начинали кусать самих полицейских, а полицейским это не нравилось.

После того как водная процедура кончилась, отверстия в полу снова открылись, и полки вместе с продезинфицированной одеждой поднялись наверх. Продрогшие от холода коротышки принялись поскорей одеваться. Не успели они одеться, как дверь отворилась и появившийся на пороге Дригль заорал:

— Становись!

Коротышки быстро построились в один ряд.

— Все, кого назову, шаг вперёд! — скомандовал Дригль и начал называть коротышек по списку: — Козлик, Босой, Антиквар, Москит, Грымза, Виртуоз, Амба, Бисер, Болид, Незнайка...

Каждый названный сейчас же выступал вперёд на один шаг. Незнайка услыхал своё имя и тоже сделал шаг вперёд. В это время кто-то позади тронул его за плечо. Обернувшись, Незнайка увидел Мигу, который протягивал ему шляпу.

— Вот твоя шляпа, Незнайка, — зашептал Мига. — Я её нарочно от Стриги спрятал. Возьми, а то ты, может, уже и не вернёшься сюда. В шляпе письмо, — добавил Мига и приложил палец к губам, напоминая, что Незнайка должен молчать.

Закончив чтение списка, Дригль провёл вызванных коротышек по коридору и затолкнул их всех в тесную комнатушку.

— Сидеть тут, и никаких разговоров! — приказал он.

Комнатушка, в которой очутились приятели, была совершенно пустая. В ней не было никакой мебели. Единственное, что в ней было, это четыре голые стены без окон да две двери — одна против другой, как в шлюзо-камере.

— Ну вот! — проворчал Козлик, озираясь по сторонам. — Сказал — сидеть, а на чём здесь сидеть?

— А зачем нас сюда привели? — спросил Незнайка.

— Должно быть, к судье, — ответил Москит, который лучше других был знаком с порядками в полицейском управлении.

— А для чего к судье? — заинтересовался Незнайка.

На этот вопрос Москит не успел ответить, так как дверь в противоположной стене отворилась и заглянувший в комнату Дригль сказал:

— Москит, фить-фить!

Москит не заставил повторять приказание и без промедления вышел из комнаты. Через некоторое время дверь снова открылась, и Дригль сказал:

— Грымза, фить-фить!

Дальше всё шло в том же порядке:

— Амба, фить-фить!

— Бисер, фить-фить!

— Болид, фить-фить!

Не прошло и десяти минут, как в комнате остались лишь Незнайка да Козлик. Судья, как видно, вершил свой суд быстро, без проволочек. Услышав наконец своё имя, Незнайка вышел за дверь и очутился в большой мрачной комнате с серыми стенами. Прямо перед ним возвышался длинный стол, за которым сидел на мягком высоком кресле полицейский. Он был одет точно так же, как и другие полицейские, если не считать, что вместо каски у него на голове был остроконечный жёлтый колпак с оранжевыми помпонами и с такой же оранжевой мохнатой кисточкой на конце.

Это и был судья, о котором говорил Незнайке Москит. Звали его судья Вригль. Кроме судьи Вригля и полицейского Дригля, в комнате находился уже известный нам полицейский Мигль. Он стоял рядом с креслом, на котором восседал Вригль, и держал под мышкой несколько картонных папок с описаниями внешнего вида преступников и отпечатками их пальцев.

— А это ещё что за птица? — спросил Вригль, увидев появившегося перед ним Незнайку.

Полицейский Мигль почтительно наклонился к Вриглю и начал что-то быстро шептать, искоса поглядывая на Незнайку. Вригль, однако, даже не дослушал до конца Мигля.

— Что ты! Что ты! — с возмущением сказал он. — Так, по-твоему, это Красавчик?

— Так точно, господин Вригль, — подобострастно склонившись, пробормотал Мигль. — Вот, извольте взглянуть...

Мигль раскрыл одну папку и начал совать её под нос Вриглю.

— Вы совсем тут с ума посходили! — закричал с раздражением Вригль. — Кто такой Красавчик, по-твоему? А?.. Красавчик — личность известная! Красавчика все знают. Красавчик — миллионер! Половина полиции подкуплена Красавчиком, а завтра он, если захочет, всех нас со всеми нашими потрохами купит... А это кто? — продолжал кричать Вригль, показывая на Незнайку пальцем. — Кто он такой, я спрашиваю! Кто его знает? Что он совершил?.. Пообедал бесплатно? Так за это его сюда? А ему только сюда и надо, дурачьё вы этакое! Здесь ему и тепло, и светло, и блохи не кусают. Он только и мечтает, как бы скорей попасть в каталажку и начать объедать полицию! Это не настоящий преступник, а шантрапа с пустыми карманами. Что с него возьмёшь, когда у него даже на обед денег нет? Вы мне настоящих преступников подавайте, а с такой шушерой разделывайтесь своими средствами. Нечего всякой мелюзгой полицейское управление засорять!

— Так я ведь и хотел своими средствами, а потом думаю: вдруг он Красавчик, — смущённо пробормотал Мигль.

Вригль нетерпеливо махнул рукой и повернулся к Незнайке:

— Значит, ты пообедал?

— Пообедал, — несмело признался Незнайка.

— Так ты, может быть, хочешь ещё и закусить, а? Ну-ка, Дригль, разделайся с ним своими средствами!

Дригль схватил Незнайку за шиворот, поставил напротив широкой двустворчатой двери и с такой силой огрел по затылку дубинкой, что Незнайка, не взвидя света, полетел через всю комнату, стукнулся головой о дверь, отчего обе её створки широко распахнулись, и, вылетев прямо на улицу, грохнулся посреди мостовой. От удара и от действия электричества он некоторое время не мог прийти в себя. Постепенно сознание вернулось к нему, и он уже хотел подняться на ноги, как вдруг увидел, что дверь полицейского управления опять распахнулась и из неё кубарем выкатился на мостовую Козлик. Незнайка быстро вскочил, подбежал к нему и стал помогать подняться.

— Жулики! Мерзавцы! Преступники! Подлецы! Я вам покажу! — кричал со слезами на глазах Козлик.

Он поднялся на ноги и погрозил кулаком по направлению к закрывшейся двери.

— За что они тебя так? — с участием спросил Незнайка.

— Сам не пойму! Этот осёл в колпаке спрашивает: «Тебе не надоело, голубчик, в каталажке сидеть?» Я говорю: «Надоело, голубчик, да что поделаешь!» — «А не хочешь ли, чтоб тебе сократили срок?» — «Хочу», — говорю. «Это, говорит, можно устроить. Ну-ка, Дригль, сократи ему срок». Ну, Дригль как хватит меня по затылку дубинкой! Видал, как я о мостовую брякнулся?

Незнайка не знал, чем утешить бедного Козлика.

— Хорошо ещё, что у вас здесь сила тяжести в шесть раз меньше, чем на Земле, — сказал он. — Если бы ты у нас с такой силой брякнулся, то и кости переломал бы.

— Жульё несчастное! — всхлипнул Козлик, потирая рукой ушибленный затылок. — Не хочется только связываться, а то бы я им показал. По правилу, они должны были дать нам позавтракать, а потом из тюрьмы гнать!

— А ты за что в каталажку попал? — спросил Незнайка.

— За то, что бублик понюхал, — признался Козлик. — Ты не думай, я вовсе не вор. Просто я слишком долго ходил без работы. Все деньги, которые у меня были, проел, всё, что у меня было, продал и стал голодать. Однажды два дня подряд совсем ничего не ел. На третий день шёл мимо булочной. Думаю: зайду посмотрю хоть, какие булки бывают, может быть, аппетит пропадёт. Зашёл в булочную, а там всюду калачи, булки, пирожки, плюшки, ватрушки, пончики. Всё пахнет так, что одуреть можно. А тут бублики прямо на прилавке лежат. Я взял один бублик, понюхал. А хозяин заметил. Как схватит меня за руку и давай звать полицейского. «Он, говорит, хотел у меня бублик съесть». Что тут было! Бублик у меня отняли, по шее мне надавали да ещё на три месяца засадили в кутузку.

Вытерев рукавом слёзы и немного успокоившись, Козлик спросил:

— Ты куда пойдёшь теперь?

— Сам не знаю, — ответил Незнайка.

— А у тебя деньги есть?

— Нет.

— И у меня нет. А до вечера надо бы заработать где-нибудь. Без денег у нас нельзя!

В это время Незнайка поднял слетевшую с головы шляпу и увидел, как из неё выпал белый конверт.

— А! — вспомнил Незнайка. — Это ведь то письмо, про которое говорил Мига. Противный Дригль так треснул меня, что всю память отшибло!

Козлик поднял конверт и прочитал написанный на нём адрес: «Кручёная улица, Змеиный переулок, дом № 6, владельцу магазина разнокалиберных товаров господину Жулио».

— Я знаю, где Кручёная улица, — сказал Козлик. — Пойдём, я тебе покажу, может быть, господин Жулио нам какую-нибудь работу даст.

Незнайка спрятал письмо обратно в шляпу, а шляпу натянул потуже на голову. Через полчаса наши друзья добрались до Кручёной улицы и свернули в узенький переулок, змеёй извивавшийся среди высоких домов. Дома по обеим сторонам переулка стояли так близко друг к другу, что лучи света терялись в верхних этажах, благодаря чему внизу, где были расположены многочисленные магазины, царил таинственный полумрак.

Увидев над дверью одного из магазинов вывеску с надписью «Продажа разнокалиберных товаров», Незнайка и Козлик вошли в магазин и только тогда поняли, какого рода здесь продавались товары.

Первое, что сразу бросалось в глаза, были ружья различных систем и калибров, стоявшие стройными рядами на специальных деревянных подставках. На прилавке в образцовом порядке лежали различные пистолеты, ножи, финки, кинжалы, кистени и кастеты. Вдоль стен были устроены освещённые изнутри витрины, в которых, словно на выставке, красовались наборы воровских отмычек, стальные пилочки, свёрла, клещи, кусачки, ломики, фомки для взламывания замков, автогенные аппараты для разрезания несгораемых шкафов и сундуков. В витрине, над которой имелась надпись «Полицейская утварь», были выставлены резиновые электрические дубинки разных фасонов, стальные наручники, кандалы, зажигательные и слезоточивые бомбы и другие предметы полицейского обихода.

Тут же находилась витрина, в которой были выставлены различные маски: и такие, которые закрывают лишь верхнюю часть лица, с прорезами для глаз, и такие, которые надеваются целиком на голову, в виде островерхого капюшона. Кроме масок, здесь были также грим, парики, накладные бороды и усы — всё, что помогает изменить внешность.

В правом углу стояло чучело полицейского в полном обмундировании, с блестящей медной каской на голове и дубинкой в руке. В левом углу

было чучело грабителя, подкрадывающегося к несгораемой кассе, с огромным пистолетом в одной руке и потайным электрическим фонарём в другой. Его шея была повязана пёстрым клетчатым платком, на голове была клетчатая кепка с широким козырьком, такие же клетчатые брюки плотно облегали его ноги, лицо закрывала чёрная маска. Оба чучела были сделаны с таким мастерством, что их можно было принять за настоящих живых коротышек.

Среди этих удивительных экспонатов Незнайка и Козлик как-то не сразу заметили продавца, нижняя половина которого скрывалась за прилавком, верхняя же была одета в серую, скрадывающуюся на фоне серой стены фуфайку. Пока в магазине никого не было, продавец неподвижно торчал у себя за прилавком на манер паука, терпеливо поджидающего, когда в его паутину попадёт муха, но как только дверь щёлкнула, он всем корпусом подался вперёд, опершись о прилавок руками, словно собрался выскочить из-за него. Увидев, что Незнайка и Козлик в нерешительности остановились, он сказал:

— Пожалуйте, господа! Чем могу служить? В нашем магазине имеется богатейший выбор холодного и огнестрельного оружия. Могу предложить новейшую модель крупнокалиберной винтовки с оптическим прицелом последнего усовершенствованного образца. Точность боя прямо-таки изумительная. На расстоянии ста сорока шагов попадает без промаха в муху.

Обернувшись назад, он снял с подставки ружьё с гладким, отполированным деревянным прикладом и тускло поблёскивавшим иссиня-чёрным металлическим стволом. Приложившись щекой к прикладу, он щёлкнул курком и продолжал:

— Если вы предпочитаете скорострельную винтовку, могу предложить другой образец.

Сняв с подставки другую винтовку, он ласково погладил её рукой по прикладу и сказал:

— Очень миленькая штучка. Стреляет без перезарядки. Стреляные гильзы выбрасываются автоматически под давлением отработанных пороховых газов. Зарядка производится посредством обоймы на тридцать шесть патронов. Приспособлена для стрельбы с рук, но имеет устройство и для стрельбы с упора. Имеются также образцы бесшумных ружей. Из пистолетов могу предложить семизарядный дальнобойный пистолет системы «Бурбон», двенадцатизарядный «Тайфун»: одним нажатием спускового крючка выпускает все двенадцать зарядов; миниатюрный мелкокалиберный «Топсик»: свободно помещается в жилетном кармане; крупнокалиберный «Бенц»: стреляет разрывными пулями, исключительная меткость попадания. Советую взять, жалеть не будете.

— Но мы вовсе не хотим ни в кого стрелять! — пролепетал Незнайка, испуганный таким обилием смертоносных орудий.

— Ага, понимаю! — воскликнул продавец. — Могу в таком случае предложить парочку замечательных кистеней или кастетов, но особенно рекомендую удавку из капронового волокна.

Нагнувшись, он достал из-под прилавка чёрный шнур, связанный в виде замысловатой петли с двумя хвостами по сторонам.

— Подкравшись сзади и накинув удавку на шею, вы затягиваете концы так, чтобы слегка придушить свою жертву, после чего связываете ей руки свободными концами шнура. Вот смотрите.

Продавец молниеносно накинул петлю Незнайке на шею, ловко пропустил два свободных конца под мышками и связал за спиной руки. Такую же операцию он проделал и с Козликом.

— Чувствуете? — сказал продавец. — Вы не можете пошевелить руками, так как при малейшем вашем движении удавка врезается в горло, Не так ли?

— Так, — прохрипел Незнайка, чувствуя, что вот-вот задохнётся.

— Чтобы жертва не могла позвать кого-либо на помощь, в продаже имеются усовершенствованные кляпы.

Продавец достал из ящика две круглые резиновые затычки. Одну сунул в рот Незнайке, другую Козлику.

— Чувствуете? — продолжал он. — Вы не можете выплюнуть изо рта кляп и не можете произнести ни слова.

Не в силах произнести ни слова, Незнайка и Козлик только промычали и покорно закивали головами.

— Способ, как видите, очень гуманный, — сказал продавец. — Не лишая свою жертву жизни, вы без всяких помех можете обобрать её, а вам ведь только это и надо, не так ли?

Заметив, что Незнайка и Козлик отрицательно затрясли головами, продавец спросил:

— Что же вам в таком случае надо? Может быть, вы хотите поступить на службу в полицию? Могу предложить усовершенствованные электрические дубинки, стальные прутья для усмирения забастовщиков, наручники, кандалы, слезоточивые бомбы. Есть также каски, мундиры, потайные фонари, маски...

Видя, что Незнайка и Козлик продолжают безмолвно трясти головами, он наконец развязал им руки и вытащил изо рта затычки.

— Нам ничего этого не надо, — сказал Козлик, как только получил способность говорить. — Мы хотели бы видеть владельца магазина, господина Жулио. У нас письмо.

— Почему же вы не сказали сразу? Господин Жулио — это я.

Незнайка стащил с головы шляпу, вынул конверт и уже хотел отдать господину Жулио, но тут в магазин вошёл ещё один посетитель. На нём была клетчатая кепка с широким козырьком, серая фуфайка и клетчатые брюки, до такой степени тесные, что он не мог передвигаться нормально, а ходил раскорякой. Его маленькие чёрные глазки воровато бегали по сторонам, и по всему его виду можно было понять, что он замыслил что-то недоброе. Не тратя времени на разговоры, он купил семизарядный «Бурбон» и целую коробку патронов к нему. Рассовав патроны в патронташ и прицепив пистолет к поясу, он удалился из магазина, широко расставляя свои согнутые в коленях ноги.

Незнайка с опаской посмотрел ему вслед и сказал:

— Наверно, не надо было давать ему пистолет. Вдруг он выстрелит и убьёт кого-нибудь.

— У нас каждый может покупать и продавать что хочет, — объяснил господин Жулио. — Никто ведь не принуждает его из этого пистолета стрелять. В то же время и стрелять никто не может запретить ему, так как это было бы нарушением свободы предпринимательства. У нас каждый имеет право предпринимать всё, что ему заблагорассудится. К тому же всякое запрещение в этой области явилось бы нарушением прерогатив, то есть исключительных прав полиции. Полиция для того и существует, чтобы бороться с преступниками. Если же преступники перестанут совершать преступления, то полиция станет не нужна, полицейские потеряют свои доходы, сделаются безработными и существующая в нашем обществе гармония будет нарушена. Если вы этого не поймёте, то за свои вредные мысли сами в конце концов угодите в полицейское управление, и там с вами разделаются своими средствами. Постарайтесь, пожалуйста, это понять.

— Мы постараемся, — послушно ответил Козлик.

Господин Жулио взял у Незнайки конверт, распечатал его и начал читать письмо. Пока Жулио читал, Незнайка с любопытством разглядывал его лицо. Оно было смуглое, широкоскулое, с небольшими, аккуратно приглаженными чёрными усиками и короткой остроконечной бородкой. С виду господин Жулио чем-то напоминал Мигу. Лишь приглядевшись как следует, Незнайка понял, что сходство было не в лице, а только в глазах. Они так же беспокойно бегали по сторонам, так же тревожно вспыхивали, и тогда Жулио быстро опускал веки, словно старался пригасить пламя.

Наконец письмо было прочитано, и Жулио сказал:

— Так, так, так! Стало быть, Мигу сцапали фараончики!

— Какие фараончики? — удивился Незнайка.

— Ну, полицейские, значит, — объяснил Жулио.

Он подошёл к телефонному аппарату, который стоял на краю прилавка, взял трубку и принялся кричать в неё:

— Эй, кто там? Это полицейское управление? Соедините меня, пожалуйста, с комендантом. С вами говорит господин Жулио, член общества взаимной выручки. У вас имеется арестованный Мигс? Да, да, господин Мигс... Общество взаимной выручки ручается за него. Это абсолютно честная личность, уверяю вас! Такой честный, какого ещё свет не производил... Можно внести залог?.. Благодарю вас. Сейчас прибуду с деньгами.

Положив трубку, господин Жулио открыл несгораемую кассу и принялся доставать из неё деньги.

— Вот видите, — сказал он, — как выгодно быть членом общества взаимной выручки. Вступительный взнос стоит всего двадцать фертингов, а потом вы платите по десять фертингов в месяц и можете творить

146

что хотите. Если попадёте в тюрьму, общество внесёт за вас залог, и вы освободитесь от наказания. Советую вступить — дело стоящее.

— Мы бы с удовольствием, — сказал Козлик, — но у нас нет двадцати фертингов.

— Ну, когда будут, вступите, — милостиво согласился господин Жулио. — А сейчас я должен закрыть магазин.

Он закрыл входную дверь изнутри на ключ, после чего подошёл к витрине с париками и нажал скрытую в боковой стенке кнопку. Витрина тотчас же повернулась со скрипом, и за ней обнаружилось четырёхугольное отверстие в стене. Господин Жулио шагнул в это отверстие и сказал, поманив рукой:

— Пожалуйте за мной.

Незнайка и Козлик шагнули в отверстие и очутились в складском помещении с полками, на которых лежали деревянные ящики с ружьями, автоматами, пистолетами, кинжалами и другими подобного рода изделиями. Вдоль стены на полу стояло несколько пулемётов на колёсиках и даже одна небольшая пушка.

Подойдя к железной двери в конце склада, Жулио нажал ещё одну кнопку. Железная дверь отворилась. Наши путники прошли по узенькому полутёмному коридорчику, спустились по небольшой винтовой лестничке вниз и очутились в подземном гараже.

Господин Жулио разыскал свой автомобиль, окрашенный яркой жёлтой эмалевой краской, открыл ключиком дверцы и пригласил своих спутников садиться. Сев за руль, он вывел машину из гаража и быстро поехал по подземному тоннелю. Незнайка и Козлик даже не заметили, в каком месте автомобиль выскочил на поверхность земли и помчался по улице. Не успели они оглянуться, как снова были возле полицейского управления.

— Попрошу вас минуточку подождать, — сказал Жулио и, выскочив из машины, скрылся за дверью.

Глава двенадцатая

НОЧНОЕ ПРЕДПРИЯТИЕ

Не прошло и пяти минут, как господин Жулио вышел из полицейского управления уже в сопровождении Миги.

— Ну вот мы и опять вместе, — сказал Мига, садясь в автомашину. — Вы сделали всё точно, Незнайка, как я просил, и оказали мне большую услугу. А я, в свою очередь, помогу вам. Вы уже успели немного познакомиться с Незнайкой? — обратился Мига к господину Жулио.

— Да, конечно, — подтвердил Жулио и включил автомобильный мотор.

— Но, вероятно, ещё не всё знаете о нём, — подхватил Мига. — Дело в том, что Незнайка прилетел к нам с другой планеты с бесценным грузом. Он привёз семена гигантских растений, которые дают очень крупные плоды. Вы понимаете, какую помощь мы могли бы оказать нашим беднякам? Ведь у многих из них очень мало земли, и они не могут прожить со своего урожая. Если бы каждый мог выращивать плоды в десятки раз крупнее тех, которые выращивает теперь, то у нас совершенно исчезла бы бедность.

— Ну что ж, это хорошо, — рассудительно сказал Жулио. — Пусть Незнайка отдаст эти семена нам, а мы будем продавать их беднякам. Можно будет хорошенько нажиться. И Незнайка не останется в обиде.

— Это верно, — согласился Мига. — Но всё неудобство в том, что семена эти остались на поверхности Луны, в ракете. У нас же не имеется летательных аппаратов, которые могут подниматься на такую высоту. Следовательно, сперва необходимо будет сконструировать и построить такой аппарат, но для этого понадобятся деньги.

— Вот с деньгами-то будет труднее, — сказал Жулио. — Я знаю многих, которые не отказались бы получить деньги, но не знаю никого, кто согласился бы добровольно расстаться с ними.

— Это действительно верно, — сказал, улыбаясь, Мига. — Но у меня уже созрел замечательный план. Деньги на это дело должны дать сами же бедняки. Ведь это для них мы хотим достать семена с Луны.

— Правильно! — обрадовался Жулио. — Мы учредим акционерное общество. Выпустим акции... Вы знаете, что такое акции? — спросил он Незнайку.

— Нет, мне что-то не приходилось слышать о них, — признался Незнайка.

— Акции — это такие бумажки, вроде денежных знаков. Их можно напечатать в типографии. Каждую акцию мы будем продавать, скажем, по фертингу. Вырученные деньги затратим на постройку летательного аппарата, а когда семена будут доставлены, каждый владелец акций получит свою долю семян. Разумеется, у кого окажется больше акций, тот и семян получит больше.

Весь этот разговор происходил, когда автомобиль уже мчался по улицам города. Увидев по пути ресторан, Мига сказал:

— Я предлагаю отметить рождение нашего акционерного общества хорошим обедом.

Спустя несколько минут наши путники сидели в ресторане и с аппетитом обедали.

— Сейчас самое главное — заставить бедняков раскошелиться и покупать наши акции, — говорил Мига.

— А как их заставишь? Они не поверят, что где-то там на Луне лежат семена. Нужны доказательства, — сказал Жулио.

— Я уже всё продумал, — ответил Мига. — Мы начнём с того, что поднимем шум вокруг этого дела. В первую очередь надо напечатать в газетах, что к нам прибыл коротышка с другой планеты. А когда все поверят, мы напечатаем, что этот космический коротышка привёз семена, и тут же объявим об учреждении акционерного общества.

— А вдруг нам скажут, что это обман? — возразил Жулио. — Какие у Незнайки есть доказательства, что он с другой планеты? На вид он такой же коротышка, как и все мы.

— Верно! — воскликнул Мига. — Скажите, Незнайка, чем вы можете подтвердить, что вы пришелец из космоса? Может быть, у вас остался какой-нибудь скафандр? Не могли ж вы путешествовать в космическом пространстве без скафандра!

— Скафандр у меня действительно был, — признался Незнайка, — но я его спрятал в саду под кустом, когда спустился сюда к вам с лунной поверхности.

— Где же находится этот сад?

— Теперь я уже не могу припомнить, потому что меня поймал какой-то полусумасшедший господин Клопс и стал травить собаками за то, что я сорвал у него в саду яблоко.

— А, Клопс! — воскликнул, обрадовавшись, Мига. — В таком случае ещё не всё потеряно. Эй, официант, принесите-ка нам телефонную книгу!

Официант моментально выполнил приказание, и Мига принялся листать принесённую им телефонную книгу. Он быстро нашёл раздел, где были напечатаны фамилии на букву «к», и сказал:

— Смотрите: Клопс, Большая Собачья улица, дом № 70. Как только стемнеет, мы должны быть у этого Клопса и сделать обыск в его саду. Вы, Козлик, тоже поедете с нами. Для вас найдётся работа.

Вскоре жёлтый автомобиль господина Жулио можно было увидеть в Змеином переулке, возле магазина разнокалиберных товаров, а с наступлением темноты он уже мчался по Большой Собачьей улице. Возле дома № 70 автомобиль остановился, и из него вышли четверо полицейских с потайными фонариками и резиновыми электрическими дубинками в руках. Самые догадливые читатели, наверно, уже догадались, что это были не настоящие полицейские, а всего лишь переодетые в полицейскую форму Жулио, Мига и Незнайка с Козликом.

Мига сразу же подошёл к воротам, посмотрел в щель и, заметив свет в окнах дома, принялся громко стучать дубинкой в калитку. Через некоторое время дверь в доме открылась, из неё вышел Фикс с ружьём в руках и зашлёпал в своих шлёпанцах по дорожке.

— Кто стучит? — спросил он, подойдя к калитке.

— Полиция! — заявил Мига. — Открывайте немедленно!

Услыхав слово «полиция», Фикс растерялся и моментально открыл калитку. Увидев перед собой четырёх полицейских в блестящих касках, он перепугался до такой степени, что затрясся всем телом и уронил ружьё.

— Вы арестованы! — сказал Мига и направил ему прямо в глаза луч фонаря.

В это же время Жулио подскочил к нему сзади, накинул на шею удавку и ловко скрутил за спиной руки.

— За-за-за что я арестован? — спросил, заикаясь от страха, Фикс.

— За то, что задаёте идиотские вопросы, — объяснил Мига.

— Но позвольте… — начал было Фикс.

Больше он ничего не успел сказать, так как Жулио тут же заткнул ему рот резиновым кляпом.

— Вы простите, Незнайка, что мы обошлись с этим олухом несколько грубовато, — сказал Мига, — но иначе нельзя было, так как он мог выпалить в нас из ружья. Прошу вас покараулить здесь у калитки, а когда нужно будет, мы позовём вас... Ну, а ты марш к дому, и чтоб не было никакого писка! — приказал Мига Фиксу и толкнул его сзади ногой.

Фикс покорно зашагал по тропинке. В это время из дома выскочил другой слуга господина Клопса — Фекс. Не успел он и слова сказать, как руки у него были скручены, а во рту торчал резиновый кляп.

Сам господин Клопс сидел в это время дома и, ничего не подозревая, попивал какао из большой голубой чашки. Неожиданно дверь отворилась, и он увидел, как в комнату ввалились трое полицейских, а с ними Фикс и Фекс со связанными руками и заткнутыми ртами. От испуга Клопс широко раскрыл рот и опрокинул чашку с горячим какао прямо себе на брюки.

— Ни с места! Вы арестованы! — заявил Мига. — В полицию поступили сведения, что вы промышляете скупкой краденого и прячете у себя жуликов.

— Да что вы! — замахал Клопс руками.

— Запирательство бесполезно, — сказал Мига. — Мы должны произвести обыск.

Пока Мига говорил, Жулио опутал Клопса верёвкой, словно паук паутиной, привязал его крепко-накрепко к стулу и заткнул рот затычкой. Увидев, что Клопс всё же болтает ногами и пытается встать, Жулио ткнул его электрической дубинкой в темя. В результате Клопс полетел на пол вместе со стулом. Тем временем Мига поставил Фикса и Фекса рядышком. Приказав им стоять смирно, он треснул каждого по лбу дубинкой, отчего они тоже свалились на пол.

— Лежать тут и не мешать действиям полиции, пока не будет закончен обыск! — приказал Мига. — А вас, господин полицейский, — обратился он к Козлику, — я попрошу подежурить здесь. Если кто-нибудь попытается встать, вы должны действовать согласно полицейской инструкции и пустить в ход дубинку.

— Слушаюсь, — сказал Козлик.

Мига и Жулио вышли во двор и, позвав Незнайку, отправились искать скафандр. Козлик, оставшись в комнате, внимательно следил за лежавшими Клопсом, Фиксом и Фексом. Как только кто-нибудь из них начинал шевелиться, он тыкал его концом электрической дубинки в затылок и приговаривал:

— Это тебе за то, что ты травил Незнайку собаками. В другой раз не делай так!

После получасовых поисков скафандр был найден на том же месте, где его оставил Незнайка. Мига и Жулио велели Незнайке отнести скафандр в автомашину, а сами зашли в комнату к Клопсу.

— На этот раз мы ничего не нашли, но в следующий раз вернёмся и найдём обязательно, — сказал Мига. — А сейчас, господин Козлик, я попрошу вас ткнуть их ещё по разочку дубинкой, чтоб они хорошенько поняли, что значит иметь дело с полицией.

Козлик послушно выполнил приказание Миги, после чего все трое вышли из дому и сели в машину, где их поджидал Незнайка.

Включив мотор и отъехав на два или три квартала от дома Клопса, Жулио свернул в тихий пустынный переулок и остановил автомобиль у телефонной будки. Здесь наши искатели приключений стащили с себя полицейскую форму и переоделись в свою обычную одежду. Мига велел Незнайке надеть ещё поверх одежды космический скафандр, а сам стал звонить по телефону в гостиницу.

— Алло! — закричал он в телефонную трубку. — Это гостиница «Изумруд»? Прошу приготовить самый лучший номер для космического путешественника Незнайки... Да, да, для космического. Что же тут непонятного? Прибыл к нам прямо из космоса. Мы привезём к вам его не позже чем через час. Прошу как следует приготовиться к встрече!

Положив трубку, он тут же набрал другой номер и закричал:

— Эй, это кто? Это студия телевидения? Нужно организовать телевизионную передачу из гостиницы «Изумруд». Туда скоро прибудет пришелец из космоса, космический путешественник Незнайка... Ну какой, какой!.. Кос-ми-чес-кий, говорят вам! Прилетел к нам с другой планеты в скафандре... Никто и не шутит с вами! Не верите — можете не приезжать, потом сами жалеть будете. На всякий случай запомните: мы будем у подъезда гостиницы через час. Приедем на жёлтой автомашине. Смотрите не спутайте! Остерегайтесь подделок! Настоящий космический путешественник принадлежит нам.

Мига положил трубку и вышел из телефонной будки.

— Теперь телевизорщики в наших руках! — сказал он. — Сейчас пока в космического путешественника

они не верят, но не пройдёт и десяти минут, как они начнут сомневаться. Через полчаса придут к решению, что надо на всякий случай отправить к подъезду гостиницы телевизионную аппаратуру и оператора. Если даже никакого космонавта и не окажется, то, возможно, произойдёт ещё что-нибудь интересное. Наши телезрители охочи до всяких сенсаций... А сейчас, друзья, нам необходимо как следует подготовиться к встрече и договориться обо всём. Время у нас для этого есть.

Расчёты Миги оказались абсолютно верными. Сотрудники телестудии сначала не поверили его словам, но потом стали звонить по телефону сотрудникам киностудии и спрашивать, известно ли им о том, что в их город прибывает космический путешественник. Сотрудники киностудии ничего, конечно, не знали, но им стыдно было сознаться в своей неосведомлённости, поэтому они сказали, что уже что-то об этом слыхали. Расспросив обо всём сотрудников телестудии, они стали звонить в редакции разных газет и журналов, стараясь разузнать у них какие-нибудь подробности. Сотрудники редакций сами ничего не знали, но подумали, что они, по своему обыкновению, дали зевка или, как любят выражаться в редакциях, прошляпили. Все они стали звонить в телестудию и спрашивать, известно ли там что-нибудь о прибытии космонавта. Сотрудники телестудии подумали, что уже всем вокруг всё известно и только они одни ещё сомневаются в чём-то. Кончилось дело тем, что к гостинице «Изумруд», которая находилась на улице Лоботрясов, ринулись не только сотрудники телестудии со всей своей аппаратурой, но и кинооператоры с кинокамерами и осветительными приборами, а также сотрудники различных газет: журналисты, репортёры, фотографы, очеркисты, обозреватели, комментаторы и популяризаторы.

Когда Незнайка и его спутники появились в своём жёлтом автомобиле на улице Лоботрясов, они увидели напротив здания гостиницы большую толпу, освещённую кинопрожекторами. Несколько кинооператоров и телеоператоров стояли во весь рост в открытых автомашинах и прицеливались своими аппаратами в разные стороны, готовясь к съёмке и телепередаче. Недалеко от входа в гостиницу стоял целый отряд полицейских, готовых, в случае надобности, пустить в ход резиновые дубинки.

Завидев издали приближающуюся жёлтую автомашину, операторы направили на неё свои кинокамеры и стали снимать. Толпа, собравшаяся у подъезда гостиницы, заволновалась и моментально запрудила всю мостовую. Полицейские, как по команде, ринулись вперёд и стали теснить толпу, стараясь очистить проезд. Все видели, как жёлтая автомашина плавно подъехала к гостинице и остановилась напротив входа.

Несколько фоторепортёров тотчас подбежали к машине и, приготовившись фотографировать, направили на неё объективы своих фотоаппаратов. Между тем дверца автомашины открылась, и первым из неё вылез Козлик. Толпа приветствовала его радостным криком. Все подумали, что это и есть космонавт. Козлик смущённо заулыбался. Фоторепортёры защёлкали затворами фотоаппаратов. Вслед за Козликом из машины вылез Мига. Его тоже приветствовали криками и рукоплесканиями. За ним вылез Жулио. На этот раз крики были потише, так как никто не знал, кто же из них подлинный космонавт.

Наконец лунные коротышки увидели, как из автомобиля начало вылезать какое-то странное существо, напоминавшее по своему внешнему виду не то закованного в латы рыцаря, не то водолаза в полном своём снаряжении. Все поняли, что это и есть настоящий космический путешественник. Толпа взревела от радости. Все замахали руками. В воздух полетели шапки. Одна из жительниц швырнула в Незнайку букет цветов. Фотографы, вертевшиеся вокруг, защёлкали затворами

аппаратов с удвоенной силой. К Незнайке подскочил сотрудник телестудии и, сунув ему под нос микрофон, сказал:

— Прошу вас сказать несколько слов нашим зрителям. Как происходил космический перелёт? Как вы себя чувствуете после полёта? Понравился ли вам наш город?

Мига, стоявший рядом, оттеснил сотрудника телестудии в сторону и, взяв у него микрофон, сказал:

— Уважаемые телезрители! Дамы и господа! Прибывший на нашу планету космический путешественник поделится своими впечатлениями в нашей следующей телепередаче. В настоящее время он крайне нуждается в отдыхе, так как очень устал после космического перелёта. Первые, кто увидел космонавта спускающимся на нашу Землю, были я и господин Жулио, владелец магазина разнокалиберных товаров, Змеиный переулок, № 6. Мы с господином Жулио возвращались из моего загородного имения на автомашине и увидели, как господин космонавт спускался сверху при помощи небольшого парашюта, расположенного у него, как вы видите, за спиной на манер крыльев. — С этими словами Мига показал рукой на капюшон-парашют, находившийся за спиной у Незнайки, и продолжал: — Мы с господином Жулио предложили своё гостеприимство и свою помощь уважаемому пришельцу из космоса, взяв на себя все расходы по его содержанию и все заботы о нём, включая питание и врачебную помощь. С нами во время нашей поездки находился также господин Козлик. Разрешите, господа телезрители, представить вам господина Козлика. Подробности будут сообщены в следующей передаче. Благодарю за внимание!

Заметив, что толпа вокруг увеличивается с каждой минутой, Мига подмигнул глазом Жулио и Козлику, схватил Незнайку за руку и потащил ко входу в гостиницу. Собравшиеся у входа лунатики кричали «ура», хлопали в ладошки и приветливо улыбались Незнайке. Все тянулись к нему руками. Каждому хотелось потрогать его скафандр. Позади Незнайки шагал рослый полицейский и колотил резиновой дубинкой по рукам каждого, кто пытался прикоснуться к Незнайке.

Наконец Незнайка и его спутники продрались сквозь толпу и очутились в вестибюле гостиницы. Первое, что они увидели, была огромная телевизионная камера на колёсиках, управляемая оператором. Толстый, заключённый в чёрную резиновую трубку электрический провод тянулся от телекамеры по полу и исчезал в глубине коридора. Навстречу нашим путникам уже бежал толстенький, кругленький коротышка в аккуратном голубом костюме и белом галстуке.

Это был владелец гостиницы господин Хапс. Низенько поклонившись прибывшим и пожав им руки, он повёл их по длинному коридору, чтоб показать предназначенный для них номер. Телевизионная камера неотступно двигалась впереди, не сводя с путешественников своего круглого стеклянного глаза, из чего можно было заключить, что лунные телезрители видели на своих экранах не только прибытие Незнайки к гостинице, но и вселение его в номер.

Остановившись возле широко распахнутой двери в конце коридора, господин Хапс сказал с поклоном:

— Прошу пожаловать, вот ваш номер. Прямо перед вами большая приёмная, налево столовая и маленькая приёмная, направо гостиная и кабинет, за ним спальня, рядом с которой ванная. Надеюсь, здесь вам будет удобно.

Незнайка вошёл в приемную, и ему показалось, будто он попал не в обычный гостиничный номер, а в ателье телевизионной студии. Посреди комнаты торчала ещё одна телекамера на колёсиках, по углам, словно какие-то головастые, тонконогие чудища, стояли четыре прожектора, заливавшие всё вокруг ярким, режущим глаза светом. По всей комнате тянулись толстые электрические провода. На полу стояли трансформаторы, реостаты, имевшие вид железных решётчатых ящиков, покрашенных чёрной эмалевой краской.

Вокруг всех этих приборов хлопотали сотрудники телестудии и киностудии. Один из них держал в руках микрофон, постукивал по нему полусогнутым пальцем и гнусаво твердил:

— Один, два, три, четыре! Один, два, три, четыре! Как слышно? Как слышно?

Увидев вошедшего Незнайку, он перестал стучать по микрофону и торжественно заговорил:

— Вот он вошёл, уважаемые телезрители! Вы видите его одетым в космический скафандр, сделанный из металла и какого-то неизвестного на нашей планете пластического материала. На голове у него металлический шлем со стеклом, сквозь которое он может прекрасно видеть. Как вы можете убедиться сами, господин пришелец из космоса явился в сопровождении нескольких лиц, среди которых вы ясно видите владельца гостиницы, всеми нами уважаемого и симпатичнейшего господина Хапса. Гостиница господина Хапса — это первоклассное заведение: первоклассные номера со всеми удобствами, первоклассный ресторан с первоклассным фонтаном, первоклассная площадка для танцев с плавательным бассейном. Всю ночь играет первоклассный оркестр. Здесь вы можете первоклассно отдохнуть, первоклассно покушать и первоклассно провести время в первоклассном обществе. Имеются первоклассные номера на разные цены...

Пока сотрудник телестудии расхваливал на все лады гостиницу господина Хапса, к Незнайке приблизился неизвестно откуда взявшийся коротышка в белом халате, с небольшим кожаным саквояжем в руках.

— Меня зовут доктор Шприц, — сказал он. — Полагаю, что наш дорогой пришелец из космоса нуждается в медицинской помощи, которую я готов оказать сейчас же, и притом совершенно бесплатно. Далеко не лишне было бы тут же произвести хотя бы поверхностный медицинский осмотр. В первую очередь необходимо сделать исследование сердечной деятельности.

Доктор Шприц вытащил из кармана чёрную деревянную трубочку, приставил Незнайке к груди и приложился к ней ухом.

— Биение сердца прекрасно прослушивается сквозь скафандр, — сказал он. — Ритм сердца несколько учащённый, что объясняется возбуждением от встречи и тем вниманием, которое оказали космонавту жители нашего города.

С этими словами доктор Шприц вырвал из рук сотрудника телестудии микрофон и приставил его к деревянной трубочке, которую продолжал прижимать к груди Незнайки.

— Уважаемые зрители! — сказал он. — Дамы и господа!

С вами говорит доктор Шприц. Вы слышите глухие удары: тук! тук! тук! Это бьётся сердце космонавта, прибывшего на нашу планету. Внимание, внимание! Говорит доктор Шприц. Мой адрес: Холерная улица, дом пятнадцать. Приём больных ежедневно с девяти утра до шести вечера. Помощь на дому. Вызовы по телефону. Приём в ночные часы оплачивается в двойном размере. Вы слышите удары космического сердца. Имеется зубоврачебный кабинет. Удаление, лечение и пломбирование зубов. Плата умеренная. Холерная, дом пятнадцать. Вы слышите удары сердца...

Комната между тем наполнялась новыми посетителями — корреспондентами и корреспондентками разных газет и журналов. Они плотным кольцом окружили Мигу, Жулио и Козлика, засыпая со всех сторон вопросами. Жулио, у которого язык развязывался как следует, лишь когда речь шла о разнокалиберных товарах, старался отмалчиваться. Козлик тоже не спешил с ответами. Поэтому на все вопросы отвечал Мига и, нужно сказать, делал это весьма находчиво, то есть, когда можно было, отвечал на вопрос прямо, когда не знал, что сказать, отвечал уклончиво, но ни разу не сказал «не знаю». Так, на вопрос одного из корреспондентов, сколько времени космонавт пробудет в их городе, Мига ответил:

— Сколько потребуется.

На вопрос, посетит ли он другие города, сказал:

— Посетит, если захочет.

На вопрос, не имеет ли космонавт намерения закупить в их городе какие-нибудь товары, ответил:

— Это будет зависеть от того, какие товары мы сможем ему предложить.

Спрашивавших было столько, что бедный Мига начал терять терпение и уже еле сдерживался, чтобы не наговорить кому-нибудь грубостей.

Наконец вопросы начала задавать корреспондентка журнала «Домашнее и декоративное собаководство».

— Я представительница журнала «Домашнее и декоративное собаководство», — с достоинством заговорила она. — Прошу вас ответить на вопрос, который, безусловно, может заинтересовать наших читательниц: имеется ли домашнее и декоративное собаководство на той планете, откуда прибыл наш уважаемый космический путешественник?

— Без сомнения, имеется, — подтвердил Мига.

— Какие породы декоративных собак пользуются там наибольшим распространением?

— Всякие, мадам.

— Какие породы предпочитаются?

— Предпочитаются лучшие и наименее кусаемые, — отвечал Мига, изо всех сил стараясь сохранить на лице приятную улыбку.

В приёмной между тем появилась представительница одной из рекламных фирм. На ней было узенькое ярко-зелёное платье, на голове такой же ярко-зелёный модный берет, из-под которого выбивались в разные стороны космы. Видно было, что, пока она продиралась сквозь толпу на улице, причёска её претерпела значительные изменения. Лицо у неё было строгое и решительное, с прямым, остроконечным, несколько красноватым носом и крошечными серыми глазками, в которых светилось упрямство. В руках она держала несколько фанерных плакатов, укреплённых на палках, на груди висел небольшой фотографический аппарат в кожаном футляре. Подбежав к Незнайке, она сунула ему в руки плакат, на котором было написано:

Жалеть не будут коротышки
И не потратят деньги зря,
Коль будут все жевать коврижки
Конфетной фабрики «Заря».

Отскочив шага на два-три назад, она навела на Незнайку фотографический аппарат и сделала снимок. Увидев это, Мига окончательно вышел из себя. Он подскочил к Незнайке, вырвал у него из рук плакат и со злостью швырнул его на пол, после чего подскочил к представительнице рекламной фирмы и дал ей пинка ногой. Представительница, однако, не пожелала остаться в долгу и в свою очередь дала ему пинка, ударила по голове плакатом, плюнув, в довершение всего, на рукав пиджака.

Получив такой отпор, Мига затрясся от негодования.

— Вон отсюда! — закричал он, приходя в бешенство. — Уберите её, или я за себя не отвечаю! Вон все отсюда! Прекратите телевизионную передачу сейчас же! Вы должны заключить с нами контракт и уплатить деньги. Мы не обязаны показывать вам космонавта бесплатно!

Так как никто не хотел уходить, Мига набросился на хозяина гостиницы:

— Господин Ханс, это безобразие! Кто разрешил напустить сюда всю эту публику? Мы сейчас же уедем из вашей гостиницы!

— Господа, прошу очистить помещение! — закричал, испугавшись, Ханс. — Господа, попрошу вас всех вон отсюда! Из-за вас я могу лишиться постояльцев. Аудиенция закончена!

Видя, что никто его не слушается, Хапс подмигнул стоявшим у дверей полицейским, которые принялись работать своими дубинками.

Наблюдавшие это побоище телезрители видели, как несчастные корреспонденты и корреспондентки убегали из комнаты, старательно увёртываясь от ударов электрических дубинок. Сотрудники телестудии тем временем вытаскивали за дверь свои трансформаторы, реостаты, прожекторы и прочую аппаратуру. Последним из комнаты выехал телеоператор, сидя верхом на своей телекамере.

На этом телевизионная передача закончилась.

Глава тринадцатая

ВОЗНИКНОВЕНИЕ ОБЩЕСТВА ГИГАНТСКИХ РАСТЕНИЙ

На следующее утро во всех газетах появилось сообщение о прибытии в лунный город Давилон космического путешественника. На самых видных местах печатались фотографии Незнайки в скафандре. Здесь имелись снимки, на которых Незнайка был сфотографирован в тот момент, когда он вылезал из автомашины, и в тот момент, когда уже вылез, и в тот момент, когда появился в гостинице.

Наибольший интерес вызвала фотография, где Незнайка был снят с рекламным плакатом, который призывал лунных жителей покупать коврижки конфетной фабрики «Заря». В этот день в кондитерских магазинах было продано столько коврижек, сколько раньше не продавалось за целый месяц. Магазины сбывали покупателям самый залежалый товар, так как никто не хотел ничего есть, кроме этих коврижек, а владелец конфетной фабрики увеличил выпуск коврижек в несколько раз и заработал большие деньги.

В газетах была помещена также фотография доктора Шприца, снятая как раз в тот момент, когда он осматривал Незнайку. Под снимком было напечатано не только имя доктора Шприца, но и его адрес. В результате все больные, которые имели ещё достаточно сил, чтобы самостоятельно передвигаться, побежали к нему, а те, которые не могли выйти из дому, принялись звонить ему по телефону. Каждому хотелось лечиться только у доктора Шприца. У его дома выстроилась очередь длиной во всю Холерную улицу. Доктор Шприц никому не отказывал в медицинской помощи, но сразу же увеличил за лечение плату. Денежки рекой потекли к нему.

Таковы уж нравы у лунных жителей! Лунный коротышка ни за что не станет есть конфеты, коврижки, хлеб, колбасу или мороженое той фабрики, которая не печатает объявлений в газетах, и не пойдёт лечиться к врачу, который не придумал какой-нибудь головоломной рекламы для привлечения больных. Обычно лунатик покупает лишь те вещи, про которые читал в газете, если же он увидит где-нибудь на стене ловко составленное рекламное объявление, то может купить даже ту вещь, которая ему не нужна вовсе.

В эти дни город Давилон гудел, словно растревоженный улей. Каждый из жителей, просыпаясь утром, сейчас же хватался за газету, чтоб поскорей узнать какие-нибудь новости про Незнайку. Многие ходили к гостинице «Изумруд» и толклись там по целым дням, в надежде хоть краешком глаза увидеть коротышку, прибывшего из глубин космоса. Приезжие из других городов не хотели селиться нигде, кроме гостиницы «Изумруд», так как там они могли запросто встретиться с космонавтом и посмотреть на него вблизи. Доходы господина Хапса сразу удвоились, так как он моментально повысил плату за номера, в приезжающих же недостатка не было.

Мига и Жулио тоже сумели извлечь из создавшегося положения выгоду: они припугнули господина Хапса, что переедут с Незнайкой в другую гостиницу, после чего господин Хапс разрешил им жить в гостинице совершенно бесплатно.

Многие лунатики сидели с утра до ночи у своих телевизоров и смотрели все спектакли и представления, боясь, как бы не пропустить передачу с Незнайкой. К их удивлению, такой передачи всё не было. Это объяснялось тем, что Мига и Жулио не соглашались показывать Незнайку бесплатно, а владелец телевизионной студии хотя и не отказывался от уплаты, но предлагал такую смехотворно малую сумму, что Мига даже рассердился. Он сказал, что владелец студии, очевидно, принимает их за слабоумных, в то время как они вполне в своём уме и за такую ничтожную сумму не согласились бы показывать по телевидению не то что пришельца из космоса, но даже простого пуделя.

Кончилось тем, что разозлившиеся телезрители стали звонить владельцу телестудии по телефону, угрожая прекратить выплату взносов за пользование телевизорами. Эти угрозы подействовали, и владелец вынужден был согласиться на те условия, которые предложил Мига.

В результате успешно завершившихся переговоров состоялась телевизионная передача так называемой космической конференции. Участниками этой конференции были представители газет и журналов, а также многочисленные учёные: математики, физики, химики, астрономы, лунологи.

162

Все они собрались в большом зале, принадлежавшем телевизионной студии, а на возвышении перед ними стоял стол, за которым сидели Незнайка, Мига, Козлик и Жулио.

Конференция началась с того, что Незнайка рассказал собравшимся всё, что знал о ракете, на которой был совершён перелёт, о её устройстве и управлении, после чего учёные и журналисты задавали ему вопросы.

Журналисты интересовались главным образом тем, что ел Незнайка, когда находился в ракете, и что пил, какие видел сны и как ему понравились жители Давилона. Вопросы учёных носили несколько иной характер и касались преимущественно того, что видел Незнайка во время своего космического путешествия, что наблюдал на поверхности Луны и как выглядит планета Большая Земля.

Известно, что лунные астрономы называют нашу планету Большой Землёй, в отличие от своей собственной планеты, которая называется у них Малой Землёй или просто Землёй. Лунных астрономов очень интересовал вопрос, имеется ли вокруг Большой Земли твёрдая оболочка, и они были до крайности удивлены, когда Незнайка сказал, что вокруг

нашей Земли никакой твёрдой оболочки нет и что земные обитатели живут, так сказать, под открытым космосом.

Космическая конференция закончилась довольно поздно, а на другой день была организована передача беседы Незнайки с двумя учёными, один из которых был астрономом — его звали Альфа, другой был луно-логом — его звали Мемега. Альфа и Мемега обстоятельно расспросили Незнайку о том, какой вид имеет ночное небо, если на него глядеть с Земли, какие на нём видны отдельные звёзды и созвездия, а также планеты, какой вид имеет Солнце и сама Луна.

Прослушав ответы Незнайки, Альфа и Мемега обратились к теле-зрителям и сделали официальное заявление о том, что сведения, сооб-щённые Незнайкой, могут оказать большую услугу лунной астрономии и вообще науке.

Незнайка, в свою очередь, задал Альфе и Мемеге вопрос, откуда лунные учёные знают о существовании Большой Земли и других планет, а также Солнца и звёзд, если никогда их не видели.

Альфа ответил, что хотя ни Солнце, ни Большая Земля не видны им, но об их существовании можно догадаться, наблюдая различные явления. Наличие приливов и отливов в морях, которые имеются на Малой Земле, бесспорно свидетельствует о существовании каких-то массивных тел, находящихся на известном расстоянии от поверхности Луны. Массы морской воды притягиваются как Солнцем, так и Большой Землёй, и по степени притяжения можно вычислить размеры этих тел и даже расстоя-ния до них. Кроме того, существуют сверхчувствительные приборы, ко-торые обнаруживают притяжение таких удалённых планет, как Меркурий, Венера, Марс или хотя бы Сатурн, что даёт возможность довольно точно определить их местоположение на небосводе. И это ещё не всё, конечно. Имеющиеся в распоряжении астрономов радиотелескопы, гравитоноскопы и нейтриновизоры, для которых внешняя лунная оболочка не может яв-ляться препятствием, позволяют получать сигналы, идущие не только от Солнца или планет, но даже от далёких звезд, что позволило лунным аст-рономам составить довольно подробную и точную карту звёздного неба.

Незнайку заинтересовал также вопрос, почему на Луне, или, точнее го-воря, на Малой Земле, бывает смена дня и ночи. Ведь внешняя оболочка Луны закрывает доступ солнечным лучам, и если это действительно так, то на Малой Земле должно быть всегда темно. Лунолог Мемега объяснил Незнайке, что Солнце, наряду с видимыми лучами, испускает массу неви-димых лучей, обладающих, однако, огромной проникающей силой. Эти невидимые лучи, проникая сквозь толщу лунной оболочки, заставляют внутреннюю её поверхность светиться, то есть, в свою очередь, испускать

световые и тепловые живо-
творные лучи. Само собой
разумеется, что свечение
это будет наблюдаться только в той половине оболочки
Луны, которая повёрнута
к Солнцу. Поэтому и светло
будет только в одном полушарии Малой Земли. В другом
полушарии в это же самое
время будет темно, или,
попросту говоря, там будет
ночь. Чередование же дня и
ночи происходит оттого, что
планета Малая Земля не стоит неподвижно внутри обо-
лочки, а непрерывно враща-
ется.

— Конечно, лунным жите-
лям очень повезло, что вещество лунной оболочки обладает способностью светиться
под воздействием Солнца.
Не будь этого, на Малой Земле вечно царила бы кромеш-
ная тьма и никакое существование коротышек на ней
было бы немыслимо, — ска-
зал Мемега.

В заключение Незнайка
спросил, почему лунные астрономы или лунологи до сих
пор не построили летательного аппарата, способного
достичь внешней оболочки
Луны. Мемега сказал, что
постройка такого аппарата
обошлась бы слишком доро-
го, в то время как у лунных
учёных нет денег. Деньги

имеются лишь у богачей, но никакой богач не согласится затратить средства на дело, которое не сулит больших барышей.

— Лунных богачей не интересуют звёзды, — сказал Альфа. — Богачи, словно свиньи, не любят задирать голову, чтоб посмотреть вверх. Их интересуют одни только деньги!

— Да, да! — подхватил Мемега. — Богачи говорят: «Звёзды — не деньги, их в карман не положишь и каши из них не сваришь». Видите, какое невежество! Для них имеет ценность лишь то, что можно съесть или спрятать в карман. Впрочем, не будем о них говорить!

Вся эта беседа, как было сказано, передавалась по телевидению. Телезрители остались очень довольны, так как не только посмотрели на пришельца из космоса, но и узнали много интересного для себя.

Помимо контракта, заключённого со студией телевидения, Мига и Жулио заключили договор с киностудией на съёмку фильма о прибытии космонавта. Незнайку снова одели в скафандр, подняли на небольшом вертолёте в воздух и сбросили вниз. Кинооператоры засняли, как он спустился вниз с парашютом. Потом было снято, как Мига и Жулио подбежали к упавшему Незнайке, помогли ему подняться, посадили в автомашину и повезли в гостиницу. Как Незнайка прибыл в гостиницу, как его встречали жители Давилона, как его осматривал доктор Шприц — всё это было снято раньше, поэтому кинооператорам осталось запечатлеть на киноплёнке, лишь как Незнайка освободился от скафандра и предстал перед лунными зрителями в своём натуральном виде, то есть в обычной одежде.

В результате всех киносъёмок получился целый кинофильм, который показывали во многих кинотеатрах, а также по телевидению.

В те же дни в газетах стали появляться рассказы о произрастающих на Большой Земле гигантских овощах, фруктах, ягодах и вообще плодах. Рассказы эти обычно сопровождались занимательными рисунками: иногда это был рисунок с изображением коротышек, которые вытаскивали из земли огромную репку, свёклу или морковку; иногда это было изображение грядки, на которой росли огурцы величиной с коротышку; иногда изображение чудовищной дыни, тыквы или арбуза величиной с двухэтажный дом. На одном из рисунков была показана даже уборка фруктов, причём каждые абрикос, персик, слива или винная ягода с трудом помещались на грузовой автомашине. Поразив воображение читателей подобными рассказами и рисунками, Мига и Жулио опубликовали сообщение о том, что оставшийся на лунной поверхности межпланетный корабль нагружен семенами гигантских растений, которые можно было бы с выгодой использовать, если бы появилась возможность их оттуда заполучить. Тут же печаталось извещение об учреждении акционерного общества для строительства летательного аппарата, который мог бы достичь внешней оболочки Луны и доставить семена гигантских растений на Малую Землю. В конце извещения был напечатан адрес конторы, где можно было приобрести акции: «Улица Фертинга, дом № 3, контора № 373».

Нужно сказать, что сейчас уже в точности неизвестно, почему улица Фертинга носила такое название. Некоторые давилонские жители полагают, что когда-то на этой улице жил коротышка, которого звали Фертинг. По его имени и была названа улица. Другие объясняют возникновение названия улицы тем, что когда-то на ней селились лишь очень богатые коротышки, у которых было много фертингов, или, попросту говоря, денег. Правда, в тот момент, когда на Луну прибыл Незнайка, богачи на улице Фертинга уже не селились, так как к тому времени все они переехали в лучшие районы города, где было побольше света и свежего воздуха. На улице Фертинга были построены большие дома, в которых сдавались помещения для различных деловых контор. Владельцами этих контор были так называемые деловые коротышки, вся деятельность которых сводилась к выколачиванию фертингов из карманов других коротышек. Поскольку во всех конторах только и занимались, что выколачиванием фертингов, это название как нельзя больше подходило улице.

Контора, которая была нанята Мигой и Жулио, помещалась на третьем этаже восемнадцатиэтажного дома и состояла из двух комнат. В первой комнате находился большой письменный стол с гладкой полированной крышкой, несколько мягких кожаных кресел, такой же мягкий диван, над которым в роскошной золочёной раме висела картина с изображением каких-то непонятных цветных кривулек и загогулинок. В углу комнаты стоял шкаф с прозрачной стеклянной дверцей, внутри которого хранился Незнайкин скафандр. Каждый посетитель конторы мог беспрепятственно подойти к шкафу и полюбоваться скафандром, в котором было совершено это беспримерное космическое путешествие.

Вторая комната была несколько меньше первой. В ней находились пять больших несгораемых сундуков и большой несгораемый шкаф для хранения денег. В несгораемых сундуках хранились акции общества — всего на сумму пять миллионов фертингов, то есть в каждом сундуке на один миллион.

Как только все акции были получены из типографии и спрятаны в сундуки, Мига и Жулио устроили первое заседание акционерного общества. На этом заседании Мига внёс предложение пустить в продажу два миллиона акций, а остальные три миллиона поделить между собой. Таким образом, у каждого из них окажется на целый миллион акций. Когда семена гигантских растений будут доставлены, они будут поделены на пять

равных частей. Две части придётся отдать коротышкам, купившим акции, оставшиеся три части Незнайка, Мига и Жулио поделят между собой.

— А зачем нам семена? — спросил Незнайка.

— Продадим, — сказал Мига. — Мы ведь тоже должны подзаработать на этом дельце. Тебе тоже не помешают денежки.

Незнайка сказал, что будет вполне доволен, если удастся достать семена для лунных коротышек и выручить из беды оставшегося на поверхности Луны Пончика.

— Ну, если тебе не понадобятся деньги, мы возьмём их себе, — сказал Жулио.

На этом они и порешили, после чего перешли к распределению обязанностей. С общего согласия Незнайка был назначен кассиром, Мига — казначеем, а Жулио — председателем. Обязанностью кассира было сидеть в конторе и продавать акции, обязанностью казначея — хранить вырученные от продажи деньги, а обязанностью председателя — назначать заседания акционерного общества для решения неотложных вопросов.

Когда с этими вопросами было покончено, Незнайка вспомнил о Козлике и сказал, что хорошо было бы и для него придумать какую-нибудь должность. Мига сказал, что Козлика можно назначить швейцаром, но против этого возразил Жулио, который сказал, что швейцара иметь при конторе необязательно и лучше назначить Козлика рассыльным. Мига не согласился с этим и сказал, что рассыльному нечего будет делать в конторе, так как его некуда будет посылать, в то время как швейцар нужен для престижа, то есть для пущей важности: сразу будет видно, что контора солидная и никого надувать не собирается. Жулио сказал, что рассыльный тоже нужен для престижа, к тому же кто-нибудь может позвонить в контору по телефону и попросить доставить акцию на дом, если же никто звонить не станет, то можно будет послать Козлика за газетами, за лимонадом или за какими-нибудь другими покупками.

Спор разгорался всё больше и больше. Жулио стучал по столу кулаком, кричал, что он председатель и с его мнением должны считаться, а Мига кричал, что он казначей и не намерен выбрасывать деньги на оплату ненужной должности, а если с ним не согласны, то он выйдет из акционерного общества и заберёт свои акции. Незнайка пытался их успокоить, но у него ничего не выходило. Акционерному обществу грозил развал. Неизвестно, чем бы всё кончилось, если бы в дело не вмешался сам Козлик.

— Братцы, — сказал он, — не надо из-за меня ссориться! Сделаем так: я буду исполнять обе должности — и рассыльного, и швейцара.

Спор, таким образом, прекратился. Все быстро пришли к соглашению, и на этом первое заседание акционерного общества было закончено.

Глава четырнадцатая

ПЕРВЫЕ ТРУДНОСТИ

В тот же день, когда в газетах появилось сообщение об учреждении Акционерного общества гигантских растений, в городе Давилоне произошло очень важное событие, а именно: был ограблен банк, принадлежавший одной из крупнейших корпораций давилонских промышленников. Ограбление было совершено утром, спустя несколько минут после открытия банка, а через полчаса весь город уже трубил об этом. Рассказывали, что в налёте на банк участвовало до сорока грабителей, которые приехали на бронированных автомобилях и были вооружены не только пистолетами и винтовками, но даже пулемётами и ручными гранатами. Говорили, что при ограблении все служащие банка были убиты, кроме кассира, который спрятался в несгораемом сундуке. Во время перестрелки, которая завязалась между бандитами и полицейскими, несколько полицейских были укокошены, из бандитов же не пострадал никто, если не считать предводителя шайки, которому один из налётчиков отстрелил по ошибке ухо.

Во всём городе только трое коротышек ничего не знали о происшедшем. Это были Незнайка, Мига и Козлик. С самого утра они засели у себя в конторе в ожидании покупателей акций, а так как покупатели почему-то не являлись, им не от кого было узнать о том, что случилось. Вскоре, однако, в контору прибежал Жулио и рассказал об этой потрясающей истории.

— С грабителями теперь нет никакого сладу, — сказал он. — Того и гляди, ограбят нашу контору!

— А я боюсь не того, — сказал Мига. — Я боюсь, что теперь все будут говорить об этом ограблении банка, а о нашем акционерном обществе совсем позабудут. Никто и не подумает покупать акции.

Опасения Миги оказались не напрасными. В течение дня ни одна живая душа не заглянула в контору. На следующий день все газеты пестрели сообщениями об ограблении банка. В газетах опровергался слух, будто ограбление было совершено сорока или пятьюдесятью бандитами. Сообщалось, что бандитов было всего лишь двое. Они вошли в помещение банка как обыкновенные посетители, закрыли входную дверь и, угрожая пистолетами сотрудникам, велели всем им лечь на пол, лицом вниз, после чего приказали кассиру открыть несгораемую кассу. Как только перепуганный насмерть кассир выполнил приказание, они выгребли из кассы все деньги и спрятали их в чемодан, который принесли с собой. Посадив кассира в несгораемый сундук и пригрозив пристрелить его как собаку, если только он вздумает поднять тревогу, оба бандита взяли свой чемодан и вышли на улицу.

Это заметила одна из сотрудниц банка, которая, как и все остальные, лежала в тот момент на полу. Убедившись, что опасность ей не грозит больше, она дотянулась рукой до стола, за которым работала, и нажала кнопку электрического сигнала.

Сигнал был услышан полицейскими, которые по своему обычаю сидели в караульном помещении и играли в «козла». Прекратив моментально игру, они выскочили на улицу и увидели, как двое грабителей сели в автомашину и уехали. Полицейские тут же сели в полицейский автомобиль и стали преследовать удиравших бандитов. Заметив, что полицейские настигают их, один из грабителей выхватил пистолет и начал палить из него, стараясь прострелить шины полицейского автомобиля. Это ему удалось. Шина на одном из передних колёс лопнула. Автомобиль потерял управление и на всём ходу врезался в фонарный столб. В результате столкновения четверо полицейских расквасили себе носы, пятый же вывалился из машины и, стукнувшись о мостовую, свернул себе шею.

Это, правда, не помогло бандитам уйти от возмездия, так как ещё две автомашины, нагруженные полицейскими, включились в преследование. Началась перестрелка. Бандиту, который стрелял очень метко, удалось вывести из строя и эти обе машины, но полиция пустила в ход бронированные автомобили, вооружённые пулемётами. В конце концов бандиты были задержаны, но, ко всеобщему удивлению, у них вовсе не оказалось похищенных денег. Машина была тщательно обыскана, но чемодан с деньгами исчез, словно растаял в воздухе.

Доставленные в полицейское управление грабители отрицали свою вину, утверждая, что никакого чемодана они не видели, никакого банка не грабили и не думали даже грабить. На вопрос полицейского комиссара

Пшигля, зачем им понадобилось в таком случае стрелять по полицейским машинам, они сказали, будто не знали, что их преследуют полицейские, а, наоборот, думали, что за ними гонятся бандиты.

Полицейский комиссар сказал, что всё это увёртки, так как отличить полицейского от бандита не так уж трудно. В ответ на это стрелявший из пистолета сказал, что теперешнего полицейского не отличишь от бандита, так как полицейские часто действуют заодно с бандитами, бандиты же переодеваются в полицейскую форму, чтоб удобнее было грабить. В результате честному коротышке уже совершенно безразлично, кто перед ним — бандит или полицейский.

О чём ещё говорил полицейский комиссар Пшигль с задержанными, газеты умалчивали. Печаталось лишь, что похищенная из банка сумма очень велика и достигает трёх с половиной миллионов фертингов. Сообщалось также, что в результате столкновения с бандитами семеро полицейских получили различные повреждения, один же из полицейских, по имени Шмыгль, порвал собственные штаны и потерял в суматохе каску.

В заключение почти все газеты предлагали читателям поделиться своими мыслями о случившемся. Каждому же, кто даст указания, которые помогут полиции обнаружить похищенные деньги, было обещано хорошее вознаграждение.

Нечего, конечно, и говорить, что читатели не замедлили поделиться своими мыслями. На следующий день в газетах было напечатано множество читательских писем. Вот одно из них:

Полагаю, что чемодан с деньгами был выброшен грабителями из автомашины в тот момент, когда они увидели, что от преследования им не уйти. Рекомендую полиции обыскать все палисадники и дворы, мимо которых проезжали бандиты. Чемодан, без сомнения, будет найден в одном из указанных мною мест. Если чемодана там нет, то его, значит, уже кто-то нашёл, о чём тупоголовые полицейские могли бы догадаться и сами.

С почтением читатель Гопс.

А вот другое письмо:

Прошу принять во внимание, что у бандитов могли быть сообщники. Пока безмозглые полицейские, высунув язык, гонялись на своих автомобилях по всему городу, сообщники припрятали денежки в надёжном месте. Там и ищите их.

С горячим читательским приветом Персик.

Вот письмо, в котором читатели подозревают в краже кассира:

По нашему мнению, деньги украл кассир и устроил весь этот спектакль, чтоб отвести от себя подозрение. «Грабители» явились в банк, когда в кассе уже было пусто. Само собой разумеется, что ушли они из банка с пустым чемоданом, введя в заблуждение полицейских разинь, с чем их и поздравляем!

Читатели Трухти и Лопушок.

Письма шли также и от читательниц:

Спешу уведомить, что похищенные деньги зарыты во дворе дома № 47 по Кривой улице. Желаю успеха в розысках и счастья в личной жизни. Ваша усердная читательница и почитательница госпожа Кактус. При сём сообщаю, что отлично печатаю на пишущей машинке, знаю кулинарию и умею играть на трубе.

Вот письмо, в котором читатель Бузони сообщает важные сведения:

Думаю, что тупоголовые полицейские погнались не за теми, кто в действительности совершил кражу. Наша доблестная полиция опять съела галошу. Так ей и надо! Вознаграждение за сообщённые мною сведения прошу выслать по адресу: Крысиная горка, дом № 16, кв. 6.

Бузони

Ещё одно ценное свидетельство:

Деньги спрятаны в автомобильных шинах. Проверьте немедленно. Это обычная уловка бандитов.

Ваш искренний доброжелатель Брехсон.

Было ещё и такое письмо:

Деньги стибрили сами полицейские. Это говорю вам точно.

Читатель Сарданапал.

Сообщённые читателями сведения оказались весьма ценными для полиции, которая тут же приняла ряд необходимых мер. Во-первых, был арестован банковский кассир, и, хотя он клялся, что денег не похищал, полицейский комиссар Пшигль сказал, что оставит его под стражей, пока не отыщутся деньги. Во-вторых, были обшарены все палисадники и дворы по пути следования грабителей, но чемодан, как и следовало ожидать, обнаружен не был. В-третьих, двор дома № 47 по Кривой улице был весь изрыт полицейскими. Результат оказался следующий: 1) чемодан найден не был; 2) был найден один дохлый кот; 3) от смещения почвы рухнула стена дома.

Нечего, конечно, и говорить, что полицейские прежде всего захотели проверить, не находятся ли действительно похищенные деньги в шинах автомобиля. Намерение это, однако, не могло быть осуществлено, потому что автомобиль, на котором удирали бандиты, бесследно исчез. Начались лихорадочные поиски пропавшего автомобиля, в которые включилось чуть ли не всё население Давилона.

Как только на улице останавливался чей-нибудь автомобиль, к нему тотчас же бросался какой-нибудь коротышка и вспарывал шины ножом. Такие действия объяснялись тем, что никто не знал в точности, какой марки была разыскиваемая машина. В конце концов все шины были порезаны, и автомобильное движение в городе прекратилось. Фирма, торгующая автомобильным бензином, терпела огромнейшие убытки.

Однако наибольшее внимание полиции привлекло письмо, в котором некий Сарданапал заявлял во всеуслышание, будто деньги похитили сами полицейские. Это заявление показалось полицейскому комиссару Пшиглю крайне оскорбительным, и он сказал, что не успокоится до тех пор, пока не засадит этого Сарданапала в кутузку.

Приказав подать ему адресную книгу, Пшигль принялся её листать и был до крайности удивлён, что не обнаружил в ней ни одного коротышки по имени Сарданапал.

— Фамилия явно вымышлена, — сказал Пшигль, — но для полиции это не может служить препятствием.

Явившись к редактору газеты, в которой было опубликовано это оскорбительное послание, Пшигль приказал предъявить подлинник письма, надеясь, что по штемпелю

на конверте ему удастся установить, откуда письмо было послано. Письмо тут же нашли, но на его конверте не оказалось никакого штемпеля. Сотрудник, работавший в отделе писем, вспомнил, что письмо было получено не по почте: его принёс какой-то незнакомый субъект. На вопрос Пшигля, как выглядел этот субъект, сотрудник вспомнил лишь то, что он был лысый.

— Ах, вот что! — воскликнул Пшигль. — Так он, значит, был лысый? Для полиции этих сведений вполне достаточно. Не пройдёт и трёх дней, как этот лысый будет у нас в руках!

Начались поголовные аресты всех лысых. На улице очень часто можно было наблюдать, как полицейский подходил к ни в чём не повинному коротышке и, приказав снять шляпу, изо всех сил дёргал за волосы. Если коротышка вопил от боли, полицейский отпускал его; если же коротышка терпел боль молча, полицейский подозревал, что перед ним лысый, скрывший свою лысину под искусно сделанным париком, и отправлял его на допрос в полицию.

В те дни полицейское управление работало с утра до ночи. Полицейский комиссар Пшигль с четырьмя своими помощниками — Диглем, Гиглем, Спиглем и Псиглем — непрерывно допрашивали прибывавших со всех сторон городских лысых. Если несчастный лысенький коротышка не мог доказать, где он находился в момент ограбления банка, его тут же сажали в кутузку. Это было абсолютно ни с чем не сообразно, так как лысые подозревались вовсе не в ограблении банка, а лишь в том, что один из них написал это нелепое оскорбительное письмо.

В эти же дни началось несколько больших судебных процессов.

Первый судебный процесс был затеян владельцем дома № 47 по Кривой улице господином Куксом. Господин Кукс обвинял свою квартирантку госпожу Кактус в том, что она нарочно придумала, будто чемодан с деньгами зарыт во дворе принадлежащего ему дома, в результате чего возникли раскопки, приведшие к обвалу стены, и что сделала госпожа Кактус это якобы в отместку за то, что он берёт с неё слишком большую квартирную плату.

Госпожа Кактус пыталась доказать, что никакого письма она не писала, и, в свою очередь, возбудила судебный процесс против редактора, напечатавшего в своей газете письмо, к которому она не имела никакого отношения.

Третий судебный процесс затеяли торговцы бензином, обвинившие фабриканта автомобильных шин Пудла в том, что он напечатал от имени коротышки Брехсона письмо, побудившее давилонцев (да и не одних давилонцев) портить друг другу автопокрышки. Тем самым фабрикант

Пудл будто бы добился увеличения сбыта своей продукции, поскольку всем требовались новые шины, и нанёс непоправимый ущерб торговцам бензином.

Правда, бензинщикам не удалось заставить господина Пудла возместить понесённые ими убытки, так как выступивший на суде Брехсон засвидетельствовал, что никто не понуждал его посылать в газету письмо. Предположение же, что украденные в банке ценности спрятаны в шинах, он высказал лишь потому, что как раз перед этим смотрел по телевидению кинофильм о похождениях одной знаменитой воровской шайки, которая скрывала похищенные бриллианты в автомобильных покрышках.

Нашлись, однако, свидетели, которые заявили, что Пудл и Брехсон были знакомы между собой и их даже видели вместе в тот день, когда произошло ограбление банка. Дело, таким образом, на этом не кончилось, и было назначено новое судебное разбирательство.

Обо всём этом печаталось в газетах, сообщалось по радио и телевидению. Публика ни о чём другом уже не могла ни думать, ни говорить, ни слушать. Все только и говорили, что об этих судебных процессах, об украденных деньгах, о пропавших чемоданах, о дохлых котах, о преследованиях, которым подвергались в городе лысые, и тому подобных вещах. О Незнайке, о космическом корабле, о гигантских растениях теперь никто даже не вспоминал. Всё это вытеснилось из памяти коротышек более новыми, свежими, животрепещущими событиями.

Видя, что никто не является в их контору для покупки акций, Мига страшно расстраивался и говорил, что если так пойдёт дальше, то их акционерное общество лопнет и все они останутся нищими.

— Что ж, это вполне может случиться, — подтвердил Жулио. — Недавно в газете писали, что у нас чуть ли не ежедневно лопается какое-нибудь акционерное общество.

— А как они лопаются? — заинтересовался Незнайка.

— Ну, бывает, задумают какие-нибудь деловые коротышки организовать доходное предприятие, выпустят акции, чтоб собрать капитал, затратят денежки, а акций у них никто покупать не станет. В таких случаях говорят, что их общество лопнуло или вылетело в трубу. На самом деле никто, конечно, не лопается. Это просто фигуральное выражение, которое обозначает, что общество погибло, прекратило существование — лопнуло, как мыльный пузырь, — объяснил Жулио.

— А то, бывает, соберётся какая-нибудь шайка мошенников, — сказал Козлик. — Выпустят акции, продадут их, а сами сбегут с деньгами. Вот тогда тоже говорят, что общество лопнуло.

— Вот из-за таких жуликов теперь уже у нас и честным коротышкам не верят, — сказал Мига. — Вот мы, например: мы организовали наше акционерное общество, чтоб облагодетельствовать бедняков. Чего мы хотим? Мы хотим достать для бедняков семена с Луны, а бедняки сами же не хотят давать нам для этого деньги. Где же справедливость, я вас спрашиваю?

— Но, может быть, у бедняков нет денег? — высказал предположение Незнайка.

— Нет денег, так пусть достанут! — презрительно фыркнул Мига. — Конечно, у бедняков денег нет, то есть у них нет больших денег, хочу я сказать. Если у них и есть, то какие-нибудь жалкие гроши. Но бедняков-то ведь много! Если каждый бедняк наскребёт хоть небольшую сумму да принесёт нам, то у нас соберётся порядочный капиталец и мы сможем хорошо поднажиться… то есть… Тьфу! Мы сможем не поднажиться, а достать семена гигантских растений. Для такого дела нельзя скупиться! Ведь кому это выгодно? Это выгодно самим беднякам. Если каждый бедняк вырастит у себя на огороде огурец величиной вот хотя бы с Козлика или арбуз величиной с двухэтажный дом, кому от этого выгода? Мне?

Тебе? Козлику?.. Это выгодно, в первую очередь, самому бедняку. Из одного такого арбуза он сможет извлечь столько сладкой сахарной жижи, что на целый сахарный завод хватит. Это же богатство! У нас каждый бедняк богачом станет! И начнётся тогда благодать!

— Вот ты и скажи об этом самим беднякам, — проворчал Жулио. — Мы-то ведь и без тебя понимаем.

— Это замечание верное. Мы мало уделяем внимания рекламе, — согласился Мига. — Если мы хотим, чтоб акции продавались, то должны рекламировать их.

После этого разговора Мига принялся бегать по городу и устраивать в газеты рекламные объявления. В этих объявлениях каждому коротышке, который приобретёт хоть одну акцию, сулились огромные барыши. Кроме того, Мига договорился с рекламной мастерской, и художники этой мастерской нарисовали огромный плакат, который был установлен на одной из самых больших площадей Давилона. На этом плакате был изображён Незнайка в скафандре и было написано огромными буквами:

Жалеть не будут коротышки
И не потратят деньги зря,
Коль будут покупать акции
Общества гигантских растений,
По одному фертингу штука!

Глава пятнадцатая

ДЕЛО НАЛАЖИВАЕТСЯ

Пока Мига носился по городу, устраивая рекламные дела общества, Жулио пропадал у себя в магазине, торгуя разнокалиберными товарами, и в контору наведывался редко. Постепенно он разуверился в успехе начатого дела и не хотел терять доходов, которые приносила ему торговля. В конторе постоянно находились лишь Незнайка и Козлик. На первых порах Незнайка чинно сидел за столом в ожидании покупателей акций. Перед ним лежали толстая тетрадь в твёрдом картонном переплёте и автоматическое перо. На тетради было написано красивыми буквами: «Приходо-расходная книга». Один из ящиков стола был доверху набит приготовленными для продажи акциями. Другой ящик предназначался для денег, вырученных от продажи. Пока этот ящик был пуст, и чем дальше шли дни, тем меньше оставалось надежды, что когда-нибудь в нём появятся деньги.

Козлик тоже вначале исправно дежурил в коридоре у двери, но, видя, что покупатели не являются, переселился в контору, и они с Незнайкой по целым дням играли в «плюсики-нолики», сидя на мягком диване, и вели разные разговоры. От нечего делать Незнайка часто смотрел на висевшую на стене картину с непонятными кривульками и загогулинками и всё силился понять, что на ней нарисовано.

— Ты, братец, лучше на эту картину не смотри, — говорил ему Козлик. — Не ломай голову зря. Тут всё равно ничего понять нельзя. У нас все художники так рисуют, потому что богачи только такие картины и покупают. Один намалюет такие вот загогулинки, другой изобразит какие-то непонятные закорючечки, третий вовсе нальёт жидкой краски в лохань и хватит ею посреди холста, так что получится какое-то несуразное, бессмысленное пятно. Ты на это пятно смотришь и ничего не можешь понять — просто мерзость какая-то! А богачи смотрят да ещё и похваливают. «Нам, говорят, и не нужно, чтоб картина была понятная. Мы вовсе не хотим, чтоб какой-то художник чему-то там нас учил. Богатый и без художника всё понимает, а бедняку и не нужно ничего понимать. На то он и бедняк, чтоб ничего не понимать и в темноте жить». Видишь, как рассуждают!.. Я таких рассуждений вдоволь наслушался, когда работал у мыльного фабриканта. Есть такой мыльный фабрикант Грязинг. Только я у него не на фабрике работал, а в доме. Истопником был. Ну, братец, нагляделся я, как богачи-то живут! Домище у него огромный! Комнат видимо-невидимо! Одних печей приходилось двадцать пять штук топить, не считая каминов. А парового отопления господин Грязинг не хотел у себя заводить. С каминами, говорит, вид роскошнее.

Автомобилей у него десять штук было. А костюмов — хоть пруд пруди! Как соберётся в гости ехать, так часа два думает, какой костюм надевать. Честное слово, не вру! Слуг у него — не перечесть. Один слуга обед варит, другой на стол подаёт, третий посуду моет, четвёртый ковры пылесосит. Шофёров — пять штук. Пока один господина Грязинга на автомобиле катает, остальные четверо в прихожей в шахматы дуются. Утром, как только Грязинг проснётся, сейчас же в электрический звонок звонит, чтоб несли ему одеваться. Принесут ему, значит, одежду, начнут одевать, а он только руки подставляет да ноги протягивает. Потом посадят его перед зеркалом, начнут причёсывать, намажут нос вазелином, чтоб хороший цвет был, а он сидит да глазами хлопает — всего и дела-то! Проголодается он, так вот перед зеркалом сидя, — и завтракать. Часа два за столом сидит — вот не сойти с места! Потом поваляется на диване и едет в гости или на автомобиле кататься. Вечером наедут к нему приятели, приятельницы. Заведут музыку, танцы. Разгуляются так, что поломают всю мебель, разобьют рояль и разъедутся по домам. Потом вспоминают: вот, говорят, хорошо повеселились!

— А зачем же мебель ломать? — удивился Незнайка.

— Ну, так у них полагается. Не знают, чем занять себя от безделья, ну, давай, значит, мебель ломать. Так и в приглашениях пишут: «Просим пожаловать к нам на журфикс. Будут разломаны двенадцать кресел, четыре дивана плюшевых, два рояля, раздвижной стол и разбиты все окна. Сбор гостей в шесть часов вечера. Просьба прибыть без опоздания».

— Ну, а потом, что же они, без мебели сидят?

— Вот чудак! Мебель они новую купят.

— Даром только деньги тратят! — проворчал Незнайка. — Лучше бедным отдали бы.

— Дожидайся! Бедным отдавать они не любят. Это неинтересно.

— Что же, этот Грязинг только и делал, что на диване валялся да мебель ломал? — спросил Незнайка. — А когда же он своей фабрикой управлял?

— Зачем же ему фабрикой управлять? Для этого у него управляющий есть. Раз в неделю управляющий приходит к нему с отчётом. А он как увидит, что доходы от фабрики уменьшились, сейчас же управляющего вон и назначит нового. Вот новый и начнёт стараться, чтобы доходы были побольше: уменьшит плату рабочим, повысит цены на мыло. Таким образом, сам Грязинг ничего не делает, а денежки наживает. Уже несколько миллионов нажил.

— К чему же богачам столько денег? — удивился Незнайка. — Разве богач может несколько миллионов проесть?

— «Проесть»! — фыркнул Козлик. — Если бы они только ели? Богач ведь насытит брюхо, а потом начинает насыщать своё тщеславие.

— Это какое тщеславие? — не понял Незнайка.

— Ну это когда хочется другим пыль в нос пустить. Например, один богач построит себе большой дом, а другой посмотрит и говорит: «Ах, ты такой дом построил, а я отгрохаю вдвое больше!» Один заведёт себе повара да лакея, а другой говорит: «Ну так я себе заведу не только повара и лакея, а ещё и швейцара».

Один наймёт целый десяток слуг, а другой говорит: «Ну так я найму два десятка, да ещё сверх того пожарника в каске у себя во дворе под навесом поставлю». Один заведёт три автомобиля, другой тут же заведёт пять. Да ещё и хвастает:

«Я, говорит, лучше его, у него только три автомобиля, а у меня целых пять». Каждому, понимаешь, хочется показать, будто он лучше других, а так как ум, доброта, честность у нас ни во что не ценятся, то хвалятся друг перед другом одним лишь богатством. И тут уж никакого предела нет. Тщеславие такая вещь: его ничем не насытишь. Я сам, братец, изведал, какая это скверная штука. Я ведь не всегда бедняком был. Правда, я и богачом не был. Просто у меня постоянная работа была. Я тогда на завод поступил и зарабатывать стал прилично. Даже на чёрный день начал деньги откладывать, на тот случай, значит, если снова вдруг безработным стану. Только трудно, конечно, было удержаться, чтоб не истратить денежки. А тут все ещё стали говорить, что мне надо купить автомобиль. Я и говорю: зачем мне автомобиль? Я могу и пешком ходить. А мне говорят: пешком стыдно ходить. Пешком только бедняки ходят. К тому же автомобиль можно купить в рассрочку. Сделаешь небольшой денежный взнос, получишь автомобиль, а потом будешь каждый месяц понемногу платить, пока все деньги не выплатишь. Ну, я так и сделал. Пусть, думаю, все воображают, что я тоже богач. Заплатил первый взнос, получил автомобиль. Сел, поехал, да тут же и свалился в ка-а-ах-ха-наву. — От волнения Козлик даже заикаться стал. — Авто-аха-мобиль поломал, понимаешь, ногу сломал и ещё четыре ребра. Целых три месяца лечился потом. Все свои сбережения на докторов истратил. Всё-таки вылечился, только с тех пор, как начну волноваться, никак не могу слово «ав-то-аха-мобиль» ска-аха-сказать, каждый раз говорю «авто-аха-мобиль», вот.

— Ну, а автомобиль ты починил потом? — спросил Незнайка.

— Что ты! Пока я болел, меня с работы прогнали. А тут пришла пора за автомобиль взнос платить. А денег-то у меня нет! Ну мне говорят: отдавай тогда авто-аха-ха-мобиль обратно. Я говорю: идите, берите в ка-а-ха-ханаве. Хотели меня судить за то, что автомобиль испортил, да увидели, что с меня всё равно нечего взять, и отвязались. Так ни автомобиля у меня не стало, ни денег.

Таких историй Козлик рассказывал множество. Жизнь его была богата разными приключениями. Незнайка с интересом слушал его, и ему не приходилось скучать.

Однажды Незнайка и Козлик сидели и разговаривали, как обычно. Неожиданно дверь отворилась. Они думали, что пришёл Мига, но в контору вошёл незнакомый коротышка. На нём была ветхая блуза с протёртыми на локтях рукавами. Когда-то она была синяя, но от долгого употребления выцвела и побелела, особенно на плечах. Брюки на нём были какого-то непонятного грязновато-серого цвета, с махрами внизу, а на коленках красовались две большие, аккуратно пришитые четырёхугольные заплатки из чёрной материи. Голову его украшала старая соломенная шляпа с дыркой на самом видном месте и с оборванными, словно обгрызенными по краям полями, из-под которых выбивались седые волосы.

Незнайка невольно улыбнулся, увидев этот маскарадный наряд, но его улыбка моментально исчезла, как только он взглянул на лицо вошедшего. Оно было худое, словно иссохшее, и смуглое, как бывает у коротышек, которые по целым дням работают на открытом воздухе. Выражение лица было строгое. Но особенно поражали глаза. Они глядели из-под седых бровей насторожённо, с тревогой, но в то же время с достоинством и не то с затаённой болью, не то с укоризной. Нет, Незнайка не мог смеяться, встретившись с взглядом этих печальных глаз, да и никто бы не смог смеяться.

Поздоровавшись с воззрившимися на него Незнайкой и Козликом, седой коротышка поставил в угол суковатую палку, которую держал в руках, достал из кармана аккуратно сложенный клочок газеты, развернул его и, показав Незнайке, спросил:

— Это у вас?

Незнайка разглядел напечатанное в газете объявление об учреждении Акционерного общества гигантских растений и кивнул головой:

— У нас.

Козлик подвинул к гостю мягкое кресло и учтиво сказал:

— Садитесь вот на креслице, дедушка.

Вошедший поблагодарил Козлика, сел на краешек кресла и сказал:

— Значит, всё это правда?

— Что — правда? — не понял Незнайка.

— Ну, правда, что существуют эти сказочные семена?

— Конечно, правда, — ответил Незнайка. — Но семена эти вовсе не сказочные, а самые настоящие. Ничего сказочного или фантастического в этом нет.

— Вы бы не говорили так, если бы знали, что это значит для нас, бедняков! — сказал коротышка. — Я вот... мы вот... — заговорил он волнуясь. — Мы всем селом вот собрались: хотим содействовать этому великому делу, то есть тоже, значит, хотим быть акционерами. Мы всем обществом собрали вот деньги... Каждый дал сколько мог...

Он сунул за пазуху руку и вытащил носовой платочек, в котором были завязаны узелком деньги.

— Сколько же вы хотите приобрести акций? — спросил Незнайка.

— Одну, голубчик! Только одну! Нам удалось собрать всего лишь фертинг, да и то по нашим доходам это большая сумма.

— Но на одну акцию придётся очень немного семян. Их ведь не хватит на всё ваше село, — сказал Козлик.

— Голубчик, да вы дайте нам хоть одно зёрнышко! Пусть у нас вырастет хоть один гигантский огурец. Разве мы станем есть его? Мы его оставим на семена. Весь урожай оставим на семена. И второй урожай, если понадобится, оставим, и третий... Мы согласны ждать и год, и два, и три, и четыре. Пусть только будет у нас надежда, что когда-нибудь мы выбьемся из нищеты. С надеждой, голубчик, жить легче.

В это время в контору вернулись Мига и Жулио. Козлик потихонечку дёрнул Мигу за рукав и зашептал на ухо:

— Покупатель пришёл! Акцию хочет купить.

Мига тотчас подошёл к покупателю, пожал ему руку и спросил, как его звать.

— Меня зовут Седенький, — сказал посетитель. — У нас в селе меня все называют Седеньким.

— Разрешите поздравить вас, господин Седенький, — сказал с важностью Мига. — Лучшего применения для своих капиталов вы не могли и придумать. Это самое верное и доходное дело, которое когда-либо существовало на свете. Вы первый, кто пожелал приобрести наши акции, поэтому разрешите сфотографировать вас. Завтра же ваш портрет будет напечатан в газете.

Мига тут же подошёл к телефону и вызвал фотографа. Посетитель между тем развязал узелок и выложил на стол целую кучу медных монет. Жулио велел Незнайке и Козлику пересчитать деньги. Незнайка и Козлик взялись считать, но никак не могли справиться с этим делом. Монетки были исключительно мелкие: всё по сантику, да по два, да по полсантика, одна только самая крупная монетка была в три сантика.

Наконец деньги были сосчитаны, и Жулио велел Незнайке выдать покупателю акцию. Бережно взяв акцию в руки, Седенький с интересом принялся разглядывать её. На одной стороне акции был изображён огромнейший арбуз, окружённый крошечными коротышками. Некоторые из них пытались вскарабкаться на арбуз, приставив к нему деревянную лестницу. Пятеро коротышек уже залезли на вершину арбуза и плясали там, взявшись за руки. Впереди зрели на грядке гигантские огурцы. Каждый огурец величиной с коротышку. Позади виднелись крошечные деревенские домики, над которыми, словно строевой лес, возвышались колосья гигантской земной пшеницы. На обратной стороне акции имелось изображение космической ракеты и Незнайки в космическом скафандре. Тут же было напечатано сообщение о целях, для которых учреждалось акционерное общество. Вверху было написано красивыми разноцветными буквами: «Акционерное общество гигантских растений — путь к богатству и процветанию. Цена 1 фертинг». Пока Седенький разглядывал акцию и, казалось, забыл обо всём на свете, Мига пошептался о чём-то с Жулио, после чего отсчитал ещё десять акций и, протянув их Седенькому, сказал:

— Мы приняли решение выдать первому нашему покупателю премию в размере десяти акций. Просим принять от нас этот подарок. Теперь вы наш акционер и тоже должны содействовать скорейшему распространению акций. Убеждайте всех своих знакомых и незнакомых покупать наши акции, говорите, что каждый, кто приобретёт нашу акцию, в самый короткий срок сделается богачом.

Седенький с благодарностью принял акции, аккуратно завернул их в платочек и спрятал за пазуху. В это время явился фотограф со своим аппаратом. Он велел Седенькому сесть в кресло, заложив ногу за ногу.

— Таким образом заплаточка на одной коленке у вас будет закрыта, — объяснил фотограф, — а на другую заплаточку я попрошу вас положить вашу шляпу… Только не так, а вот так, чтобы дырочка на шляпе не была видна…

— А вот этого как раз и не надо, — вмешался в разговор Мига. — Сфотографировать нужно так, чтобы все заплаты и дыры хорошо вышли на снимке. Пусть всем будет видно, до чего у нас коротышек доводит бедность. Как только все увидят, что даже такие вот бедняки покупают наши акции, так сейчас же бросятся в нашу контору, словно голодные волки… А вам, голубчик, нечего стыдиться своих заплат, — сказал Мига Седенькому. — Пусть стыдятся те, кто вас сделал нищим. Богачи пусть стыдятся! Это они ободрали вас, как козёл липку. Всю

свою жизнь вы трудились на них и не смогли даже заработать на приличное платье.

Пока Мига произносил эту речь, фотограф сделал снимок, и Седенький собрался уходить.

— Скажите, — спросил его на прощание Мига, — как вы узнали о существовании нашего общества? Что натолкнуло вас на мысль купить акцию?

— Что же натолкнуло? — ответил, подумав, Седенький. — Натолкнул, можно сказать, случай. Этот клочок газеты, который вы видите у меня в руках, попал ко мне чисто случайно. В нашем селе ведь одни бедняки живут. Газет никто не выписывает, книжек никто не покупает. На это ни у кого денег нет. Однако почитать газетку и нам иногда удаётся. Это случается, когда кому-нибудь в магазине завернут в обрывок старой газеты покупку. Каждый из нас такие клочочки газет собирает, сам читает и другим даёт почитать. Точно так и на этот раз вышло. Один из наших жителей купил в магазине сыру, а сыр ему завернули в этот клочок газеты. Вот и стали мы всем селом про эти сказочные семена читать, а потом решили сложиться вместе и купить хоть одну акцию. Очень уж дело заманчивое! Землицы-то у каждого из нас мало. Своего урожая не хватает, чтоб прокормиться. А у богатых много земли. Вот и идёшь, значит, к богатею работать. Он выделит тебе участок земли. Ты на этом участке вырастишь пшеничку, репку, скажем, или картошку. Половину урожая себе возьмёшь, а другую половину должен отдать богачу за то, что позволил на его земле поработать. Богачу это выгодно. Он поделит свою землю на участки: один участок мне отдаст, другой тебе, третий ему... Мы все, значит, работаем, и каждый половину своего урожая богачу тащит. А богач-то, выходит, и не работает, а урожая у него больше всех собирается. Вот и получается: у одних денег хоть пруд пруди, а другие с голоду пухнут...

— Да, да, — перебил его Мига. — Это верно! Одни с голоду пухнут, а другие — хоть пруд пруди! Всё это очень интересно, что вы рассказываете, но теперь скоро всем вашим бедам наступит конец. До свидания. Желаем вам всего доброго!

С этими словами Мига похлопал Седенького по спине, выпроводил за дверь и крикнул вдогонку:

— Так не забудьте: если кому-нибудь из ваших друзей удастся раздобыть деньжат, пусть и они приходят к нам за акциями!

Глава шестнадцатая

НА СЦЕНЕ ПОЯВЛЯЕТСЯ
ГОСПОДИН СПРУТС

Как только Седенький скрылся за дверью, Мига хлопнул себя ладошкой по лбу и сказал:

— Мы тут швыряем на ветер денежки, печатаем объявления в газетах, а деревенские жители, оказывается, и газет не читают!

— По-моему, надо установить несколько рекламных плакатов где-нибудь на дорогах, вдали от города, чтоб их видели деревенские коротышки, — придумал Жулио.

Мига и Жулио поскорей сели в машину и покатили в рекламную мастерскую. Там они принялись объяснять художникам, где и какие плакаты надо установить, а когда вернулись в контору, застали в ней ещё трёх покупателей. По обветренным, загорелым лицам можно было догадаться, что все трое были деревенские жители, да к тому же и бедняки. Одежонка на них была старенькая, заплатанная, обувь — изношенная. У одного почти и вовсе никакой обуви не было, то есть на ногах у него были изорванные башмаки без подошв. Незнайка и Козлик склонились над столом, на котором были разложены медяки, и старательно пересчитывали их. Когда с этим было покончено, Незнайка вручил коротышкам приобретённые ими акции. Руки покупателей от волнения дрожали, а тот, который был без подошв, разволновался так, что даже заплакал.

— Знаешь, братец, — сказал он Козлику, — я ведь приехал в город, чтоб купить себе башмаки, честное слово, да узнал тут про все эти гигантские бобы, огурцы и капусту. Вот и решил вместо башмаков купить, понимаешь, акцию.

— И правильно сделал, — одобрил Козлик. — Башмаки каждый осёл может купить, а какой же осёл купит акцию!

— Что верно, то верно! — закивал головой коротышка. — А нельзя ли узнать, скоро на эти акции можно будет получить семена?

— Скоро, скоро, — вмешался в разговор Мига. — Вот соберём нужную сумму денег и сейчас же засадим за работу разных специалистов-конструкторов. Они живо создадут проект летательного корабля, а там, глядишь, и за семенами можно будет лететь. С деньгами, сам понимаешь, всё быстро делается.

Коротышки хотели ещё о чём-то спросить, но Мига сказал:

— Поздравляю вас, дорогие друзья, с вступлением в акционерное общество! Теперь все ваши беды скоро окончатся, и вы будете жить припеваючи. Лучшего применения для своих капиталов вы не могли придумать.

Пожав каждому из покупателей руку, Мига выпроводил их всех из конторы и бросился обнимать Незнайку и Козлика.

— Ура, братцы! — закричал он. — Кажется, наше дело начинает идти на лад!

Дело действительно быстро пошло на лад. Правда, в этот день покупатели больше не появлялись, зато когда Мига и Жулио пришли в контору на следующий день, они обнаружили, что торговля акциями идёт довольно бойко. Перед Незнайкой и Козликом то и дело появлялись разные коротышки и выкладывали на стол свои денежки. Здесь были уже не только деревенские жители, но даже и городские. Один из них рассказал нашим друзьям, что когда-то давно он ушёл из деревни, где у него остался небольшой клочок земли. Он мечтал поступить куда-нибудь на завод или на фабрику и подзаработать денег, чтоб прикупить земли, так как его клочок давал очень небольшой урожай. В конце концов ему удалось устроиться рабочим на фабрику, однако за долгие годы работы он так и не смог скопить сумму, которой хватило бы на покупку земли.

— Теперь у меня одна мечта, — сказал он. — На те денежки, которые мне удалось сберечь, куплю ваших акций, а когда получу семена, вернусь в деревню и буду хозяйствовать.

— Благое задумали дело! — с чувством воскликнул Мига. — Хозяйствовать на своей землице — это истинное наслаждение, скажу я вам! А много ли, позвольте спросить, вам удалось прикопить деньжат?

— Да деньжат не так много — пятнадцать фертингов.

— Ну что ж, давайте сюда ваши пятнадцать фертингов, а мы вам дадим пятнадцать акций. Это будет чудесно, поверьте мне. Если бы вы даже целый год думали, и то не смогли бы придумать лучшего применения для своих капиталов.

Коротышка выложил из кармана денежки и, получив акции, удалился.

— Вот видите, — сказал, расплываясь в улыбке, Мига, — покупатель обязательно раскошелится, если с ним поговорить по душам. Покупатели любят вежливость.

А желающих приобрести акции с каждым днём становилось всё больше. Незнайка и Козлик с утра до вечера продавали акции, Мига же только и делал, что ездил в банк. Там он обменивал вырученные от продажи мелкие деньги на крупные и складывал их в несгораемый шкаф. Многие покупатели являлись в контору слишком рано. От нечего делать они толклись на улице, дожидаясь открытия конторы. Это привлекало внимание прохожих. Постепенно всем в городе стало известно, что акции Общества гигантских растений пользуются большим спросом.

Городские жители сообразили, что с течением времени цена на акции может повыситься. Все вспоминали об удивительном случае, когда акции одного нефтяного общества, купленные по одному фертингу штука, впоследствии продавались сначала по два, потом по три, потом по пять фертингов, а в тот день, когда стало известно, что из-под земли, где велись изыскательные работы, забил наконец нефтяной фонтан, цена на акции подскочила до десяти фертингов штука. Каждый, кто продал свои акции в этот день, получил в десять раз больше денег, чем истратил вначале.

Наслушавшись подобных рассказов, каждый, кому удалось сберечь на чёрный день сотню-другую фертингов, спешил накупить гигантских акций, с тем чтоб продать их, как только они повысятся в цене. В результате два миллиона акций, хранившиеся в двух несгораемых сундуках, были быстро распроданы.

Видя, что торговля акциями идёт очень успешно, Мига и Жулио решили пустить в продажу акции и из остальных сундуков.

— Ещё неизвестно, удастся ли нам выручить какие-нибудь деньги за семена, — говорил Жулио. — Уж лучше продавать акции, пока за них платят деньги.

А за акции и на самом деле очень охотно платили деньги. Их покупали теперь уже не только жители Давилона, но и приезжие из других городов. Не проявляли никакого интереса к акциям лишь одни крупные богачи. Они были уверены, что Общество гигантских растений — это обычное акционерное общество, которое вскорости лопнет и прекратит своё существование. Богачам-то прекрасно было известно, что все эти акционерные общества и компании устраивались лишь для прикарманивания чужих денег, или, говоря проще, для облапошивания бедняков.

Вскоре, однако, объявился богач, который заинтересовался гигантскими акциями. Это был господин Спрутс — один из богатейших жителей города Грабенберга. По своему виду господин Спрутс ничем не выделялся среди прочих грабенбергских богачей, которые вообще-то не отличались большой красотой. У него было широковатое, несколько раздавшееся в стороны лицо с малюсенькими, словно гвоздики, глазками и чрезвычайно тоненьким, зажатым между двумя пухлыми щёчками носиком. Благодаря ширине лица и некоторой припухлости щёк казалось, будто господин Спрутс постоянно улыбается, и это придавало ему смешной вид. Всё же никому не приходило в голову смеяться над ним, так как каждый, кто разговаривал с господином Спрутсом, думал не о его внешности, а исключительно о его богатстве.

Состояние господина Спрутса исчислялось в целый миллиард фертингов, то есть он был миллиардер, или, как любили говорить грабенбергские богатеи, господин Спрутс стоил один миллиард. Нужно сказать, что богачи в городе Грабенберге (как, впрочем, и в других городах) ценили коротышек не за их способности, не за их ум, доброту, честность и тому подобные моральные качества, а исключительно за те деньги, которыми они владели. Если коротышке удавалось сколотить капиталец в тысячу фертингов, о нём говорили, что он стоит тысячу фертингов; если кто-нибудь располагал суммой всего лишь в сто фертингов, говорили, что он стоит сотняжку; если же у кого-нибудь не было за душой ни гроша, то говорили с презрением, что он вообще дрянь коротышка — совсем ничего не стоит.

Господин Спрутс был владельцем огромной мануфактурной фабрики, известной под названием Спрутсовской мануфактуры, выпускавшей несметные количества самых разнообразных тканей. Кроме того, у него было около тридцати сахарных заводов и несколько латифундий, то есть громаднейших земельных участков.

На всех этих земельных участках работали тысячи коротышек, которые выращивали хлопок для Спрутсовской мануфактуры, сахарную свёклу для его сахарных заводов, а также огромные количества лунной ржи и пшеницы, которыми господин Спрутс вёл большую торговлю.

Прослышав об успехах нового акционерного общества, господин Спрутс вызвал к себе своего главного управляющего господина Крабса и сказал:

— Послушайте, господин Крабс, что это ещё за новое общество появилось? Какие-то гигантские растения. Вы ничего не слыхали?

— Как же, слыхал, — ответил господин Крабс. — Я уже давно присматриваюсь. Во главе этого общества стоят Мига и Жулио — два очень хитрых мошенника с мировым именем. Один из них, а именно Мига, неоднократно сидел в тюрьме за плутовство. Думаю, что всё их акционерное общество — чепуха, так как, по-моему, никакого космического корабля нет, а следовательно, и никаких гигантских семян тоже нет.

— Хорошо, если нет. А вдруг есть?

— Ну, если есть, то оба мошенника прекраснейшим образом наживутся и станут богатыми и уважаемыми коротышками.

Спрутс нетерпеливо махнул рукой.

— Я не о том! — сказал он. — Никакой беды не случится, если они наживутся. У нас никому не запрещается обогащаться за счёт других. Но что будет, если у нас тут на самом деле появятся эти гигантские растения?

— Что будет? — пробормотал господин Крабс. — Я, признаться, об этом ещё не подумал.

— А вот подумайте: если каждый сиволапый бедняк начнёт выращивать на своём небольшом участке гигантские растения, то прокормится и без того, чтоб выращивать хлопок, или пшеницу, или сахарную свёклу для нас. Разве не так?

— Пожалуй, так, — согласился господин Крабс.

— Кто же захочет в таком случае работать на наших фабриках? — продолжал Спрутс. — Каждый поедет в деревню и начнёт выращивать гигантские плоды для себя. Что будет тогда с нашими прибылями? Из кого мы станем выколачивать фертинги, если никто не согласится на нас работать?

— О, так это же катастрофа! — воскликнул господин Крабс. — Может быть, скупить поскорее все эти проклятые акции и задержать постройку летательного корабля?

— Думаю, что это не выход, — ответил Спрутс. — Как только мы начнём скупать акции, они сейчас же начнут подниматься в цене, и тогда у нас не хватит денег, чтоб скупить их все. К тому же, если мы только задержим постройку летательного аппарата, кто-нибудь его и без нас построит и до семян в конце концов доберётся. По-моему, надо уговорить этих двух прохвостов Мигу и Жулио удрать куда-нибудь вместе с деньгами, тогда все увидят, что всё это была обычная мошенническая проделка, и перестанут мечтать об этих проклятых семенах.

— Гениально придумано! — воскликнул господин Крабс. — С вашего разрешения я сейчас же сажусь в автомашину и отправляюсь в Давилон для переговоров с Мигой и Жулио.

— Отправляйтесь, господин Крабс. Я на вас полагаюсь.

Результатом этого разговора было то, что на следующее утро господин Крабс появился в конторе Общества гигантских растений. Купив для отвода глаз несколько акций, он отозвал в сторонку Мигу и Жулио и сказал:

— Я прибыл из города Грабенберга по поручению известного предпринимателя Спрутса, чтобы побеседовать с вами. Не могли бы мы встретиться как-нибудь вечерком?

Миге и Жулио чрезвычайно интересно было узнать, что понадобилось от них знаменитому фабриканту, и они тотчас согласились на встречу. Как только работа в конторе была закончена, они отправились в номер, гостиницы, где у них было назначено свидание с Крабсом. Господин Крабс предложил им поужинать вместе, и через минуту все трое сидели в ресторане за столиком.

По обыкновению, свойственному всем деловым коротышкам, господин Крабс начал разговор с отдалённых предметов. Осведомившись у Миги и Жулио, случалось ли им бывать в городе Грабенберге, и узнав,

что им уже довелось побывать там, он начал всячески расхваливать этот город и его жителей, говоря, что все они умнейшие, добрейшие и честнейшие коротышки на свете и что господин Спрутс, который является коренным грабенбержцем, также умнейший, достойнейший и честнейший коротышка и вдобавок ко всему обладает таким колоссальным богатством, какое многим даже во сне не снилось.

Воспоминание о богатстве, которым владел господин Спрутс, заставило расплыться в широчайшей улыбке пухлые, румяные щёки господина Крабса, а его несколько выпученные блестящие глазки сами собой зажмурились. Встряхнув головой и как бы очнувшись от приятного сна, господин Крабс решил, что достаточно расположил своих собеседников в пользу Спрутса, и сказал:

— Вы уже, наверно, догадываетесь, о чём мне поручил поговорить с вами господин Спрутс?

— Думаю, разговор пойдёт о покупке большой партии гигантских акций, — высказал предположение Мига.

Заметив, однако, по выражению лица Крабса, что его догадка неверна, Мига добавил:

— К сожалению, должен сказать, что из этого ничего не выйдет, так как почти все акции уже распроданы. Не сегодня-завтра наша контора закроется, и вместо неё будет открыто конструкторское бюро по проектированию летательного аппарата.

— Вот как раз тот вопрос, который очень интересует Спрутса, — ответил Крабс. — Господин Спрутс полагает, что вам совсем ни к чему затевать строительство летательного аппарата. Это чрезвычайно невыгодно, так как потребует огромных расходов. Вы растратите все денежки, которые с таким трудом выручили от продажи акций, и останетесь ни с чем.

— Господин Спрутс ошибается, — ответил Мига. — Расходы будут не так велики, в то же время появится источник новых доходов. Строительство такого необыкновенного летательного аппарата вызовет несомненный интерес у всех коротышек. Во всех газетах можно будет помещать отчёты о ходе работ, знакомить читателей с различными проектами и конструкциями. Всё это мы будем делать не даром. Наши газеты чрезвычайно падки на всякого рода новости и не пожалеют денег на оплату такой информации. А телевидение? А кино? Вы представляете, какой выгодный контракт можно будет заключить со студией телевидения на показ подготовки к этому невиданному полёту. А что будет твориться в момент старта летательного корабля или когда начнутся первые опыты по выращиванию гигантских растений? Тысячи телезрителей будут

196

сидеть у своих телевизоров словно прикованные. Денежки рекой потекут в наши карманы. Это несомненно!

— Может быть, господин Спрутс хотел бы сам взяться за строительство летательного корабля и поднажиться на этом? — высказал предположение Жулио.

— Нет, нет! — воскликнул господин Крабс. — Господин Спрутс считает, что это невыгодное и даже чрезвычайно вредное предприятие. Вы представляете себе, что может случиться, когда на нашей планете появятся эти гигантские растения? Питательных продуктов станет очень много. Всё станет дёшево. Исчезнет нищета! Кто в таком случае захочет работать на нас с вами? Что станет с капиталистами? Вот вы, например, стали теперь богатыми. Все смотрят на вас с завистью. У вас много денег. Вы можете удовлетворить все свои прихоти. Можете нанять себе шофёра, чтоб возил вас на автомашине, можете нанять слуг, чтоб исполняли все ваши приказания: убирали ваше помещение, ухаживали за вашей собакой, выколачивали ковры, натягивали на вас гамаши, да мало ли что! А кто должен делать всё это? Всё это должны делать для вас бедняки, нуждающиеся в заработке. А какой бедняк пойдёт к вам в услужение, если он ни в чём не нуждается?.. Вам ведь придётся самим всё делать. Для чего же тогда вам всё ваше богатство? Вы понимаете теперь, какая беда грозит всем богачам от этих гигантских растений? Если и настанет такое время, когда всем станет хорошо, то богачам обязательно станет плохо. Учтите это.

Мига и Жулио призадумались и сначала даже не знали, что сказать. Жулио принялся тереть рукой лоб, словно это помогало ему собраться с мыслями, и наконец буркнул сердито:

— Что же, по-вашему, мы должны отказаться от такого выгодного предприятия?

— Но вы же сами видите, что предприятие вовсе не выгодно, — сказал Крабс.

— Что же нам делать?

— А ничего и не нужно делать, — с весёлой улыбкой ответил Крабс. — Вам нужно просто исчезнуть.

— Как — исчезнуть? Вот так просто исчезнуть? Даром?! — закричал Мига.

— Ну, зачем же даром? — спокойным голосом сказал Крабс. — Прихватывайте с собой пять миллионов, которые вы успели выручить от продажи акций, и удирайте куда-нибудь подальше.

— Спасибо, что разрешаете нам взять наши же денежки! — сердито проворчал Мига. — Мы собирались выручить значительно больше.

— Ну, куда вам больше? Это же пять миллионов!

— Но на двоих! — воскликнул Мига.

— Что ж, на каждого по два с половиной миллиона — это не мало, — рассудительно сказал Крабс.

— Это, правда, не мало, но нам хотелось бы по три, — ответил Мига. — И потом у нас есть ещё Незнайка и Козлик. Мы не можем так бросить своих друзей. Необходимо дать каждому хотя бы по миллиону. Впрочем, Козлику можно дать полмиллиона.

— Нет, нет, — вмешался в разговор Жулио, — Козлику тоже нужно дать миллион. Иначе он может на нас обидеться.

— Очень похвально, что вы заботитесь о своих друзьях! — воскликнул господин Крабс. — Это значит, что у вас доброе сердце. Пожалуй, я попробую что-нибудь сделать: выпрошу у господина Спрутса для вас два миллиона. Должен, однако, предупредить, что для меня это будет трудно. Господин Спрутс — страшная жадина и не выпустит так просто денежки из своих рук. Мне придётся как следует потрудиться, прежде чем удастся уговорить его. Вот если бы вы уделили мне из своих двух миллионов хотя бы сто тысяч, я бы, так и быть, постарался для вас.

— Что ж, — сказал Мига. — Я считаю, что любой труд должен быть оплачен. Никто ни на кого не должен даром трудиться. Вы нам достаньте два миллиона, а мы вам заплатим сто тысяч.

— Договорились! — обрадовался господин Крабс. — Считайте, что я приступил к действию.

Глава семнадцатая

БОЛЬШОЙ БРЕДЛАМ

Читателю не бесполезно знать следующее. Уезжая из Грабенберга, господин Крабс договорился со Спрутсом, что в своих донесениях он будет называть Мигу и Жулио не просто по именам, а как-нибудь иначе, например, мерзавцами, мошенниками или ослами. Это было необходимо для конспирации, то есть для сохранения своих действий в тайне. Дело в том, что грабенбергские богатеи (как, впрочем, богачи и во всех других городах) устраивали друг за другом слежку, подслушивали телефонные разговоры, подкупали почтовых служащих, чтоб они узнавали содержание чужих писем и телеграмм. Всё это им нужно было, чтоб успешнее устраивать свои делишки и надувать друг друга. Господин Спрутс понимал, что если другие богачи проведают о его переговорах с Мигой и Жулио, то кто-нибудь может вообразить, будто он заинтересован в гигантских акциях. В результате все бросятся покупать эти акции в больших количествах, а от этого выгода может быть лишь для Жулио с Мигой.

Помня о своей договорённости с Крабсом, господин Спрутс ничуточки не удивился, получив телеграмму, в которой было написано:

«Два осла требуют два миллиона. Что делать? Крабс».

Прочитав эти слова, господин Спрутс понял, что речь идёт вовсе не об обычных, всем известных четвероногих длинноухих животных, а о Миге и Жулио, которых Крабс назвал ослами лишь для того, чтоб сбить с толку любителей совать свой нос в чужие дела. Всесторонне обдумав содержание полученной телеграммы, господин Спрутс вызвал свою секретаршу и велел ей ответить Крабсу следующей телеграммой:

«Тяните время. Водите за нос. Собираю большой бредлам. Спрутс».

Что означают фразы «тяните время» и «водите за нос», надо полагать, понятно каждому; слова же «собираю большой бредлам» означали, что

200

господин Спрутс решил обсудить предложение Миги и Жулио на совете капиталистов.

Нужно сказать, что все богачи, жившие в лунных городах, объединялись между собой в сообщества, которые назывались бредламами. Так, например, существовал сырный бредлам, в который входили владельцы сыроваренных фабрик; сахарный бредлам, объединявший всех сахарозаводчиков; угольный бредлам, объединявший владельцев угольных шахт, и так далее. Такие бредламы нужны были богачам для того, чтобы держать в повиновении рабочих и выколачивать из них как можно больше прибылей. Собравшись вместе, капиталисты договаривались между собой, какую заработную плату платить рабочим. Благодаря этому сговору никто не платил рабочим больше той суммы, которую капиталисты установили сообща, и рабочие, сколько ни бились, никак не могли добиться улучшения условий жизни. Кроме того, бредлам устанавливал цены на выпускаемую продукцию, например на сахар, на хлеб, на сыр, на ткани, на уголь. Никто не имел права продавать товары дешевле установленной бредламом цены, благодаря чему цены постоянно держались на высоком уровне, что опять-таки было очень выгодно для фабрикантов.

Помимо отдельных так называемых малых бредламов, существовал один так называемый большой бредлам, в который входили представители всех остальных бредламов. Председателем большого бредлама был господин Спрутс.

Через день после того как секретарша оповестила всех членов большого бредлама о том, что им необходимо явиться на совещание, большой бредлам собрался в кабинете у господина Спрутса за большим круглым столом, и господин Спрутс сделал сообщение о причинах столь экстренного заседания. Узнав, какая беда им грозит в связи с появлением гигантских растений, члены бредлама пришли в волнение и все, как один, присоединились к предложению господина Спрутса, который сказал, что всё дело с гигантскими растениями необходимо убить в зародыше, то есть ещё до того, как оно разовьётся в полную силу.

После господина Спрутса выступил мебельный фабрикант

и владелец лесопильных заводов Дубс, который прославился тем, что у него была тяжёлая, словно вытесанная из дубового чурбака, голова, туго вертевшаяся из стороны в сторону и с трудом наклонявшаяся, когда ему требовалось посмотреть вниз. Коротышек с подобного рода головами среди лунатиков принято называть дуботолками. Господин Дубс сказал, что у него имеются две очень способные и даже талантливые в своём роде личности (именно так господин Дубс и выразился), которые могут взяться за это дельце и в два счёта уберут с дороги Мигу и Жулио, а заодно и Незнайку с Козликом.

— Они, то есть, кокнут их, не говоря худого слова, где-нибудь в тёмном углу за небольшое вознаграждение, или, если сказать проще, убьют, — пояснил свою мысль господин Дубс.

Господин Спрутс сказал, что господин Дубс, видимо, его не понял, так как, говоря о том, что дело надо убить в зародыше, он вовсе не подразумевал, что кого-либо следует убить в буквальном смысле этого слова.

— Подобного рода методы в данном случае не годятся, — сказал господин Спрутс. — Поскольку дело уже получило широкую огласку, интерес к гигантским растениям лишь возрастёт, если кто-нибудь расправится с Мигой и Жулио столь энергичным способом. Это может заставить владельцев гигантских акций добиваться ускорения доставки семян с поверхности Луны, и из всех наших усилий не выйдет никакого толка. Убить нужно самую мысль о существовании гигантских растений, то есть сделать так, чтобы никто больше не верил в существование этих фантастических семян, а этого можно добиться, если Мига и Жулио сбегут с вырученными от продажи акций деньгами.

— Почему же они до сих пор не сбежали? Разве им самим интересно, чтоб у нас появились эти дурацкие семена? — задал вопрос капиталист Тупс.

Капиталиста Тупса никак нельзя было причислить к тем коротышкам, которых принято называть дуботолками, так как голова у него была вполне благообразная и свободно вертелась в любую сторону, однако ж соображал он, по всей видимости, так же туго, как и господин Дубс.

— Думаю, что эти Мига и Жулио — два очень больших хитреца, — ответил господин Спрутс. — Они понимают, что всем нам было бы чрезвычайно выгодно, если бы они убрались отсюда куда-нибудь подальше со своими семенами, и поэтому требуют с нас три миллиона.

— Три миллиона чего? — спросил, вскакивая со своего места, консервный фабрикант Скрягинс.

Этот Скрягинс был очень жёлтый и очень худой коротышка, всем своим видом напоминавший сухую воблу. Глаза у него были такие же тусклые и потухшие, как у уснувшей рыбы, и оживлялись, только когда разговор заходил о деньгах. Вот и теперь, как только Скрягинс услышал слова «три миллиона», в глазах его засветились беспокойные огоньки и он подскочил с такой живостью, словно его кто-нибудь неожиданно ткнул сзади шилом.

— Ну, чего три миллиона! — нетерпеливо ответил Спрутс. — Конечно, не три миллиона старых галош, а три миллиона фертингов.

— Ах так! — воскликнул господин Скрягинс, словно только теперь понял, о чём шла речь. — Значит, три миллиона фертингов должны дать мы им?

— Совершенно верно, — подтвердил господин Спрутс. — Мы им.

— А не они нам?

— Нет, нет. Не они нам, а мы им.

— Тогда это для нас невыгодно, — заявил Скрягинс. — Если бы три миллиона дали они нам, это было бы выгодно, а если мы им — невыгодно.

— За что же они стали бы давать нам три миллиона? — возразил господин Спрутс.

— Это верно, что не за что.

Глаза Скрягинса снова потухли. Он сел на своё место, но тут же снова вскочил, энергично затряс головой и сказал:

— Но тем не менее это... это страшно невыгодно!

Вслед за Скрягинсом выступил житель лунного города Брехенвиля миллионер Жадинг. Он сказал:

— Господин Скрягинс прав. Тяжело отдавать деньги, когда их можно не отдавать, но когда нужно отдать, то легче их вынуть всё же не из своего кармана, а из чужого... Правильно я говорю?

Косо взглянув из-под бровей на сидевших вокруг стола богачей, господин Жадинг громко захохотал, после чего продолжал:

— Сумма в три миллиона, безусловно, большая, тут и говорить нечего, но если её разложить на всех богачей, в том числе и на мелких, а мелких богачей, как известно, больше, чем крупных (известно, что всякой мелкоты значительно больше на свете, чем вещей порядочных... Верно я говорю? Ха-ха-ха!), то каждому придётся заплатить не так уж много... Таким образом, можно собрать и не три, а целых четыре миллиона и даже больше. Три миллиона отдадим этим авантюристам Миге и Жулио, пусть катятся, а остальные деньги возьмём себе за труды. Правильно я говорю?..

— Неправильно! — перебил его Спрутс. — Как только мы начнём собирать с разной мелкоты деньги, всем станет известно, для чего нам это нужно. Все поймут, что богатым не хочется, чтоб появились эти фантастические растения. Вот тогда докажи попробуй, что на свете

нет никаких гигантских растений. Нет, господа, деньги на это дело должны дать только мы с вами — только те, кто сейчас находится в этой комнате. И никто — понимаете, никто, — ни одна живая душа не должна знать, о чём у нас здесь разговор был. А вам, господин Жадинг, должно быть стыдно! Тут вопрос стоит о сохранении всех наших богатств, а вы и в этот момент думаете только о том, чтоб погреть руки, хотите прикарманить лишнюю сотню фертингов. Стыдитесь!

— Ну что ж, — замахал руками господин Жадинг, — сотня фертингов, она, что ж... Сотня фертингов — всегда сотня фертингов. Правильно я говорю?.. Сотня фертингов на дороге не валяется. Разве вам самому не нужна сотня фертингов? А не нужна, так дайте мне её. Правильно я говорю?

Миллионер Жадинг долго ещё бормотал что-то о сотне фертингов, но наконец он унялся. Господин Спрутс решил, что со всем этим делом уже

покончено, но тут слово попросил господин Скуперфильд, являвшийся владельцем огромнейшей макаронной и вермишельной фабрики, известной под названием «Макаронное заведение Скуперфильда».

Господин Скуперфильд, точно так же как и господин Жадинг, был жителем лунного города Бреханвиля. Нужно сказать, что среди бреханвильцев никто не прославился больше, чем эти Жадинг и Скуперфильд. Справедливость всё же требует упомянуть, что прославились они оба не какими-нибудь добрыми делами, а исключительно своей скупостью. Жители Бреханвиля никак не могли прийти к окончательному решению, кто же из этих двух скупцов более скуп, и из-за этого вопроса между ними постоянно возникали раздоры. Если кто-нибудь утверждал, что более скуп Скуперфильд, то тут же находился другой коротышка, который начинал доказывать, что более скуп Жадинг. Оба спорщика приводили сотни примеров в подтверждение своей правоты, каждый призывал на помощь свидетелей и очевидцев, так или иначе пострадавших от скупости того или иного скряги, в спор постепенно втягивались всё новые и новые коротышки, и дело нередко кончалось дракой.

Читателю небезынтересно будет узнать, что, несмотря на абсолютное сходство характеров, Жадинг и Скуперфильд были полной противоположностью друг другу по виду. Жадинг по своей внешности очень напоминал господина Спрутса. Разница была в том, что лицо его было несколько шире, чем у господина Спрутса, а нос чуточку уже. В то время как у господина Спрутса были очень аккуратные уши, у Жадинга уши были большие и нелепо торчали в стороны, что ещё больше увеличивало ширину лица. Что касается Скуперфильда, то он, наоборот, по виду больше смахивал на господина Скрягинса: такое же постное, как у вяленой воблы, лицо, но ещё более, если так можно сказать, жилистое и иссохшее; такие же пустые, рыбьи глаза, хотя в них наблюдалось несколько больше живости. В отличие от Скрягинса, господин Скуперфильд был абсолютно лыс, то есть на его голове не было ни одного волоса; худая кожа настолько туго обтягивала его череп, что казалось, будто голова у него была костяная. Губы у него были тоненькие, совершенно бескровные. Голос к тому же у него был крайне неблагозвучный: какой-то резкий, дребезжащий, скрежещущий. Когда он говорил, то казалось, будто кто-то залез на крышу дома и скоблит там по ржавому железу тупым ножом.

Несмотря на то что уши у господина Скуперфильда были так же велики, как и у господина Скрягинса, слышал он чрезвычайно скверно. Ему постоянно чудилось, будто его кто-то о чём-то спрашивает, поэтому он поминутно вертел во все стороны головой, прикладывал к уху ладонь и препротивно пищал:

«А? Что??.. Вы что-то сказали? Я что-то вас плохо расслышал...» — хотя никто и не думал обращаться к нему с вопросом.

Каждый, кто впервые видел господина Скуперфильда, ни за что не поверил бы, что перед ним миллионер, настолько он весь был худой и, если так можно выразиться, узловатый. Нужно, однако ж, сказать, что худел господин Скуперфильд вовсе не от того, что ему нечего было кушать, а от собственной жадности. Каждый раз, когда ему приходилось истратить фертинг, он так нервничал, так терзался от жадности, что терял в весе. Чтобы возместить эти потери, он съедал ежедневно по четыре завтрака, по четыре обеда и четыре ужина, но всё равно не мог потолстеть, так как ему не давала покоя мысль, что он истратил на пищу слишком уж большую сумму денег.

Господин Скуперфильд прекрасно знал, что его жадность вредит его же здоровью, но со своей собачьей натурой (так он говорил сам) ничего поделать не мог. Он почему-то забрал себе в голову, что его и без того колоссальное состояние непрестанно должно расти, и, если ему удавалось увеличить свой капитал хоть на один фертинг, он готов был прыгать от радости; когда же необходимо было истратить фертинг, он приходил в отчаяние, ему казалось, что начинается светопреставление, что скоро все фертинги, словно под воздействием какой-то злой силы, уплывут из его сундуков и он из богача превратится в нищего.

Если другие богачи всецело владели своими деньгами, пользовались ими для своих прихотей и удовольствий, то в отношении Скуперфильда можно было сказать, что деньги всецело владели им. Он полностью находился в их власти, был у своих денег покорным слугой. Он старательно лелеял, берёг и растил свои капиталы, не имея от них никакой хотя бы самой ничтожной для себя пользы.

Никто, впрочем, не видел в поведении Скуперфильда ничего особенно ненормального, поскольку в обществе, где наибольшей ценностью считались

деньги, такое поведение казалось естественным, и никому не приходило в голову, что господина Скуперфильда давно следовало отвести к врачу и лечить его с той же заботливостью, с какой лечат каждого повредившегося в уме.

Попросив слова, господин Скуперфильд встал, нацепил на нос очки и принялся тереть ладонью свою облезшую голову, словно старался разогреть застывшие в мозгу мысли. Как раз в этот момент ему почудилось, будто кто-то что-то сказал, поэтому он приложил по своей привычке к уху руку, принялся вертеться в разные стороны и заскрипел своим заржавевшим голосом:

— А?.. Что?.. Вы, кажется, что-то сказали?.. Я вас что-то плохо расслышал... А?

Убедившись, однако, что все сидят молча, он успокоился и сказал:

— Господа, прошу слушать меня внимательно, потому что для глухих повторять свои слова я по два раза не буду. А?..

И попрошу не перебивать меня... Так вот, о чём я хотел сказать?.. Гм! Да! Тьфу! Забыл!.. Никто, господа, не знает, о чём я хотел сказать? — Он принялся вертеться по сторонам и бормотать про себя: — Гм! Да! Тьфу! Столько ослов вокруг, и никто не знает, о чём я хотел сказать!.. Да! — воскликнул он вдруг и стукнул по полу палкой с костяным набалдашником, которую постоянно держал в руках. — Вот о чём — о деньгах! О чём же ещё? Конечно, о деньгах. Тьфу! Об этих треклятых трёх миллионах, чтоб им провалиться сквозь землю!.. Кто сказал, что три миллиона надо платить? А?.. Крабс сказал? А кто он, ваш Крабс? Он жулик, ваш Крабс! Что я, Крабса не знаю? А?..

Я всех знаю отлично! Все жулики! Прошу не перебивать!.. А если бы Крабс сказал, что четыре миллиона надо платить, вы бы четыре вынули? А?.. Может быть, вовсе не три миллиона надо платить, а только два или один? Может, ни одного? А?.. Прошу не перебивать! Я не перебивал вас! Может быть, Крабс всё это затеял, чтоб положить три миллиона в карман? Вы не знаете?

А я знаю!.. Прошу не перебивать! Я вот поеду в Давилон и поговорю сам с этими Мигой и Жулио. Пусть они убираются бесплатно к лешему! Мало им того, что они выручили от продажи акций, они ещё к нам залезть в карман норовят! Это разбой! Я докажу им! Я им по морде дам палкой!

Сказав это, господин Скуперфильд принялся размахивать своей тростью с костяным набалдашником и стучать ею по столу, после чего начал вылезать из-за стола, чтобы тотчас ехать в Давилон к Миге и Жулио.

Сидевшие рядом капиталисты вскочили и принялись успокаивать его, но он не хотел успокаиваться и с такой силой размахивал палкой, что некоторым капиталистам изрядно досталось. В конце концов его всё же усадили на стул, положили на макушку холодный компресс, и только после этого он понемногу утихомирился.

Увидев, что тишина восстановилась, господин Спрутс решил, что заседание можно продолжать, и сказал:

— Я думаю, все вы понимаете, господа, что дело это необычайно тонкое. Его надо решить сразу, одним ударом. Если каждый из нас станет ездить в Давилон и торговаться с Мигой и Жулио, это может лишь повредить нам. Как только Миге и Жулио станет ясно, что нам очень хочется избавиться от них, они потребуют от нас ещё больше. Откровенно скажу, что эти Мига и Жулио просто два дурака, так как запросили с нас слишком мало. Нам надо поскорее воспользоваться этим, пока они не передумали. Я предлагаю не торговаться из-за пустяков и принять решение быстро. Здесь нас тридцать один член большого бредлама. Если разделить три миллиона на тридцать один, то получится меньше, чем по сто тысяч фертингов. Для каждого из нас эта сумма просто ничтожная.

— Господа! — закричал, вскакивая, Скуперфильд. — Господа, зачем вам делить три миллиона на тридцать один? Это же трудно! Гораздо легче поделить три миллиона на тридцать. Не считайте меня. Вас останется ровно тридцать. Три миллиона поделите на тридцать, получится ровно по сто тысяч с каждого. Таким образом, вам не придётся тратить время на расчёты, а время, как известно, дороже денег, потому что деньги можно вернуть, а потраченное время не вернёшь ни за что на свете…

Говоря это, Скуперфильд вылез из-за стола и начал пробираться к двери — как был, с компрессом на голове. Увидев этот манёвр, Спрутс закричал:

— Держите его! Не дайте ему сбежать!

Несколько капиталистов бросились ловить Скуперфильда, однако он проявил необычную прыть: ударом трости сшиб кинувшегося ему наперерез владельца многочисленных ночлежных домов господина Дрянинга, толчком ноги распахнул дверь и загремел вниз по лестнице.

Заметив, что капиталисты Скрягинс и Жадинг тоже вылезли из-за стола с явным намерением дать тягу, господин Спрутс велел секретарше запереть дверь на ключ и сказал:

— Господа, прежде всего мы должны осудить этот недостойный поступок и исключить Скуперфильда из членов нашего сообщества. Отныне никто не должен иметь с ним никаких дел. Наш бредлам будет всячески преследовать его. Скоро он поймёт, что, нарушив наши правила и выбыв из членов бредлама, он потерял значительно больше, чем ему кажется… А теперь, господа, может быть, ещё кому-нибудь хочется отправиться вслед за Скуперфильдом?..

Господин Спрутс обвёл взглядом собрание и, увидев, что больше никто не выказывает поползновения удалиться, закончил:

— Если нет, то не будем больше тратить попусту время и заплатим деньги.

Все богачи принялись вытаскивать из карманов свои чековые книжки и авторучки. Известно, что капиталисты никогда не платят деньги наличными, а выписывают чеки, по которым всегда можно получить деньги в банке.

ЧАСТЬ III

Глава восемнадцатая

КАК СКУПЕРФИЛЬД ПОПАЛ В ЛОВУШКУ

Спрятав полученные чеки в несгораемый шкаф, господин Спрутс распрощался с капиталистами и велел секретарше отправить Крабсу следующую телеграмму:

«Бредлам состоялся. Двум ослам один на двоих. Телеграфируйте согласие. Спрутс».

Получив эту телеграмму, Крабс понял, что Спрутс решил дать Миге и Жулио не два, а лишь один миллион. Это нисколько не удивило Крабса, так как он хорошо знал, что господин Спрутс действует всегда осмотрительно и на ветер денег бросать не станет. Крабса удовлетворяло то, что Спрутс не отказался уплатить деньги, и теперь можно было надеяться, что, согласившись распроститься с одним миллионом, он под конец расстанется и с двумя.

Всесторонне обдумав создавшееся положение, господин Крабс решил ничего не говорить о полученной телеграмме Миге и Жулио, так как, узнав её содержание, они тоже пришли бы к мысли, что дела складываются, в общем, успешно, и могли бы ещё больше повысить цену за своё исчезновение. Встретившись с ними, господин Крабс сказал, что никаких известий от господина Спрутса нет, но надежды на успешное завершение дела терять не следует.

Его заявление всё же опечалило господина Жулио, которому не терпелось поскорее удрать со всеми деньгами.

— Очень жаль, что господин Спрутс не торопится, — сказал Жулио. — Наша торговля акциями подходит к концу, и сейчас как раз самое время сматать удочки, то есть, попросту говоря, улетучиться.

— Хорошо, — сказал Крабс. — Я пошлю телеграмму Спрутсу и попытаюсь ускорить дело.

В действительности Крабс никому не стал в этот день телеграфировать. Вместо этого он пошёл в ресторан и сытно пообедал. Потом вернулся к себе в гостиницу, всхрапнул часок, потом искупался в плавательном бассейне, после чего снова встретился с Мигой и Жулио. Собравшись втроём, друзья сначала поужинали, а потом отправились в ночной театр, где за небольшую плату разрешалось швырять в актёров гнилыми яблоками, и как следует повеселились.

Проснувшись на следующий день, господин Крабс никому не сказал ни слова и отправил Спрутсу такую телеграмму:

«Два осла требуют два. На один не согласны. Что делать? Крабс».

В ответ от Спрутса в тот же день была получена телеграмма, в которой стояло лишь одно слово:

«Уговаривайте».

Получив эту телеграмму, Крабс выждал ещё денёк и, ничего не сказав ни Миге, ни Жулио, ответил Спрутсу двумя словами:

«Уговаривал. Упираются».

Неизвестно, до чего бы дошёл этот обмен телеграммами, если бы на следующее утро в гостинице, где остановился господин Крабс, не появился вдруг Скуперфильд со своей палкой в руках и в обычном своём наряде, который состоял из чёрного длиннополого пиджака с двумя разрезами на спине, чёрных брюк и чёрной высокой шляпы, известной под названием цилиндра. Столкнувшись с Крабсом, который как раз в этот момент выходил из гостиницы, Скуперфильд раскрыл широко объятия и завизжал своим отвратительным голосом:

— А, здравствуйте, господин Крабсик! Очень рад видеть вас!

— Здравствуйте, — сказал Крабс, стараясь растянуть свои губы в улыбке, хотя видно было, что встреча с этим всемирно известным скрягой не доставляла ему никакой радости.

— Как поживаете? Как ваше здоровье? — явно стараясь завязать разговор, спросил Скуперфильд.

— Здоровье моё хорошо, — сказал Крабс.

— Я тоже себя паршиво чувствую, — подхватил Скуперфильд, не расслышав ответа Крабса, и продолжал: — Какое счастье встретить знакомое лицо в этом чёртовом Давилоне. Наш Брехенвиль в тысячу раз лучше. Вы не находите?

— Брехенвиль — город прекрасный, но в Давилоне тоже неплохо, уверяю вас.

— Совершенно с вами согласен, — закивал головой Скуперфильд, — такого скверного городишки я ещё нигде не видал, провалиться бы ему тут же на месте! У меня к вам вопрос. Вы, я вижу, живёте в этой гостинице. Как она, по-вашему, хороша?

— Очень хорошая гостиница, — подтвердил Крабс.

— Но дорогая, должно быть? А?

— Да, несколько дороговата.

— Вот видите, провались она тут же на месте! У меня есть предложение. Если хотите, я не буду брать для себя номер, а поселюсь в одном номере с вами. Таким образом, каждому из нас придётся платить вдвое дешевле. А?

Господину Крабсу не очень улыбалась перспектива иметь такого сожителя, однако, пока шёл весь этот разговор, он успел сообразить, что Скуперфильд неспроста прибыл в Давилон. Подумав об этом, он решил потесниться и, пользуясь близостью к Скуперфильду, постараться выведать его планы.

Вернувшись с господином Скуперфильдом в свой номер, господин Крабс сказал:

— Располагайтесь, пожалуйста. Места, как видите, на двоих хватит.

Окинув помещение взглядом и изобразив на лице подобие улыбки, которую с таким же успехом можно было принять за гримасу отвращения, господин Скуперфильд поблагодарил Крабса и отправился прямо в ванную. Там он стащил с головы цилиндр, вынул из него зубную щётку и зубной порошок, полотенце, полдюжины носовых платков, запасные носки, два старых гвоздя и кусок медной проволоки, подобранные им где-то на улице. По всей очевидности, цилиндр у господина Скуперфильда служил не только в качестве головного убора, но и в качестве дорожного чемодана, а также склада для утильсырья.

Спрятав все эти вещи в шкафчик, господин Скуперфильд достал из своего цилиндра ещё кусок земляничного мыла, но тут же заметил на полочке у рукомойника другой, точно такой же кусок мыла, принадлежавший Крабсу. Положив своё мыло рядышком, господин Скуперфильд некоторое время смотрел на оба эти куска, после чего принялся старательно намыливать руки и щёки, однако не своим мылом, а тем, которое лежало рядом. При этом он от души радовался, что ему удалось навести таким образом экономию.

Умывшись как следует, господин Скуперфильд решил также почистить зубы, причём совал зубную щётку не в ту коробочку, где был его порошок, а в ту, которая принадлежала Крабсу. Почистив зубы, господин Скуперфильд ещё долгое время открывал то одну коробочку, то другую, стараясь

определить, какой порошок лучше пахнет — тот, который принадлежал ему, или принадлежавший Крабсу. Кончились эти эксперименты тем, что он чихнул как раз в тот момент, когда совал свой нос в коробку, и весь порошок взвился кверху на манер облака.

Увидев, какой колоссальный расход зубного порошка произошёл по его собственной неосторожности, господин Скуперфильд пришёл в уныние. Заметив, однако, что держал в руках не свою коробку, а принадлежавшую Крабсу, Скуперфильд моментально утешился. Убедившись к тому же, что в коробке осталось ещё немного зубного порошка, он пересыпал часть его в собственную коробку и, окончательно придя в хорошее настроение, вернулся в комнату.

— Как хорошо, что я встретился с вами, — сказал он поджидавшему его Крабсу. — Я, правда, хотел поговорить сперва с этими двумя слабоумными Мигой и Жулио, но думаю, что большой разницы не будет, если поговорю с вами. Я даже думаю, что так будет лучше. Объединившись вместе, мы можем обтяпать выгодное дельце. Вы меня понимаете?

— В чём же заключается ваше дельце? — заинтересовался Крабс.

— Как вам уже должно быть известно, большой бредлам согласился уплатить двум этим аферистам три миллиона фертингов... — начал господин Скуперфильд.

Господину Крабсу как раз ничего о трёх миллионах фертингов не было известно, поскольку он знал, что требования Миги и Жулио ограничивались двумя миллионами. Он, однако, тут же сообразил, что господин Спрутс решил поднажиться на этом деле и увеличить сумму, с тем чтоб миллион фертингов отложить в свой карман. Не подав вида, что узнал от Скуперфильда важную тайну, господин Крабс сказал:

— Да, да, мне это, конечно, известно.

— Ну так вот, — продолжал Скуперфильд. — Могу вас уверить, что большой бредлам согласится дать не три, а четыре и даже пять миллионов. Мы с вами можем подсказать Миге и Жулио, что требовать нужно пять миллионов, и поставим условие, чтоб, получив деньги, они отдали миллион нам. Ведь нам с вами неплохо будет получить по полмиллиончика, а? Денежки не маленькие! А?

Слушая Скуперфильда, Крабс прикидывал в уме все выгодные и невыгодные стороны предлагаемого Скуперфильдом дельца. Он, конечно, сразу понял, что для него самого это дело невыгодное, так как, выступив против большого бредлама, он рисковал навлечь на себя гнев всесильных капиталистов, которые не простили бы ему, если бы он одурачил их. Вместе с тем Крабс видел, что Скуперфильд затеял опасную игру. Сбитые с толку, Мига и Жулио могли бы не остановиться на требовании пяти миллионов, и тогда неизвестно, чем бы всё это кончилось. Выведав в разговоре, что Скуперфильд отказался внести свою долю денег и удрал с заседания большого бредлама, Крабс решил не раскрывать ему своих планов и сказал:

— Охотно помогу вам, господин Скуперфильд. Если хотите, мы хоть сейчас отправимся к Миге и Жулио. Они живут на даче за городом. Мы мигом домчим на моей машине. Заодно можно будет и пообедать у них.

— Пообедать, что ж, это можно, — обрадовался Скуперфильд. — Хорошо бы и пообедать, а то здесь в ресторанах такие цены

дерут с посетителей, чтоб им провалиться на месте, прямо никаких капиталов не хватит. Можно и пообедать.

— Вот и хорошо, — сказал Крабс. — С вашего разрешения я только на минуточку отлучусь, и мы поедем.

Выйдя из номера, господин Крабс подозвал посыльного и велел ему отнести на почту следующую телеграмму Спрутсу:

«С ослами пора кончать. В городе появился брехенвильский скупец Скуперфильд. За последствия не отвечаю. Крабс».

— Вот и всё, — сказал он, вернувшись в номер. — Теперь можно и отправляться.

Господин Скуперфильд надел свой цилиндр, и через пять минут они уже мчались по городу в шикарной восьмицилиндровой автомашине, принадлежавшей Крабсу. Настроение у Скуперфильда было отличное. Он от души радовался тому, что бесплатно прокатится на шикарной машине и вдобавок пообедает на дармовщинку, не говоря уже о том, что предстояла возможность обтяпать, как он выражался, выгодное дельце.

Совершив несколько поворотов и промчавшись по улицам, машина выехала

из города и понеслась по ровному и прямому, словно стрела, асфальтированному шоссе. По правую и левую сторону дороги тянулись поля то с цветущим лунным подсолнечником, то с гречихой, распространявшей в воздухе приятный, сладковатый медовый запах, то с волнующейся, словно море, колосящейся лунной пшеницей. Машина проносилась мимо деревень с садами и огородами. Скуперфильд оживлённо вертел во все стороны головой. Вид природы приводил его в восхищение. Заметив на лугу стадо овец или пасущуюся козу на привязи, он толкал Крабса под локоть и, волнуясь, кричал:

— Смотрите, смотрите, овечки! Честное слово, овечки, чтоб мне провалиться на месте! Какие миленькие! А вон коза! Смотрите, коза! Да что же вы не смотрите?

Крабс, который сидел за рулём, только посмеивался втихомолку. Неожиданно дорога описала большую дугу, и за поворотом открылся зелёный луг с огромным прудом, посреди которого плавали белые гуси. Вид спокойной воды с цветущими лилиями и кувшинками, с белоснежными птицами, без всякого усилия державшимися на зеркальной глади пруда, до такой степени подействовал на господина Скуперфильда, что он застыл от восторга и не мог произнести ни слова. Вцепившись в рукав господина Крабса, он некоторое время молча тряс его руку, после чего закричал прямо в ухо:

— Гуси! Гуси!

— Да что вы, гусей никогда в жизни не видели? — удивился Крабс.

— Не видел, чтоб мне провалиться на месте, честное слово! То есть, вернее сказать, не помню уже, когда видел. Ведь я, честно сказать, никогда не бываю за городом.

— Вы это серьёзно? — недоверчиво спросил Крабс.

— Честное слово, господин Крабс. Когда же мне? Я всю жизнь занимался добычей денег и ни разу даже в зоопарке не был. Да и чего я туда пойду? Ведь за вход надо деньги платить. Этак-то вконец разориться можно!.. Скажите, вот ещё что выдумали! Я ведь не съем этих зверей, если посмотрю на них. За что же тут деньги платить?

— Но зверей ведь тоже чем-нибудь надо кормить, вот деньги и нужны на корм, — сказал Крабс.

— Вот ещё! — проворчал Скуперфильд. — Ну и пусть дураки деньги зверям на корм дают, а мне это не по карману. Думаю, звери как-нибудь и без меня проживут.

— Но вы, я вижу, всё-таки очень любите животных, — сказал господин Крабс.

— Люблю, чтоб мне провалиться, это вы верно подметили. Иной раз увидишь какую-нибудь зверушку, так и хочется её приласкать или погладить, слово какое-нибудь хорошее ей сказать, даже поцеловать... Вот, не верите? Честное слово! Один раз встретил на улице собачонку. Настолько хорошенький оказался цуцик, что я тут же решил зайти в магазин и купить ему ливерной колбасы, да, к счастью, не оказалось при себе мелких денег, а менять бумажку в десять фертингов не захотелось. Деньги, знаете, такая вещь: пока десятка целенькая — это десятка, а истратить из неё хоть пять сантиков — это уже не десятка. Гм!

— Вот приедем к Миге и Жулио, вы у них увидите разных животных, — сказал господин Крабс. — У них на даче пруд, а на пруду этом и гуси, и утки, и селезни, даже лебеди есть.

— Неужели и лебеди?

— Да, а в саду прямо на воле живут кролики, цесарки, фазаны. Кроме того, у них маленький ручной медвежонок есть. Такой симпатичный!

— Да что вы? И не кусается?

— Зачем же? Ласковый, как ягнёнок.

— И его можно погладить?

— Конечно. Вот приедем, и можете гладить сколько угодно.

Господин Скуперфильд даже заёрзал на месте от нетерпения. Ему хотелось поскорее увидать медвежонка и приласкать его.

Господин Крабс между тем уже давно свернул с шоссе и вывел машину на лесную дорогу, по обоим сторонам которой возвышались лунные кедры, дубы, каштаны, а также заросли лунного бамбука. Все эти деревья были не такие большие, как наши земные, а карликовые, как и остальные растения на Луне. Выбрав место, где деревья росли не особенно густо, господин Крабс сбавил скорость, повернул руль, и машина поехала по лесу, совсем уж без всякой дороги.

Ощутив тряску и оглядевшись по сторонам, господин Скуперфильд обнаружил, что они едут по лесной целине, и спросил:

— Зачем же это мы свернули с дороги?

— А это мы напрямик, — сказал Крабс. — Так будет быстрее.

Углубившись достаточно в лес, Крабс неожиданно остановил машину, после чего вылез из кабины и, открыв капот, принялся ковыряться в моторе. Выключив незаметно систему зажигания, он залез обратно в машину и принялся нажимать ногой на педаль стартера. Стартер скрежетал, словно бил по железу плетью, но мотор не хотел заводиться.

— Заело? — сочувственно спросил Скуперфильд.

— Заело! — озабоченно подтвердил Крабс.

Он снова вылез из кабины, поковырялся в моторе, опять попробовал завести его. Наконец сказал:

— Должно быть, двигатель перегрелся. Придётся нам с вами пройтись пешочком. Здесь, впрочем, недалеко.

Скуперфильд нехотя вылез из кабины. Господин Крабс открыл багажник, вынул из него свёрнутую жгутом верёвку и незаметно сунул её в карман, после чего захлопнул дверцы кабины и зашагал прямо в лесную чащу. Господин Скуперфильд плёлся за ним, спотыкаясь о кочки и чертыхаясь про себя на каждом шагу.

Вскоре господин Крабс увидел, что место, куда они зашли, было достаточно глухое, и, остановившись, сказал:

— Кажется, мы не туда забрели. Что вы на это скажете?

— Что же я могу, голубчик, сказать? Ведь не я вас веду, а вы меня, — резонно заметил Скуперфильд.

— Это действительно верно! — проворчал Крабс. — Ну ничего, сейчас я взберусь на дерево и погляжу сверху, в какую сторону нам идти. Помогите-ка мне вскарабкаться вот хотя бы на этот кедр.

Они вместе подошли к кедру, который был несколько выше других деревьев. Поглядев вверх и обнаружив, что сучья, за которые можно было бы ухватиться руками, находятся на большой высоте, господин Крабс прислонил Скуперфильда спиной к стволу и сказал:

— Стойте здесь, сейчас я заберусь к вам на плечи и тогда смогу дотянуться руками до веток. Подождите только чуточку, я сначала сниму ботинки.

Крабс наклонился, но не стал снимать ботинки, а незаметно вытащил из кармана верёвку и в один миг привязал Скуперфильда к стволу поперёк живота.

— Эй! Эй! — закричал Скуперфильд. — Зачем это вы делаете?

— Ну, мне ведь надо привязать вас к дереву, а то вы ещё упадёте, когда я стану взбираться к вам на плечи, — объяснил Крабс.

Сказав так, Крабс принялся бегать вокруг кедра, не выпуская верёвки, в результате чего и руки и ноги господина Скуперфильда были плотно прихвачены к дереву, да и он сам оказался обмотанным верёвкой, словно булонская колбаса.

— Эй, бросьте шутить! — кричал Скуперфильд, чувствуя, что не в силах пошевелить ни одним членом. — Освободите меня сейчас же, или я позову на помощь.

— Зачем же на помощь звать? — возразил Крабс. — Я и сам помогу, если вам что-нибудь надо.

С этими словами Крабс поднял свалившийся со Скуперфильда цилиндр и водрузил обратно ему на голову, а оброненную им трость поставил рядышком, прислонив к стволу дерева.

— Вот видите, как хорошо, — сказал он.

— Развяжите меня, или я буду плеваться! — завопил Скуперфильд.

— Зачем же плеваться? Это невежливо, — ответил Крабс.

Скуперфильд, однако, плюнул, но не попал в Крабса.

— Вот видите, как нехорошо, — хладнокровно сказал Крабс. — Теперь я вынужден буду заткнуть вам рот.

Он вытащил из кармана кусок грязной тряпки, служившей для протирки автомашины, скомкал его и сунул в рот Скуперфильду, а чтоб он не мог выплюнуть этот кляп, завязал ему ещё рот носовым платком. Теперь Скуперфильд имел возможность только потихоньку мычать и трясти головой.

— Ну что ж, — сказал Крабс, внимательно оглядев Скуперфильда со всех сторон. — Кажется, всё сделано правильно. Дышите тут воздухом, наслаждайтесь природой. Думаю, что к концу дня я успею вернуться и освободить вас. А сейчас пока советую вам не тратить зря силы и не пытаться вырваться. Всё равно это ни к чему не приведёт.

Помахав Скуперфильду на прощание ручкой, господин Крабс вернулся к оставленной посреди леса машине, сел в неё и поехал обратно в город.

Глава девятнадцатая

БЕГСТВО

Первое, что увидел господин Крабс, вернувшись в гостиницу, была телеграмма, полученная от Спрутса:

«С ослами кончайте. Два миллиона получите в банке. Об исполнении телеграфируйте. Спрутс».

Прочитав телеграмму, Крабс тут же позвонил по телефону Миге и Жулио и вызвал их к себе.

— Вот что, ребятушки, — сказал он, как только Мига и Жулио приехали. — Теперь надо действовать без промедления. Купите большой чемодан, уложите в него все денежки, вырученные от продажи акций, и приезжайте сюда с этими вашими Козликом и Незнайкой. Здесь вас будет ждать другой чемодан с двумя миллионами, которые я получу для вас в банке. Отсюда мы с вами двинемся в Грабенберг, а из Грабенберга вы можете отправляться дальше, куда вам вздумается. Вы куда решили уехать?

— В Сан-Комарик. Есть такой город на берегу моря. Поживём в Сан-Комарике, пока не надоест, а потом отправимся путешествовать, — ответил Мига.

— Вот и замечательно! — сказал Крабс. — В Сан-Комарике можно прекрасно повеселиться. Впрочем, с деньгами везде хорошо.

— Думаю, что всем сразу не следует уезжать, — сказал Жулио. — Это может показаться подозрительным. Мы с Мигой уедем сегодня, а Незнайка с Козликом могут уехать завтра. Мы им купим билет на поезд.

— Можно и так, — согласился Крабс. — Действуйте, а я отправлюсь в банк за деньгами.

Расставшись с Мигой и Жулио, Крабс не поехал сразу же в банк, а заехал сначала в редакцию газеты «Давилонские юморески». Хозяином этой газеты был не кто иной, как господин Спрутс, иначе говоря, она издавалась на Спрутсовы средства. Здание редакции, а также все печатные машины и всё оборудование типографии принадлежали Спрутсу. Все сотрудники, начиная от редактора и кончая самым незначительным наборщиком, оплачивались из денег, которые давал Спрутс. Правда, и доход, который получался от продажи газет, целиком поступал в распоряжение Спрутса.

Нужно, однако, сказать, что доход этот был не так уж велик и частенько не превышал расходов. Но господин Спрутс и не гнался здесь за большими барышами. Газета нужна была ему не для прибыли, а для того, чтоб беспрепятственно рекламировать свои товары. Осуществлялась эта реклама с большой хитростью. А именно: в газете часто печатались так называемые художественные рассказы, причём если герои рассказа садились пить чай, то автор обязательно упоминал, что чай пили с сахаром, который производился на спрутсовских сахарных заводах. Хозяйка, разливая чай, обязательно говорила, что сахар она всегда покупает спрутсовский, потому что он очень сладкий и очень питательный. Если автор рассказа описывал внешность героя, то всегда, как бы невзначай, упоминал, что пиджак его был куплен лет десять — пятнадцать назад, но выглядел, как новенький, потому что был сшит из ткани, выпущенной Спрутсовской мануфактурой. Все положительные герои, то есть все хорошие, богатые, состоятельные или так называемые респектабельные коротышки, в этих рассказах обязательно покупали ткани, выпущенные Спрутсовской фабрикой, и пили чай со спрутсовским сахаром. В этом и заключался секрет их преуспевания. Ткани носились долго, а сахару, ввиду будто бы его необычайной сладости, требовалось немного, что способствовало сбережению денег и накоплению богатств. А все скверные коротышки в этих рассказах покупали ткани каких-нибудь других фабрик и пили чай с другим сахаром, отчего их преследовали неудачи, они постоянно болели и никак не могли выбиться из нищеты.

Помимо подобного рода «художественных» рассказов, в газете печатались обычные рекламные объявления, прославлявшие спрутсовский сахар и изделия Спрутсовской мануфактуры. Само собой разумеется, что ни рекламные объявления, ни художественные рассказы не могли привлечь особенного внимания публики, поэтому в газете ежедневно печатались сообщения об интересных событиях и происшествиях, а также различные юморески, то есть крошечные забавные рассказики или анекдотцы, специально для того, чтоб насмешить простодушных читателей. Читатель, купивший газету с целью почитать юморески, заодно

проглатывал и «художественные» рассказы, что, собственно говоря, от него и требовалось.

Войдя в кабинет редактора, которого, кстати сказать, звали Гризлем, господин Крабс увидел за столом, заваленным разными рукописями, коротышку, с виду напоминавшего толстую старую крысу, нарядившуюся в серый пиджак. Первое, что в нём бросалось в глаза, было удлинённое, как бы вытянутое вперёд лицо с гибким, подвижным носиком, узеньким ртом и коротенькой верхней губой, из-под которой выглядывали два остреньких, ослепительно белых зуба.

Увидав Крабса, с которым давно был знаком, господин Гризль расплылся в улыбке, отчего оба зуба ещё больше вылезли из-под верхней губы и упёрлись в коротенький подбородок.

— Что-нибудь спешное и, насколько я могу догадаться, важное? — спросил Гризль, поздоровавшись с Крабсом.

— Вы догадливы, как всегда! — рассмеялся Крабс.

— Догадаться, впрочем, нетрудно, так как мелкие распоряжения господин Спрутс всегда отдаёт письменно или диктует по телефону, — ответил Гризль.

— На этот раз дело такое, которое ни телефону, ни почте доверить нельзя, — сказал Крабс.

Оглянувшись на дверь и убедившись, что она плотно закрыта, господин Крабс придвинулся к Гризлю поближе и, понизив голос, сказал:

— Дело касается гигантских растений.

— А что, Общество гигантских растений может лопнуть? — насторожился Гризль и пошевелил своим носом, как бы к чему-то принюхиваясь.

— Должно лопнуть, — ответил Крабс, делая ударение на слове «должно».

— Должно?.. Ах, должно! — заулыбался Гризль, и его верхние зубы снова впились в подбородок. — Ну, оно и лопнет, если должно, смею уверить вас! Ха-ха!.. — захохотал он, задирая кверху свою крысиную голову.

— Нужно поместить в газете небольшую статью, которая бросила бы тень на это общество, — принялся объяснять Крабс. — Владельцы гигантских акций должны почувствовать, что они имеют дело с жуликами и что все их акции, в сущности, не представляют никакой ценности. Однако ж ничего категорически утверждать не следует. Надо только посеять некоторое сомнение.

— Понимаю, — ответил Гризль. — Достаточно небольшого сомнения, чтобы все бросились продавать акции. Не пройдёт и двух дней, как они вместо фертинга будут продаваться по пятачку. Должно быть, господин Спрутс хочет скупить эти акции по дешёвке, с тем чтобы продать, когда они снова повысятся в цене?

— Господин Спрутс ничего не говорил мне о своих планах, — холодно сказал Крабс. — Наше дело, чтоб в завтрашней газете появилась эта статья, остальное нас не касается.

— Понимаю, — закивал головой господин Гризль.

— И ещё одно, — сказал Крабс. — Никто об этой статье не должен заранее знать.

— Понимаю. Я сам лично займусь этим делом, — ответил Гризль.

Как только Крабс очутился за дверью, господин Гризль взял свою авторучку, положил перед собой чистый листок бумаги и, склонив голову, принялся быстро писать. Буквы у него получались какие-то толстенькие и вместе с тем остроносенькие, с длинными, свешивающимися вниз хвостами. При взгляде со стороны казалось, что он не писал вовсе, а аккуратно рассаживал на полочках жирных хвостатых крыс.

Усадив этими крысами всю страничку, господин Гризль нажал кнопку электрического звонка.

— Отдайте это моментально в набор, — сказал он появившейся в дверях секретарше и протянул ей исписанный листок. — Да смотрите —

никому ни гугу, — добавил он, прикладывая палец к губам или, вернее сказать, к зубам.

Секретарша моментально исчезла с листком в руках, а господин Гризль принялся думать, где раздобыть денег, чтоб побольше накупить гигантских акций, как только они упадут в цене.

Пока Крабс разговаривал с редактором Гризлем, а потом ездил в банк за деньгами, Мига и Жулио занимались своими делами. Сначала они съездили на вокзал и купили два железнодорожных билета до Сан-Комарика на завтрашний день. На обратном пути они заехали в универмаг, где приобрели достаточно вместительный чемодан, изготовленный из пуленепробиваемого фибролита, а когда ехали мимо кинотеатра, купили два билета на кинокартину, которая называлась «Таинственный незнакомец, или Рассказ о семи задушенных и одном утонувшем в мазуте». Сделав все эти покупки, они вернулись в контору, и Жулио сказал Незнайке и Козлику:

— Вы, братцы, сегодня потрудились достаточно. Вот вам билеты, можете пойти в кино. После кино идите обедать, а на работу явитесь завтра утром. Сегодня сюда больше не приходите, Мы с Мигой за вас поработаем. Вот вам на обед деньги.

Незнайка и Козлик взяли билеты и деньги и с радостью побежали в кино. Мига тут же уселся за стол и принялся продавать посетителям акции, а Жулио забрался в комнату, где стоял несгораемый шкаф, и принялся выгружать из него в чемодан деньги. Когда касса была очищена до последнего фертинга, он вырвал из записной книжки листочек бумаги, накорябал на нём карандашом записку и положил её в несгораемый шкаф на полочку вместе с железнодорожными билетами.

Вернувшись в контору, Жулио подмигнул Миге и украдкой показал пальцем на чемодан, набитый

деньгами. Мига понял, что всё готово. Встав из-за стола, он выпроводил из конторы посетителей, сказав, чтоб они приходили завтра. Как только посетители вышли, друзья подхватили чемодан, закрыли контору и моментально уехали.

Минут через десять они уже сидели в гостинице и считали деньги, привезённые Крабсом. Для того чтоб сосчитать два миллиона, потребовалось бы, конечно, немало времени, но так как деньги были сложены пачками по десять тысяч, дело шло быстро. Друзья лишь проверили на выбор несколько пачек. Убедившись, что в чемодане, привезённом Крабсом, было ровно два миллиона, Жулио отсчитал из этих денег сто тысяч и, отдав их Крабсу, сказал:

— Можете получить свои денежки. Они честно заработаны вами. Желаем, чтоб они пошли вам на пользу.

— Благодарю вас, друзья, — сказал Крабс. — А теперь мы с вами должны быстро исчезнуть из города, тем более что по дороге нам предстоит обделать ещё одно очень выгодное дело.

— Какое дело? — заинтересовались Мига и Жулио.

— Освобождение знаменитого миллионера Скуперфильда.

— А что с ним?

— Похищен шайкой разбойников, которые требуют за его освобождение большой выкуп, — объяснил Крабс. — Мне случайно стало известно, где разбойники прячут господина Скуперфильда. Таким образом, мы можем освободить его. За приличное вознаграждение, разумеется. Думаю, что можно будет содрать с него крупный чек и получить по этому чеку деньги в банке.

— Сколько же можно потребовать с этого скряги за освобождение? — спросил Жулио.

— Миллион, думаю, можно.

— Миллион?! — воскликнул Жулио.

— А что, по-вашему, это много? — забеспокоился Крабс.

— По-моему, мало, — ответил Жулио. — Меньше чем за два миллиона и браться за такое дело не следует.

— Ну что ж, возьмём с него три миллиона, и дело с концом, — предложил Мига. — Как раз по миллиону на каждого из нас.

— Это резонное предложение! — одобрил Жулио. — Едем.

Господин Скуперфильд между тем потерял всякую надежду на освобождение. В тот момент, когда Крабс привязал его к дереву, он так опешил, что не мог подыскать подходящего объяснения происшедшему. Всё, что случилось с ним, показалось ему неслыханной дерзостью. До тех пор никто никогда не привязывал его к деревьям, к тому же таким бесцеремонным образом. Тряпка, которой коварный Крабс заткнул ему рот, нестерпимо воняла бензином. От этой вони у Скуперфильда мутилось в голове. Бедняга чувствовал, что вот-вот грохнется в обморок, и, наверное, грохнулся бы, если бы не был надёжно прикреплён к дереву. В конце концов он всё же потерял сознание, а когда пришёл в себя, принялся дёргаться всем телом, стараясь разорвать путы. Все эти усилия привели лишь к тому, что верёвки, которыми он был связан, ещё глубже впивались в его тело, что причиняло невыносимую боль.

Растратив понапрасну силы и убедившись, что попытки освободиться ни к чему не ведут, Скуперфильд застыл на месте. От неподвижности руки и ноги и даже туловище у него одеревенели, сделались как бы не свои, то есть Скуперфильд не чувствовал, что они у него есть. Всё тело у него как бы исчезло, а вместе с ним исчезло и ощущение боли.

Тёплый, ласковый ветерок налетал порывами и шевелил на деревьях листочки. Скуперфильду казалось, что деревья приветливо машут ему сотнями своих крошечных зелёных ручек и что-то потихоньку шепчут на своём лесном языке. В траве пестрели розовые и нежно-голубые цветочки. Скуперфильд не знал, как они называются, но смотреть на них ему было чрезвычайно приятно. Вверху в ветвях деревьев порхали маленькие красногрудые птички, наполняя воздух весёлым чириканьем. Некоторые из них слетали в траву, что-то клевали там, а потом опять взмывали кверху. Скуперфильд никогда не видел лесных птичек вблизи, и смотреть на них доставляло ему величайшее наслаждение.

Видя, что Скуперфильд неподвижен, некоторые из птиц перестали бояться и пролетали у него под самым носом. А одна пичужка даже села ему на плечо. Должно быть, она приняла Скуперфильда совсем уж за какой-то неживой предмет, вроде обгорелого пня. Сидя на плече, она поглядывала по сторонам, наклоняя головку то на один бок, то на другой, а потом вспорхнула и улетела, задев Скуперфильда по щеке краем крыла. Это привело Скуперфильда в умиление. Ощутив

нежное прикосновение этого милого существа, Скуперфильд расчувствовался и даже заплакал.

«Как прекрасен мир и как хороша жизнь! — подумал он. — Почему я раньше не замечал этого? Почему никогда не ходил в лес и не видел всей этой красоты? Клянусь, если останусь жив, если вырвусь отсюда, обязательно буду каждый день ходить в лес, буду смотреть на деревья, буду смотреть на цветочки, буду слушать нежный лепет листочков, и радостное щебетанье птиц, и весёлый стрекот кузнечиков и на бабочек буду смотреть, и на стрекоз, и на милых, трудолюбивых мурашек, и на гусей, и на уток, и на индюков, и на всё, на всё, что только на свете есть. Никогда мне это не надоест!»

Поплакав, Скуперфильд несколько успокоился. Настроение его улучшилось, и он сказал сам себе:

— Не будем, однако ж, терять надежды. Кто-нибудь в конце концов придёт и освободит меня.

И он стал мечтать, как вознаградит своего избавителя.

«Я ничего не пожалею, — мысленно говорил он. — Я ему дам пять фертингов, вот... Да... Провалиться мне на этом самом месте, если не дам пять фертингов... Хотя, если сказать по правде, пять фертингов многовато за это. Дам я ему лучше три фертинга или один. Пожалуй, одного будет достаточно».

Тут он неловко пошевелился, и верёвка с такой силой врезалась в его бок, что он чуть не взвыл от боли.

— Нет, нет, лучше дам пять фертингов, — сказал он. — Для такого дела жалеть не надо. Придётся на чём-нибудь другом сэкономить.

Время шло, но никто не являлся, чтобы выручить из беды Скуперфильда. Поэтому он сказал:

— Чёрт с ним, дам десять фертингов. Только бы пришёл кто-нибудь. А то так ведь здесь и окочуриться можно.

Прошло полчаса, и он поднял цену за своё спасение до двадцати фертингов, потом до тридцати, до сорока, до пятидесяти. За час он взвинтил цену до ста фертингов и на этом остановился.

— Дурачьё! — ругал он своих будущих избавителей. — Ходят где-то, разинув рты, и ни один балбес не может прийти сюда, чтоб получить сто фертингов. Будто сто фертингов на дороге валяются! Да скажи мне, что где-то можно получить даром сто фертингов, я, кажется, побегу на край света. И даже дальше! Честное слово, провались я на месте!

Некоторое время он прислушивался затаив дыхание, но ни один посторонний звук не долетел до него, ни одна ветка не хрустнула под ногой избавителя.

— Дурачьё, ослы, идиоты! — выходил из себя Скуперфильд. — Этакая нерадивость! Хотел дать сто фертингов, а теперь фигу они от меня получат! Могут и не являться!.. Вот и всегда так бывает! Сами пальцем не хотят пошевелить, чтоб заработать денежки, а потом говорят, что во всём богачи виноваты! Провались они все на месте!

Решение не платить деньги вернуло Скуперфильду хорошее настроение, однако ж ненадолго, так как он в ту же минуту почувствовал, что хочет есть. От нечего делать он принялся обдумывать, чего бы съел на обед, если бы вдруг очутился в столовой. Воображение рисовало ему самые вкусные блюда, и через пять минут он так распалился, что готов был заплатить за своё освобождение тысячу фертингов.

«Даю тысячу фертингов! — мысленно завопил он. — Две тысячи даю! Три!.. Мало?.. Десять тысяч даю, чтоб вам провалиться на месте!»

Постепенно чувство голода, однако, притупилось. Скуперфильд уже начал жалеть, что так высоко поднял цену, но тут его начала мучить жажда.

— Сто тысяч даю, — сказал Скуперфильд и даже удивился собственной щедрости.

Некоторое время он раздумывал, не поднять ли цену до миллиона, потом сказал:

— Нет, лучше подохнуть, чем такие деньги платить!

Как раз в это время с дерева свалился на него дикий клоп и сильно куснул его за шею.

— А-а! — завопил Скуперфильд. — Даю миллион! Даю!..

Клоп, однако ж, не обратил на эти посулы внимания и куснул Скуперфильда вторично.

— Два миллиона даю! — закричал Скуперфильд.

Клоп укусил его в третий раз.

«Ах ты, зверушка чёртова! — мысленно выругался Скуперфильд. — Мало тебе двух миллионов? Три даю, чтоб тебе провалиться на месте!»

Тут он почувствовал, что клоп на самом деле провалился ему за шиворот и принялся кусать спину. Чувствуя себя не в силах расправиться с ничтожным насекомым, Скуперфильд пришёл в бешенство.

— Ну погоди, дай мне освободиться только! — пригрозил он. — Пять миллионов даю за освобождение! Всё состояние отдаю! Не нужны мне никакие деньги, провались они тут же на месте!

И сейчас же, словно в ответ на его мольбы, в лесу послышались чьи-то шаги. Скуперфильд поднял голову и увидел вдали трёх коротышек. Один из них показался ему похожим на Крабса. Однако Скуперфильд не успел как следует разглядеть его, потому что коротышка тут же скрылся за деревом. Двое других тем временем подошли к Скуперфильду. Читатель, безусловно, уже догадался, что эти двое были Мига и Жулио.

Остановившись в двух шагах от Скуперфильда, Мига и Жулио внимательно оглядели его, после чего Мига спросил:

— Господин Скуперфильд, если не ошибаюсь?

— М-м! М-м! — обрадованно замычал Скуперфильд и закивал головой.

— В городе стало известно, что вы попали в руки разбойников, которые требуют за ваше освобождение большой выкуп. Мы явились, чтоб спасти вас, — сказал Мига.

— М-м! М-м! — снова замычал Скуперфильд.

— Думаю, что сначала следовало бы развязать ему рот, — сказал Жулио. — Иначе мы от него ничего не добьёмся.

— Резонное замечание, — согласился Мига.

Подойдя к Скуперфильду вплотную, он развязал платок, стягивавший ему рот. Скуперфильд вытолкнул изо рта языком тряпку и, отплевавшись, сказал:

— Фа-фи-фо! Эфа фяфка, фяфка фрофляфая! Кха!.. Тьфу! Фяфка фрофляфая! Бяфка брофляфая!

— Пусть меня убьют, если я хоть что-нибудь понимаю! — воскликнул Мига.

— Должно быть, он говорит: «Тряпка проклятая», — догадался Жулио. — Думаю, что разговор идёт о тряпке, которая была у него во рту.

— Фа! Фа! — обрадованно закивал головой Скуперфильд. — Фяфка, бяфка фрофлятая! Бяфка брофлятая! Фа! Тьфу!

— Ну хорошо, хорошо, — принялся успокаивать его Мига. — Это ничего. Это естественно в вашем положении. Попробуйте, однако, взять себя в руки. Поупражняйтесь немного. Я думаю, когда язык у вас разомнётся, вы сможете говорить правильно.

Скуперфильд начал произносить разные слова для практики. Скоро язык у него на самом деле размялся, только буква «р» у него никак не получалась. Вместо неё он произносил букву «ф».

— Ну, это не такая уж большая беда, — сказал Мига. — Думаю, мы можем продолжать наши переговоры. Вы, как деловой коротышка, должны понимать, что нам нет никакого смысла выручать вас из беды бесплатно. Верно?

— Вефно, вефно! — подхватил Скуперфильд. — Сколько же вы намефены получить с меня?

— Три миллиона, — ответил Мига.

— Что? — вскричал Скуперфильд. — Тфи миллиона чего.

— Ну, не три миллиона старых галош, конечно, а три миллиона фертингов.

— Опять тфи миллиона фефтингов? Это гфабёж, пфовались я на этом месте! — закричал Скуперфильд.

— Стыдитесь, господин Скуперфильд! Какой же это грабёж? Мы ведь не пристаём к вам с ножом к горлу. У нас с вами обычный деловой разговор. Как говорится: мы вам, вы нам. Мы честные предприниматели, а не какие-нибудь разбойники.

— Да, не фазбойники! — проворчал Скуперфильд. — Может быть, вы и есть самые настоящие фазбойники. Откуда я знаю!

— Стыдно, стыдно, господин Скуперфильд. Зачем же вы нас оскорбляете! Мы вот тоже могли бы сказать, что вы разбойник. Честных коротышек в лесу не привязывают.

— Ну ладно, — проворчал Скуперфильд. — Всё фавно тфи миллиона слишком кфупная сумма.

— Сколько же вы хотите заплатить нам? — спросил Жулио.

— Сколько?.. Ну я мог бы дать вам пять… нет, я могу дать тфи фефтинга.

— Что? — возопил Жулио. — Три фертинга? За кого же вы нас принимаете? Мы не нищие и в ваших подачках не нуждаемся. Вы, видимо, не хотите, чтоб вас спасли. Ну что ж, мы насильно никого освобождать не собираемся.

— Как так не хочу? — возразил Скуперфильд. — Мне, повефьте, нет никакой фадости здесь тофчать.

— Так что же вы предлагаете три фертинга? Это же курам на смех.

— Ну ладно, пусть будет пять фефтингов. Пять фефтингов тоже хофошие деньги, увефяю вас.

— Пойдём отсюда! — сказал Мига со злостью. — Он, видно, не хочет, чтобы его спасли.

Мига и Жулио решительно зашагали прочь.

— Эй! — закричал Скуперфильд. — Что же вы так уходите? Хотите десять фефтингов? Эй! Стойте! Двадцать даю!.. Не хотите, ну и шут с вами, пфовались вы на месте! Меня кто-нибудь дфугой дешевле спасёт!

Увидев, что Мига и Жулио скрылись из виду, Скуперфильд приуныл и пожалел, что не согласился на условия вымогателей, но тут снова послышались шаги. Увидев, что его «спасители» идут обратно, Скуперфильд обрадовался.

«Ну, теперь всё в порядке! — подумал он. — Раз они возвращаются — значит, решили взять двадцать фертингов. Чёрта с два я теперь дам двадцать. Хватит с них и пятнадцати».

Трудно сказать, чему больше радовался Скуперфильд. Тому ли, что в конце концов получит свободу, или тому, что сэкономит пять фертингов.

Его удивило, однако, что Мига и Жулио не торопились освободить его. Подойдя к дереву, они принялись озабоченно бродить вокруг и что-то искать в траве.

— Что вы там ищете? — забеспокоился Скуперфильд.

— Тряпку, — ответил Мига. — Мы ведь должны оставить вас здесь в том же виде, как и нашли. Кто-то, понимаете ли, трудился, затыкал вам рот тряпкой, а мы пришли, тряпку выбросили. Это, по-вашему, честно? Чужой труд уважать надо, голубчик! Или вы, может быть, хотели бы, чтоб мы совершили бесчестный поступок?

Тут Жулио отыскал тряпку и принялся засовывать её обратно в рот Скуперфильду.

— А-а! — заорал Скуперфильд. — Не надо фафки! Тьфу! Фафки, фяфки, бяфки не надо! Аф! Аф!

— Дадите три миллиона? — угрожающе спросил Жулио.

Скуперфильд закивал головой. Жулио вытащил у него изо рта тряпку. Скуперфильд принялся старательно отплёвываться. Отплевавшись, сказал:

— К сожалению, у меня нет с собой денег.

— Ничего. Дадите чек.

— У меня нет с собой чековой книжки.

— Враки! — ответил Мига. — Никакой капиталист не выходит из дому без чековой книжки.

— Ну ладно, развяжите меня.

Мига и Жулио моментально развязали верёвку. Скуперфильд некоторое время продолжал стоять у ствола, словно прирос к нему, после чего рухнул, как столб, на землю.

— Что с вами? — бросился к нему Мига.

— Не знаю, — пробормотал Скуперфильд. — Ноги не действуют. И руки тоже.

— Наверно, онемели от неподвижности, — высказал предположение Мига.

Недолго думая Жулио принялся сгибать и разгибать Скуперфильду руки, как это обычно делают при искусственном дыхании, а Мига в это время поднимал и опускал его ноги. Спустя несколько минут Скуперфильд почувствовал, что способность управлять своими конечностями вернулась к нему, и он сказал:

— Пустите, я сам.

С кряхтеньем поднявшись, он сделал несколько наклонов и приседаний, после чего надел на голову валявшийся на земле цилиндр, подобрал лежавшую рядом трость с костяным набалдашником и нанёс ею сильный удар по голове Жулио. Не ожидавший нападения, Жулио упал как подкошенный. Увидев, что Скуперфильд побежал прочь, Мига бросился догонять его, но тут же свалился, споткнувшись о торчавший из-под земли корень. Поднявшись, он убедился, что Скуперфильд скрылся вдали за деревьями.

— Ах ты гадина! — проворчал он со злостью.

Увидев, что Жулио лежит без движения, Мига подозвал прятавшегося за деревом Крабса, и они вместе бросились к стоявшей вдали автомашине.

Глава двадцатая

ГИБЕЛЬ ОБЩЕСТВА ГИГАНТСКИХ РАСТЕНИЙ

Ночью Незнайка и Козлик спали плохо. Им обоим снились страшные сны. Незнайке снилось, будто его непрестанно преследуют какие-то жулики, от которых он прятался то где-то на пыльном чердаке, то в тёмном подвале. Наконец он спрятался в пустую бочку, но как раз в это время кто-то начал наполнять бочку мазутом. Незнайка хотел вылезти из бочки, но тут чья-то рука цепко схватила его за волосы и не давала даже высунуть голову наружу. Чувствуя, что вот-вот захлебнётся в этой чёрной, вонючей жидкости, Незнайка сделал отчаянное усилие и... проснулся. Убедившись, что находится вовсе не в бочке, а дома в постели, Незнайка снова хотел заснуть, но тут вдруг увидел, что окно беззвучно открылось и в него лезут какие-то подозрительные личности в клетчатых кепках и с пистолетами в руках. Выскочив из постели, Незнайка бросился удирать. Спасаясь от преследователей, он забежал на какую-то железнодорожную станцию, где стояли цистерны с мазутом. Одна из цистерн была пустая. Незнайка залез в неё, но тут цистерна почему-то начала наполняться мазутом. Сначала мазут доставал Незнайке по пояс, затем по грудь, наконец дошёл до горла. Незнайка принялся плавать в мазуте, но уровень жидкости поднимался всё выше. Незнайку в конце концов прижало к потолку. Чёрная тягучая жидкость начала лезть ему в рот и в нос, залепила глаза. Чувствуя, что задыхается, Незнайка закричал изо всех сил и снова проснулся.

Убедившись, что по-прежнему лежит у себя в постели, Незнайка постепенно успокоился и снова хотел заснуть, но тут послышались стоны Козлика.

— Пустите меня! Пустите! — стонал, разметавшись на своей постели, Козлик.

Незнайка принялся тормошить его за плечо, но Козлик не просыпался.

— Пустите меня! — продолжал кричать он.

— Да что ты орёшь! Тебя ведь никто не держит, — сказал Незнайка.

— Мне, понимаешь, приснилось, будто разбойники, которых мы видали в кино, поймали меня и душат капроновой удавкой, — сказал, просыпаясь, Козлик.

— А мне всё время снится, будто я в мазуте тону, — признался Незнайка.

— Это всё от вчерашней кинокартины, — сказал Козлик. — Вот всегда: как пойдёшь в кино, так потом всю ночь душат кошмары.

Поговорив о том, что кинофильмы лучше делать весёлые, а не страшные, и понемногу придя в себя, друзья снова уснули, но кошмарные сновидения не оставляли их до утра.

Проснувшись раньше обычного, Незнайка и Козлик позавтракали без аппетита и решили пойти в контору пешком, чтоб хоть немножечко проветрить мозги после бессонной ночи. Выйдя на улицу, они увидели на углу продавца газет, который громко выкрикивал:

— Газета «Давилонские юморески»! Последние новости! Море смеха! Всего за два сантика! Сообщение о крахе Общества гигантских растений! Сенсация! Владельцы гигантских акций ничего не получат! «Давилонские юморески»! Гибель общества! Море смеха!..

Купив за два сантика газету, Незнайка и Козлик принялись искать сообщение о крахе Общества гигантских растений, но в газете ничего об этом не говорилось. Только просмотрев газету вторично, они наткнулись на небольшую заметку.

За последнее время читатели нашей газеты очень часто обращались к нам с просьбой рассказать о гигантских растениях. Но что можно рассказать об этих пресловутых растениях, о которых действительно теперь можно услышать множество толков и кривотолков? О них с уверенностью можно сказать только то, что сказать о них нечего, так как о них достоверно известно лишь то, что о них достоверно ничего не известно. Многие легковерные коротышки в своём легковерии доходят до того, что покупают акции этих легендарных растений. Мы вовсе не хотим бросить тень на Общество гигантских растений. Мы не хотим также сказать, что, приобретая акции, коротышки ничего не приобретают, так как, покупая акции, они получают надежду на улучшение своего благосостояния. А надежда, как известно, тоже чего-нибудь да стоит. Даром, как говорится,

238

и болячка не сядет. За всё надо платить денежки, а заплатив, можно и помечтать. При первой возможности редакция снова возвратится к разговору о гигантских растениях.

Редактор Гризль.

Прочитав эту заметку, Козлик сокрушённо покачал головой и сказал:

— Одной такой заметки достаточно, чтоб перестали покупать наши акции. Видно, кому-то из богачей завидно стало, что наши акции так хорошо расходятся. Но ничего! Теперь это нам не страшно, так как почти все акции уже проданы. Поздно спохватились, голубчики!

— А какое дело богачам, будут покупать наши акции или нет? — спросил Незнайка.

— Богачам до всего дело! — ответил Козлик. — Думаю, им вообще не хочется, чтоб у нас появились гигантские растения. Ведь что выгодно для бедняков, то невыгодно для богачей. Это давно известно.

Разговаривая таким образом, Незнайка и Козлик добрались до улицы Фертинга и ещё издали увидели возле здания конторы большую толпу. У некоторых коротышек в руках были акции с изображением гигантских растений. Коротышки поднимали акции кверху, размахивали ими в воздухе и кричали:

— Пустите нас! Пусть нам вернут наши деньги! Нас обманули! Оказывается, никаких гигантских растений нет!

— Убирайтесь отсюда! — кричал на них швейцар, стоявший у входа. — Конторы открываются в девять часов, а до этого никому доступа в здание нет. Марш, пока я не натравил на вас полицейских!

Пробравшись сквозь толпу, Незнайка с Козликом поднялись по ступенькам ко входу, и Козлик, повернувшись к толпе, закричал:

— Братцы, не верьте газетам! Вас обманывают. Гигантские семена есть. А если кто хочет получить деньги обратно, мы можем отдать.

— А, вот они, обманщики! — закричал кто-то в толпе. — Бей их!

Несколько акционеров взбежали на ступеньки и хотели схватить Козлика, но дверь моментально открылась, из неё выскочил полицейский в медной блестящей каске и пустил в ход свою электрическую дубинку. Толпа моментально отступила назад.

Полицейский сказал:

— В девять часов контора откроется, тогда можете идти и получать свои деньги, а до этого никаких разговоров!

Обернувшись к швейцару, полицейский махнул в сторону Незнайки и Козлика своей дубинкой.

— Пропустите этих! — приказал он.

Получив от швейцара ключ от конторы, Незнайка и Козлик быстро поднялись на третий этаж.

— Самое умное, что можно сделать, — это возвратить желающим деньги, — сказал Козлик. — Я думаю, паника прекратится, как только все убедятся, что в любое время смогут получить свои капиталы обратно.

Сказав это, Козлик вошёл в контору и заглянул в комнату, где стоял несгораемый шкаф. Его удивило то, что тяжёлая железная дверь шкафа была приоткрыта. Одним прыжком подскочив к шкафу, Козлик заглянул в него и увидел, что внутри было пусто.

— Незнайка! — закричал он испуганно. — Деньги исчезли!

— Куда же они могли деться? — спросил, вбегая, Незнайка.

— Не представляю себе! — развёл Козлик руками. — Должно быть, нас обокрали.

Тут он заметил на одной из полочек шкафа клочок бумаги и два железнодорожных билета.

— Постой, тут записка есть, — сказал Козлик и принялся читать вслух.

«Дорогие друзиа! — было нацарапано в этой записке неровными печатными буквами. — Мы вынуждены спасаца бег ством. Вазмите белеты, садитес напоизд и валяйте бес промидления в Сан-Комарик, где мы вас стретим. Ваши доброжилатили Мига и Жулио».

— Вот неожиданность! — воскликнул Козлик. — Оказывается, Мига и Жулио уже сбежали и, конечно, денежки прихватили с собой. Теперь мы с тобой здесь как в западне.

С этими словами Козлик подскочил к выходу из конторы и запер дверь на ключ, что было сделано вовремя, так как в то же мгновение за дверью послышался топот ног. Это толпа акционеров прорвалась в здание и бежала по коридору. Подбежав к конторе, владельцы гигантских акций принялись стучать кулаками в дверь и кричать:

240

— Эй, вы! Отворите, а не то худо будет! Верните нам деньги!

Козлик недолго думая подбежал к окну и распахнул его. Глянув вниз и убедившись, что прыгать с высоты третьего этажа небезопасно, он достал из несгораемого сундука обрывки верёвок, которыми были перевязаны пачки с акциями, и начал связывать их между собой. Незнайка принялся помогать ему. Шум за дверью между тем нарастал. Дверь под ударами дрожала, но не поддавалась.

Неожиданно наступила тишина. Толпа словно притаилась за дверью. Высунувшись из окна, Козлик опустил конец верёвки во двор и, убедившись, что она достаёт до земли, привязал другой конец к трубе парового отопления возле окна.

— Спускайся! — скомандовал он Незнайке.

Незнайка не заставил просить себя дважды и быстро полез по верёвке вниз. За дверью в это время снова послышался шум.

— А ну-ка, ударим! — закричал кто-то.

Раздался мощный удар.

— Ещё разик!

Дверь вздрогнула под вторым ударом. Увидев, что Незнайка благополучно достиг земли, Козлик ухватился руками за верёвку и соскользнул с подоконника.

— Ещё раз! — завопил кто-то за дверью.

На этот раз удар был так силен, что дверь затрещала, соскочила с петель и полетела на пол. Вместе с ней в комнату влетели несколько коротышек с огромной крышкой от письменного стола, которую они использовали в качестве тарана. Всё это произошло так неожиданно, что некоторые коротышки упали на пол, расквасив себе носы. Толпа моментально наполнила контору. Часть акционеров подбежала к несгораемому шкафу, другие бросились открывать несгораемые сундуки и вытаскивать из них обрывки бумаги, в которую когда-то были запакованы пачки акций.

Убедившись, что денег нигде нет, коротышки рассвирепели настолько, что разломали стеклянный шкаф, вытащили Незнайкин скафандр и разорвали его в клочья. Наконец они посмотрели в окно и увидели верёвку, свешивавшуюся вниз.

— В окно удрали! — догадался кто-то.

Несколько коротышек стали спускаться по верёвке, остальные выбежали из комнаты и бросились вниз по лестнице. Но было поздно. Незнайки и Козлика и след простыл. Спустившись по верёвке, они побежали через двор, который, на их счастье, оказался проходным. Очутившись на другой улице, они смешались с толпой и вскоре были далеко от места происшествия.

— Надо пойти на Кручёную улицу в магазин разнокалиберных изделий. Может быть, мы застанем там господина Жулио, — высказал предположение Козлик.

Друзья быстро прошли на Кручёную улицу, свернули в Змеиный переулок и стали искать магазин разнокалиберных товаров, но его нигде не было.

— Вот так штука! Теперь ещё и магазин девался куда-то! — с досадой воскликнул Козлик.

Они обследовали весь Змеиный переулок от начала и до конца, а потом в обратном порядке, потом прошлись по нему в третий раз. Наконец Козлик остановился возле кондитерского магазина, которого, как ему показалось, раньше здесь не было, и сказал:

— Что за история! По-моему, раньше здесь разнокалиберный магазин был, а теперь какая-то кондитерская.

Незнайка и Козлик вошли в кондитерскую и спросили одну из продавщиц, не знает ли она, куда делся разнокалиберный магазин. Продавщица сказала, что разнокалиберный магазин закрылся, так как хозяин неожиданно разбогател и уехал путешествовать, а теперь здесь открылась кондитерская.

— Видал? «Неожиданно разбогател и уехал путешествовать»! — проворчал Козлик, когда они с Незнайкой вышли на улицу.

Он вытащил из кармана записку, которую оставил Жулио, и принялся снова её читать.

— Почему Мига и Жулио пишут, что вынуждены спасаться бегством? — сказал Козлик. — Может быть, они заранее узнали, что будет напечатано в газетах, и поэтому решили вовремя скрыться с деньгами? Во всяком случае, нам нельзя оставаться здесь, а тоже надо двигаться в Сан-Комарик. Это хороший город. Я когда-то жил там.

Поезд на Сан-Комарик отходил лишь в конце дня, но Незнайка и Козлик боялись возвращаться в гостиницу, где они могли попасть в руки невольно обманутых ими акционеров. Проболтавшись до обеда в городском парке, друзья разыскали небольшую столовую, где никогда до этого не бывали, и как следует пообедали, оставив там почти все свои наличные капиталы. Оставшиеся несколько сантиков они истратили на мороженое и купили бутылку газированной воды с сиропом, которую решили взять с собой в дорогу.

Прибыв на вокзал задолго до отхода поезда, они вошли в вагон. Проводник проверил их билеты и сказал, что оба их места на верхних полках.

— Вот и хорошо, — сказал Козлик Незнайке. — На верхних полках нас никто не заметит. Ведь в поезде может ехать кто-нибудь из наших

акционеров. Было бы совсем некстати, если бы нас узнали.

Забравшись на верхние полки, Незнайка и Козлик с удобством растянулись на них и принялись наблюдать украдкой за прибывающими пассажирами. Вагон тем временем понемножечку наполнялся. Внизу, как раз под полкой, на которой лежал Незнайка, расположился какой-то толстенький коротышка. Сунув чемодан под сиденье, он вытащил из кармана целый ворох газет и принялся читать их. Здесь были и «Деловая смекалка», и «Давилонские юморески», и «Газета для толстеньких», и «Газета для тоненьких», и «Газета для умных», и «Газета для дураков».

Да, да! Не удивляйтесь: именно «для дураков». Некоторые читатели могут подумать, что неразумно было бы называть газету подобным образом, так как кто станет покупать газету с таким названием. Ведь никому не хочется, чтобы его считали глупцом. Однако давилонские жители на такие пустяки не обращали внимания. Каждый, кто покупал «Газету для дураков», говорил, что он покупает её не потому, что считает себя дураком, а потому, что ему интересно узнать, о чём там для дураков пишут. Кстати сказать, газета эта велась очень разумно. Всё в ней даже для дураков было понятно. В результате «Газета для дураков» расходилась в больших количествах и продавалась не только в городе Давилоне, но и во многих других городах.

Нетрудно догадаться, что «Газету для толстеньких» читали не одни толстяки, но и те, которые мечтали поскорей растолстеть, точно так же как «Газету для тоненьких» читали не только худенькие коротышки, но и такие, которым хотелось избавиться от излишнего жира. Владельцы газет прекрасно понимали, что уже само название должно возбуждать интерес читателя, иначе никто не стал бы покупать их газету.

Через несколько минут Незнайка заметил, что другую нижнюю полку занял пассажир, который был как бы прямой противоположностью первому. Иначе говоря, он был очень худой. Вид у него был такой, будто он незадолго до этого бродил по болоту и ещё не успел как следует высохнуть. Его чёрные брюки были измяты и покрыты желтовато-коричневыми пятнами грязи. Такое же жёлто-коричневое пятно имелось и на его шляпе-цилиндре, словно в него кто-то швырнул издали комком грязи. На спине его чёрного пиджака красовалась большая треугольная дырка. Такие дырки обычно образуются, когда случается зацепиться спиной за сук или за гвоздь, торчащий в стене. Чуть пониже спины к пиджаку пристал рыжеватый плод болотного репейника, в просторечии именуемый репяшком. Такой же репяшок прицепился к локтю и ещё один позади к брюкам.

Усевшись на лавку, этот болотный обитатель стащил с головы свой чёрный цилиндр и, словно фокусник, принялся вытаскивать из него разные вещи. Незнайка, который наблюдал за всем этим со своей верхней полки, с удивлением заметил, как из цилиндра появились зубная щётка и зубной порошок, кусок пахучего земляничного мыла, полотенце, несколько носовых платков, запасные носки и, наконец, два ржавых гвоздя и кусок медной проволоки.

Заглядевшись на это зрелище, Незнайка не заметил даже, как поезд тронулся и они отправились в путь.

Глава двадцать первая

ПРИКЛЮЧЕНИЯ СКУПЕРФИЛЬДА

Читатели, достаточно напрактиковавшиеся в чтении книжек и поэтому привыкшие схватывать всё, так сказать, на лету, уже догадались, наверно, что этот худенький пассажир в чёрном цилиндре был не кто иной, как господин Скуперфильд. С тех пор как ему удалось спастись от своих «избавителей», прошло не более суток, но за этот сравнительно небольшой срок Скуперфильд успел испытать очень многое.

Первое время он бежал по лесу, не переводя дыхания, стараясь как можно дальше уйти от погнавшегося за ним Миги. Обернувшись назад и убедившись, что его никто не преследует, он значительно снизил скорость, то есть, попросту говоря, зашагал не спеша. Внутри у него всё пело, всё ликовало. Он был счастлив оттого, что получил долгожданную свободу и притом не израсходовал ни одного сантика.

Совершенно не представляя себе, в какую сторону надо идти, чтоб попасть на дорогу, где его могла подобрать попутная машина, Скуперфильд решил идти, не сворачивая, всё прямо, надеясь, что лес где-нибудь да кончится и он выйдет к какому-нибудь жилью.

В результате пережитых волнений чувство голода совершенно оставило его, то есть у него пропал аппетит. Надо сказать, что это очень часто наблюдаемое явление. Каждый по себе знает, что различные чувства не могут владеть нами все сразу. Обычно какое-нибудь более сильное чувство вытесняет все остальные, более мелкие чувства, и тогда мы забываем о вещах, которые до этого казались нам чрезвычайно важными. На эту сторону дела как раз и обратил внимание Скуперфильд. Заметив, что ему совсем расхотелось есть, он понял, что чувство голода пропало у него от волнения. Это открытие навело Скуперфильда на мысль, что можно соблюсти экономию на еде, если, к примеру, хорошенько поволноваться перед завтраком или обедом. Для этого достаточно было затеять какой-нибудь неприятный разговор или просто поссориться с кем-нибудь.

Увлёкшись этими оригинальными мыслями, Скуперфильд не заметил, как чувство голода снова начало подкрадываться к нему. Очнулся он, лишь когда у него в животе мучительно засосало. Зная, что обычно заблудившиеся в лесу утоляют голод ягодами, лесными орехами или грибами, он принялся старательно шарить глазами вокруг, но нигде не видал ни орехов, ни ягод, ни даже грибов. Потеряв надежду отыскать что-либо съедобное, Скуперфильд попробовал жевать траву, но трава была горькая, и он тут же с отвращением выплюнул её. Заглядевшись по сторонам, он не заметил, как забрёл в болото. Ощутив под ногами зыбкую почву, он решил обойти опасное место, но земля заходила у него под ногами ходуном. Испугавшись, он побежал обратно, но сделал лишь несколько шагов и угодил прямо в лужу. Видя, что со всех сторон окружён жидкой болотной грязью, Скуперфильд принялся прыгать с кочки на кочку. С большим трудом ему удалось выбраться на твёрдую почву, но при этом он попал в заросли репейника. Исцарапав лицо и руки, он продрался через колючки и уселся на траву, чтоб хоть немного передохнуть.

Долго сидеть ему, однако же, не пришлось, так как на него напали рыжие болотные муравьи, укусы которых, как известно, очень мучительны. Скуперфильд, сам того не подозревая, уселся на их гнездо. Сначала он топтал муравьёв ногами и колотил своей палкой, но, видя, что их не становится от этого меньше, решил оставить поле боя и отступил. В тот же момент он обратил внимание на то, что вокруг стало темней. Сообразив, что день подошёл к концу, Скуперфильд прибавил шаг. Мысль о том, что ему придётся заночевать в лесу, приводила его в содрогание. По временам ему казалось, что лес начинает редеть и он вот-вот очутится на опушке, но это было обманчивое впечатление. Лес всё не кончался, а мрак сгущался всё больше.

Скуперфильд понимал, что через несколько минут наступит полная темнота, и стал искать, где бы заночевать. В одном из деревьев он заметил на высоте своего роста большое дупло. Решив, что более удобного места для ночлега теперь уже не найти, Скуперфильд залез в это дупло и начал располагаться на ночь.

Дупло оказалось довольно просторное. В нём можно было сидеть, задрав кверху ноги и прислонившись к стенке спиной. Скуперфильд нашёл, что это очень удобно, тем более что снизу дупло было устлано слоем сухих прошлогодних листьев. Сняв с головы цилиндр и положив его на дно дупла рядом с палкой, Скуперфильд решил поскорей заснуть,

но острое чувство голода гнало сон прочь. В добавление к этому у него начали болеть ноги. Скуперфильд подумал, что ноги болят от непривычки спать в обуви, и снял ботинки. Ноги, однако, не перестали болеть.

К тому же болели уже не только ноги, но и спина и всё тело. Скуперфильд понимал, что если бы ему удалось вытянуться во весь рост, то боль прошла бы, но в дупле никак нельзя было вытянуться. Там можно было сидеть только в скрюченном виде.

С наступлением темноты температура понизилась, и Скуперфильда начал пробирать холод. Чувствуя, что мёрзнет всё больше и больше, Скуперфильд снова обулся, надел на голову цилиндр, поднял воротник пиджака, а сверху положил на себя свою палку и чековую книжку, но от этого ему не стало теплей. До этого случая Скуперфильд слепо верил, что его чековая книжка, с которой он не расставался всю жизнь, способна выручить его из любой беды. На этот раз он на своём личном опыте убедился, что бывают всё же случаи, когда ни банковский чек, ни наличные деньги не представляют собой никакой ценности.

Почувствовав, что закоченел окончательно, Скуперфильд выскочил из дупла и принялся прыгать вокруг дерева, после чего проделал целую серию гимнастических упражнений в быстром темпе. Это ему помогло. Но ненадолго. Как только Скуперфильд залез обратно в дупло, его снова начал одолевать холод. Несколько раз в течение ночи он вылезал из своего убежища, прыгал, словно кузнечик, чтобы хоть немного согреться, и глодал кору дерева, пытаясь утолить голод. За ночь он ни на минуту не сомкнул глаз и устал, будто на нём возили воду. Ночь показалась ему нескончаемо длинной, и как только забрезжил рассвет, он покинул своё негостеприимное убежище, удивляясь только тому, что вообще остался в живых.

На этом приключения Скуперфильда, однако, не окончились. После бессонной ночи он очень туго соображал и брёл, не разбирая пути. К тому же в лесу ещё было недостаточно светло. Он сослепу натыкался на стволы деревьев и чуть не расквасил себе нос. Наконец он всё же выкарабкался из лесу. Перед ним расстилалась зелёная долина, местами покрытая серовато-белыми пятнами, которые Скуперфильд принял за снег. Спустившись в долину, Скуперфильд обнаружил, что это был вовсе не снег, а туман, который начал сгущаться над охладившейся за ночь землёй. Слой тумана стелился так низко и был так плотен, что Скуперфильд брёл в нём, словно по горло в воде. Со стороны могло показаться, будто над покрывшим всю долину дымящимся морем плыла лишь голова Скуперфильда в чёрном цилиндре.

Скуперфильду и самому казалось, будто руки, и ноги, и даже само туловище у него исчезли, а осталась одна голова, которая неизвестно на чём и держалась. Когда ему случалось посмотреть вниз, он видел лишь смутные очертания своих плеч. Когда же он глядел вверх, то видел серебристую, местами вспыхивающую розоватыми и голубоватыми отблесками поверхность лунного неба, представлявшуюся ему нагромождением исполинских металлических скал, каким-то чудом повисших в воздухе.

Нечего, конечно, и говорить, что Скуперфильд и прежде мог сколько угодно любоваться красотой утреннего неба, но прежде ему не приходилось просыпаться так рано. Погружённый по горло в туман, который тянулся во все стороны до самого горизонта, Скуперфильд оставался как бы один на один с загорающимся чистыми, нежными и сверкающими красками утренним небом, и это зрелище наполняло его каким-то возвышенным и торжественным чувством. Ему казалось, что он открыл в природе какую-то новую, неизведанную, никем не виданную красоту, и он жалел лишь о том, что никогда не учился рисовать и не может изобразить красками эту величественную картину, с тем чтоб унести её с собой и уже никогда с ней не расставаться.

Ощущая, будто что-то как бы распирает его изнутри, Скуперфильд испытывал неизъяснимое желание обнять распростёршееся над ним небо. И он чувствовал, что сможет сделать это, если только протянет руки. И он протянул руки, но как раз в тот же момент потерял под ногами почву и покатился в овраг.

Перекувырнувшись несколько раз через голову, он скатился на дно оврага и остался лежать ничком, разбросав в стороны руки. Мелкие камешки и комья сухой земли, катившиеся вслед за ним, некоторое время колотили его по спине. Вскоре это движение прекратилось. Ощупав себя со всех сторон, Скуперфильд убедился, что не переломал рёбер, и принялся шарить руками вокруг, надеясь отыскать свалившийся с головы цилиндр. К счастью, цилиндр оказался неподалёку. Вытряхнув попавшие в него камешки, Скуперфильд водворил свой головной убор на принадлежащее ему место и стал осматриваться по сторонам. Впрочем, это не имело никакого смысла, так как в тумане ровным счётом ничего не было видно.

Ощупывая перед собой землю тростью, Скуперфильд добрался до противоположного склона оврага и стал карабкаться по нему вверх. Несколько раз он срывался и скатывался обратно, но наконец ему все же удалось выбраться на поверхность. Отдышавшись немного и заметив, что туман стал прозрачнее, Скуперфильд отправился дальше.

Вскоре туман рассеялся, и Скуперфильд обнаружил, что шагает по рыхлой земле, усаженной какими-то тёмно-зелёными ломкими кустиками, достигавшими ему до колен. Выдернув из земли один кустик, он увидел несколько прицепившихся к корням желтоватых клубней. Осмотрев клубни внимательно, Скуперфильд начал догадываться, что перед ним самый обыкновенный картофель. Впрочем, он далеко не был уверен в своей догадке, так как до этого видел картофель только в жареном или варёном виде и к тому же почему-то воображал, что картофель растёт на деревьях.

Отряхнув от земли один клубень, Скуперфильд откусил кусочек и попробовал его разжевать. Сырой картофель показался ему страшно невкусным, даже противным. Сообразив, однако, что никто не стал бы выращивать совершенно бесполезных плодов, он сунул вытащенные из земли полдесятка картофелин в карман пиджака и отправился дальше.

Шагать по рыхлой земле, беспрерывно путаясь ногами в картофельной ботве, было очень утомительно. Скуперфильд на все лады проклинал коротышек, вздумавших, словно ему назло, взрыхлить вокруг землю и насадить на его пути все эти кустики.

Как и следовало ожидать, ему всё же удалось в конце концов добраться до края картофельного поля. Выбравшись на твёрдую почву, Скуперфильд облегчённо вздохнул и в тот же момент ощутил доносившийся откуда-то запах дыма. От этого запаха на него словно повеяло теплом и домашним уютом.

«Раз есть дым — значит, есть и огонь, а раз есть огонь — значит, где-то готовится пища», — сообразил Скуперфильд.

Оглядевшись по сторонам, он заметил вдали заросли лозняка и поднимавшуюся над ним струйку дыма. Припустив изо всех сил, Скуперфильд продрался сквозь заросли лозняка и очутился на берегу реки. Выглянув из-за кустов, он увидел, что река в этом месте делала поворот, образовав небольшой полуостров. Плакучие ивы с изогнутыми стволами склонились над рекой и свешивали

в воду свои длинные ветви с серебристо-зелёными, непрерывно колеблющимися листочками. Прозрачные струйки воды тихо плескались в корнях деревьев. Двое коротышек плавали неподалёку от берега и, казалось, что-то искали в реке. То один, то другой исчезали под корягами, а вынырнув, старательно отфыркивались. Двое других сидели на берегу у костра и подкладывали сухие сучья в огонь.

У самой воды под большой старой ивой стоял дом не дом, хижина не хижина, а скорее какая-то сказочная избушка. Все её стены были испещрены какими-то непонятными картинками. На одной картинке был изображён коротышка в клетчатом плаще и с трубкой в зубах. На другой — точно такой же коротышка, и тоже с трубкой, но почему-то перевёрнутый вверх ногами. Над этим перевёрнутым коротышкой была чья-то огромная нога в начищенном до яркого блеска ботинке. Рядом была банка с черникой, зелёные стручки гороха, чья-то голова с волосами, покрытыми белой пушистой пеной, чей-то рот с красными, улыбающимися во всю ширину губами и огромными, сверкающими белизной зубами. Затем снова чья-то намыленная голова, но на этот раз лежащая на боку, чашка с дымящимся кофе, ещё банка с черникой, огромной величины муха, опять нога... Всё это было без всякого смысла и связи, словно какой-то художник рехнулся, а потом вырвался на свободу и решил разукрасить попавшееся ему на пути строение своей сумасшедшей кистью.

И всё же не это привело в изумление Скуперфильда. У него захватило дыхание, когда над входом в эту чудную хижину он увидел вывеску, на которой огромными печатными буквами было написано:

МАКАРОННОЕ ЗАВЕДЕНИЕ СКУПЕРФИЛЬДА

— Что за чушь! — пробормотал в недоумении Скуперфильд. — Что это ещё за макаронное заведение, провались оно тут же на месте! И кто дал им право помещать на этой дурацкой клетушке моё имя? Или всё это мне во сне снится?

Он принялся протирать кулаками глаза, но ни река, ни деревья, ни коротышки, ни дом с надписью не исчезали.

— А если это не сон, тогда что же? Насмешка? — вскипел Скуперфильд, и его кулаки сами собой сжались от злости.

Ему стало казаться, будто всё это кем-то нарочно подстроено, будто кто-то подчинил его своей воле и заставил таскаться по лесам и болотам, прыгать по кочкам, скатываться в овраг, и всё для того, чтоб заманить его сюда и показать эту нелепую вывеску.

— Какая-то чушь! Хулиганство! Оскорбление личности! Что-то совсем дикое и несуразное! — ворчал Скуперфильд, в двадцатый раз прочитывая поразившую его надпись.

Постепенно он начал, однако, припоминать, что уже где-то видел такую надпись, что она, в общем-то, ему очень и очень знакома.

— А! — чуть ли не закричал он вдруг. — Вспомнил! Я ведь видел её на ящиках с макаронами, которые выпускает моя собственная макаронная фабрика, провались я тут же на месте.

Присмотревшись, он убедился, что надпись на самом деле была сделана на длинном фанерном ящике из-под макарон и что вся хижина была

сооружена из подобного рода ящиков. Здесь были ящики и из-под табака, с изображением коротышки с трубкой в зубах, и из-под мыла, с изображением намыленной головы, и из-под зубного порошка, с изображением зубов, сверкающих белизной.

В это время нырявшие коротышки вылезли из воды и присоединились к тем, что грелись у костра. Скуперфильд хотел подойти к ним, но его смущало, что коротышки были не совсем одеты. На одном были только брюки и башмаки, другой был в пиджаке, но без брюк, у третьего недоставало на ногах башмаков, у четвёртого не было шляпы. Увидев, что коротышки поставили на костёр большую банку из-под томатов и принялись что-то кипятить в ней, он решил отбросить в сторону приличия и подошёл к ним.

— Здравствуйте, дорогие друзья, не найдётся ли у вас чего-нибудь покушать? — спросил он жалобным голосом. — Честное слово, целую ночь ничего не ел.

Его слова вызвали у коротышек целую бурю смеха. Тот, который был без рубашки, со смеху повалился на спину и принялся болтать в воздухе ногами. А тот, который был без штанов, ударял себя ладошками по голым коленкам и кричал:

— Что? Как ты сказал? Целую ночь не ел? Ха-ха-ха!.. Извини, братец, — сказал наконец он. — Мы живём по правилу: пять минут смеха заменяют ковригу хлеба. Поэтому уж если нам случается посмеяться, то мы смеёмся не меньше пяти минут.

— Разве то, что я сказал, так смешно? — возразил Скуперфильд.

— Конечно, братец! Кто ж ночью ест? Мы думали, с тобой невесть что случилось, а ты говоришь: целую ночь не ел!

Они снова расхохотались, а Скуперфильд сказал:

— Если бы я только ночью не ел! Но вчера я даже не пообедал! Проклятый Крабс обещал угостить обедом, а вместо этого завёз в лес и привязал к дереву.

Это заявление вызвало у коротышек новый припадок смеха.

— Что? — кричали они. — Привязал к дереву? Угостил, нечего сказать! Этот Крабс, видать, большой шутник!

И на этот раз они смеялись не меньше пяти минут. Наконец тот, который был в пиджаке, сказал:

— Извини, братец, ты, я вижу, хороший парень. С тобой не соскучишься! Только вот жаль, накормить тебя нечем. Хотели наловить раков на завтрак, да сегодня ловля неудачная вышла. Мерзавцы прячутся на такой глубине, что не донырнёшь, а вода с утра такая холодная, что терпеть невозможно. Вот, если хочешь, попей с нами чайку. Эй, Мизинчик, —

обратился он к коротышке, который был босиком. — Тащи-ка лишнюю кружку и начинай разливать чай. Сегодня твоя очередь.

Мизинчик быстро принёс полдесятка консервных банок, поставил их на стол, сколоченный из двух больших ящиков, потом снял с костра банку из-под томатов и принялся наливать из неё кипяток в консервные банки.

— Прошу к столу, — пригласил он, покончив с этим занятием.

Все уселись на ящики, которые заменяли здесь стулья. Скуперфильд тоже сел. Увидев, что все взяли консервные банки и принялись прихлёбывать из них, Скуперфильд тоже взял банку и, хлебнув из неё, обнаружил, что там был не чай, а простой кипяток.

— Где же чай? — спросил с недоумением он.

— Вот это и есть чай, — объяснил Мизинчик. — Он, правда, без чая, но это такой чай без чая. Теперь мода такая.

— Гм! — проворчал Скуперфильд. — Ну, чай — это действительно предрассудок! Шут с ним! От него организму всё равно нет никакой пользы. Но где же сахар?

Этот вопрос вызвал новый взрыв смеха. Бесштанный фыркнул прямо в свою банку, так что горячий кипяток выплеснулся прямо ему на голые колени. А Мизинчик сказал:

— Извини, братец, сахару у нас тоже нет. И купить не на что. Мы уже давно пьём чай без сахару.

— Какая же польза простую воду хлестать? — угрюмо проворчал Скуперфильд.

— Э, не говори так, братец, есть польза, — сказал тот, который был без рубашки. — Вот ты за ночь, к примеру, промёрз, организм твой остыл. Надо ему согреться. А как? Вот ты горячей водички попей, горячая водичка растечётся по всем твоим жилочкам, организму сразу станет теплей. Да и в желудке будет не пусто. Вода тоже полезна.

— Ведро воды заменяет стакан сметаны, — вставил Мизинчик. — Науке это давно известно.

Все опять засмеялись.

— А кто вы, братцы? И чем занимаетесь? — спросил Скуперфильд, принимаясь хлебать кипяток.

— Мы, братец, так называемые беспорточные безработные. Слыхал, может быть, существует такая специальность? — ответил тот, который был без рубашки. — Когда-то и мы были не хуже других, а после того как потеряли работу, опустились, как говорится, на дно. Вся наша беда в том, что у каждого из нас чего-нибудь не хватает. Вот видишь, у меня на теле нет даже рубашки, у этого нет ботинок, этот ходит без шапки. А попробуй покажись в городе без сапог или хотя бы без шапки, тебя сразу схватят фараончики и отправят на Дурацкий остров.

— Что ж, это естественно, — подтвердил Скуперфильд.

— Таким образом, в городе нам не житьё, как видишь, да и без города невозможно. Сейчас я вот возьму у Мизинчика рубашку и отправлюсь в город. Может быть, удастся где-нибудь подзаработать. А завтра Мизинчик наденет мои ботинки и, в свою очередь, отправится на заработки. Так мы и перебиваемся со дня на день: двое дома сидят, двое на промысел, ходят. В общем, беда! Чувствую, что теперь нам уж не выбиться из нужды.

Нахлебавшись горячего кипятка, Скуперфильд почувствовал, что ему на самом деле стало теплей. Правда, особенной сытости он всё же не ощущал.

Вытащив из кармана клубни картофеля, он сказал:

— Я, братцы, нашёл тут какие-то штучки. Может быть, их можно есть?

Увидев клубни, коротышки засмеялись.

— Это же картофель! — сказали они. — Его можно испечь.

— А вы умеете?

— Ещё бы не уметь! — воскликнул Мизинчик.

Он схватил клубни и потащил к костру.

— Так вы, братцы, пеките, а я принесу ещё.

С этими словами Скуперфильд вылез из-за стола и зашагал к зарослям лозняка.

— Куда же ты? — закричали коротышки.

— Я сейчас, братцы! В один момент! — крикнул Скуперфильд, исчезая в кустах.

В одну минуту он пробрался сквозь заросли лозняка и, очутившись на картофельном поле, принялся выдёргивать из земли кусты вместе с клубнями. Отделив от корней клубни, он наполнил ими свой цилиндр доверху и уже хотел отправляться обратно, как вдруг почувствовал, что его кто-то схватил сзади за шиворот. Сообразив, что попал в руки сторожа, Скуперфильд с силой рванулся и бросился удирать.

— А вот я тебя! — кричал сторож, изо всех сил размахивая суковатой палкой, которую держал в руках.

Несколько раз он пребольно огрел Скуперфильда по спине палкой и прекратил преследование лишь после того, как загнал его в овраг.

Очутившись снова на дне оврага и растеряв по пути всю картошку, Скуперфильд начал раздумывать, куда ему лучше податься: вниз по оврагу или же вверх. Вылезать из оврага он опасался, чтобы снова не попасть на глаза сторожу. Подумав как следует, он решил, что лучше всё же отправиться вверх, так как в этом случае было больше надежды выбраться на поверхность.

Расчёт его оказался верным. Пропутешествовав с полчаса, он выбрался из оврага и увидел вдали дорогу, по которой то в ту, то в другую сторону шмыгали автомашины.

Надеясь, что кто-нибудь сжалится над ним и подвезёт до города, Скуперфильд подошёл к краю дороги. Как только вдали показывалась автомашина, он принимался махать шляпой. Вскорости ему повезло. Один коротышка остановил машину и, отворив дверцу, пригласил его сесть.

— Вам куда надо? — спросил он, включая двигатель.

— Мне в Брехенвиль, — сказал Скуперфильд. — Думаю, что теперь мне уже лучше всего вернуться домой.

— В таком случае вам надо в обратную сторону, — сказал коротышка. — Я ведь в Давилон еду.

— Ну, всё равно! — махнул рукой Скуперфильд. — Поеду сперва в Давилон, а оттуда на поезде в Брехенвиль. Кстати, зайду к этому мерзавцу Крабсу и рассчитаюсь с ним за то, что он привязал меня к дереву. И ещё мне надо забрать оставленные у него в номере вещи.

Скуперфильд принялся подробно рассказывать новому знакомцу о своих приключениях и о подлом поступке Крабса, умалчивая лишь о том, с какой целью они отправились в совместную поездку. Всё, что касалось денежных дел, Скуперфильд старался сохранять в тайне и никогда не нарушал этого правила. Коротышка громко смеялся, слушая этот рассказ, и был очень доволен, что судьба послала ему такого смешного спутника. Впрочем, скоро они распрощались, так как приехали в Давилон.

Поблагодарив владельца автомобиля за оказанную услугу, Скуперфильд отправился прямо в гостиницу. Там ему сказали, что Крабс ещё вчера отбыл в Грабенберг. Скуперфильд, однако, сказал, что ему надо забрать оставленные в номере вещи. Упаковав обратно в цилиндр оставленные мыло, полотенце, платки и другие предметы, вплоть до гвоздей и куска проволоки, Скуперфильд отправился в ресторан, велел, чтоб ему подали четыре обеда, и принялся есть, как говорится, за четверых.

Пообедав и выпив для хорошего пищеварения бутылочку минеральной воды, он решил, что теперь уже ничто не мешает ему вернуться в свой родной Брехенвиль. Как мы уже убедились, случаю было угодно, чтоб он попал на тот же поезд и даже в тот же вагон, в котором Незнайка и Козлик ехали в Сан-Комарик. Известно, что Брехенвиль находится по пути в Сан-Комарик.

Глава двадцать вторая

КАК НЕЗНАЙКА И КОЗЛИК
ПРИБЫЛИ В САН-КОМАРИК

Положив вытащенные из цилиндра вещи на небольшой столик, который был у окна вагона, Скуперфильд внимательно оглядел свой головной убор и, обнаружив на нём пятно грязи, принялся счищать его рукавом. Размазав грязь равномерно по всему цилиндру, он успокоился и положил вынутые вещи обратно, после чего спрятал цилиндр под лавку. Тут он увидел проходившего по вагону проводника и, узнав от него, что поезд прибывает в Брехенвиль в три часа пополуночи, попросил, чтоб он разбудил его.

— Хорошо, хорошо, — сказал проводник.

— Не «хорошо, хорошо», а обязательно разбудите! — проворчал Скуперфильд. — Прошу принять во внимание, что я сплю чрезвычайно крепко и обязательно стану просить дать мне ещё поспать, но вы меня не слушайте: хватайте прямо за шиворот и выталкивайте из вагона.

Увидев, что толстенький пассажир, сидевший напротив, читает газеты, Скуперфильд попросил дать ему почитать «Давилонские юморески». Получив газету, он прочитал в ней сообщения о различных кражах, похищениях, ограблениях, убийствах, поджогах и отравлениях, которые произошли за день, после чего принялся читать анекдотики, которые его немало повеселили и привели в хорошее настроение. Покончив с анекдотиками, он хотел взяться за художественные рассказы, но его внимание привлекла уже известная нам статейка, в которой говорилось о гигантских акциях. Прочитав эту статейку, Скуперфильд крепко задумался. Он хорошо знал, что газета «Давилонские юморески» принадлежала

259

миллиардеру Спрутсу, поэтому в ней печаталось только то, что могло дать выгоду этому богачу.

«Значит, Спрутсу выгодно, чтоб перестали покупать гигантские акции, — сказал сам себе Скуперфильд. — Может быть, ему даже хочется, чтоб они понизились в цене?.. Да, да! Какой же я остолоп, что не сообразил этого сразу. Недаром Спрутс так старался, чтоб Мига и Жулио скрылись с деньгами. Ведь как только они скроются, цены на акции обязательно упадут. Тогда господин Спрутс скупит их по дешёвке, а когда они снова поднимутся в цене, продаст и разбогатеет ещё больше. Что ж, надо перебить Спрутсу дорогу и скупить гигантские акции раньше его. Это будет выгодное дельце!»

Обрадовавшись тому, что придумал дельце, на котором сможет нажить огромные барыши, Скуперфильд принялся потирать от удовольствия руки и даже что-то потихоньку запел про себя. Заметив, однако, что уже наступила ночь и многие пассажиры спят, он решил, что и ему пора спать, тем более что предыдущую ночь он провёл совершенно без сна. Расстелив оставленную проводником постель, Скуперфильд растянулся во весь рост на лавке, сказав про себя:

«Да, братцы, в поезде спать — это не то что в дупле!»

Он уже готов был погрузиться в сон, но решил проверить, не стащил ли кто-нибудь из-под лавки цилиндр. Сунув руку под лавку, он убедился, что цилиндр был на месте. Это успокоило Скуперфильда, но как раз в этот момент он почему-то вспомнил о своей трости. Пошарив рукой по полу и не обнаружив трости, он принялся искать её у себя на лавке, потом на лавке у толстяка, который в это время уже храпел, накрывшись газетой, заглянул даже на верхние полки, где спали Незнайка с Козликом. Трости нигде не было.

«А может быть, я пришёл в вагон уже без трости? — мелькнула у Скуперфильда мысль. — Может, я её забыл где-нибудь?»

Он начал припоминать, что действительно давно не видал своей трости, и постепенно ему стало ясно, что он забыл её либо в гостинице, куда заходил, чтоб забрать свои вещи, либо в машине у коротышки, который подвёз его, либо у тех коротышек, которые угощали его кипятком.

«А может быть, она осталась в дупле?» — чуть не закричал Скуперфильд.

Он уже хотел потребовать, чтоб остановили поезд, так как решил ехать обратно на поиски трости, но сообразил, что это обойдётся ему намного дороже, чем купить новую трость. Поэтому он снова положил голову на подушку и попытался заснуть.

Мысль, что придётся затратить деньги на приобретение новой трости, не давала, однако, ему покоя. Он изо всех сил старался вспомнить, где оставил трость, но мог припомнить лишь то, что держал трость в руках, когда стукнул ею по голове Жулио.

«А здорово я его огрел тогда», — подумал он.

Мысль эта всё же не принесла ему облегчения. Его по-прежнему грызла досада. Он вспоминал, какую сумму уплатил за трость, и проклинал себя за то, что купил трость с костяным набалдашником, а не с железным, которая обошлась бы ему гораздо дешевле.

Неизвестно, до каких бы пор продолжались его мучения, если бы не произошёл непредвиденный случай.

Перед тем как лечь спать, Незнайка и Козлик решили попить газированной водички с сиропом. Откупорив бутылку, они половину воды выпили, а другую половину оставили на ночь. Чтобы бутылка случайно не опрокинулась ночью, Козлик поставил её на своей полке к стенке вагона и прижал сбоку подушкой, на которой спал. Ночью от тряски вагона подушка понемногу сместилась в сторону, бутылка от этого наклонилась, и газированная вода начала капать из горлышка. Скуперфильд, место которого находилось под Козликом, моментально заметил, что сверху капает какая-то жидкость. Подставив ладонь, он собрал в ней несколько капель и, слизнув их языком, установил, что капала газированная вода с сиропом. Считая неблагоразумным допускать, чтобы этот полезный напиток пропадал даром, он подставил под капли рот, стараясь разинуть его как можно шире.

Бутылка между тем наклонилась от тряски больше, и вода полилась из неё тонкой струйкой. С удовольствием глотая эту сладкую, пахучую, приятно щиплющую за язык жидкость, Скуперфильд прикидывал в уме, во сколько обошлась бы ему газированная вода, если бы понадобилось уплатить за неё. Эту сумму он вычитал из суммы, затраченной на покупку пропавшей трости, и испытывал удовольствие от того, что сумма пропажи как бы становилась меньше. Бутылка тем временем наклонялась больше, благодаря чему газированная вода текла не переставая. В соответствии с этим текли и мысли в голове Скуперфильда. Постепенно увлёкшись, он стал мечтать о том, как было бы хорошо, если бы при каждой железнодорожной поездке ему удавалось выпить хотя бы бутылку газированной воды бесплатно. Разделив цену пропавшей трости на цену бутылки газированной воды с сиропом, он вычислил количество железнодорожных поездок, которые пришлось бы совершить, чтоб вернуть сумму денег, затраченных на покупку трости.

Занимаясь этими приятными расчётами, Скуперфильд постепенно забыл о своих огорчениях и пришёл в хорошее настроение. Как раз в этот момент бутылка окончательно опрокинулась и, полетев вниз, стукнула Скуперфильда по лбу.

— Вот и всегда так! — пробормотал Скуперфильд, схватившись за лоб руками. — Не успеешь получить удовольствие, как приходится за это расплачиваться! Проклятая жизнь, чтоб ей провалиться на месте!

Потрогав ушибленный лоб, он убедился, что на этот раз отделался шишкой. Чувствуя, что боль от удара понемногу проходит, он успокоился и наконец заснул.

Поезд между тем мчался вперёд. Колёса мерно постукивали. Время тоже не стояло на месте. Когда Скуперфильд заснул, было далеко за полночь. Не прошло и двух часов, как впереди засветились огни Брехенвиля. Колёса застучали на стрелках. Поезд постепенно замедлил ход и вскоре остановился.

Скуперфильд, однако, продолжал спать. Проводник забыл его разбудить и вспомнил об этом, лишь когда поезд уже отошёл от станции.

— Вот так штука! — воскликнул проводник, останавливаясь возле спящего Скуперфильда. — Кажется, этот чудак хотел сойти в Брехенвиле... Да, да, верно! Ну что ж, ссажу его на следующей остановке, а в Брехенвиль он сможет вернуться на пригородном поезде. Теперь всё равно ничего не поделаешь.

Чтоб избежать неприятных объяснений, он решил пока не будить Скуперфильда, а принялся тормошить его, как только поезд остановился на следующей станции, которая имела какое-то странное название — «Паноптикум».

— Вставайте скорее, вам сходить пора! — кричал проводник и дёргал Скуперфильда за плечо.

В ответ на это Скуперфильд только отмахивался рукой и продолжал храпеть, словно не к нему обращались. Видя, что поезд скоро отойдёт и от этой станции, проводник рассердился не на шутку и закричал Скуперфильду прямо в ухо:

— Слушайте, господин хороший, перестаньте дурить, а не то вам придётся заплатить штраф за проезд без билета. Ваш билет кончился ещё в Брехенвиле.

Услыхав, что ему придётся за что-то платить, но не разобрав за что, Скуперфильд на минутку очнулся и, соскочив со скамьи, осовело уставился на проводника. Воспользовавшись этим, проводник схватил его за шиворот, подтащил к выходу и вытолкнул на перрон. Вернувшись обратно, он поднял валявшуюся на полу газету, достал из-под лавки цилиндр, набитый всякой всячиной, и, подойдя к двери, сунул всё это в руки ошалевшему Скуперфильду. Скуперфильд хотел о чём-то спросить и уже раскрыл рот, но поезд как раз в это мгновение тронулся, и он так и остался на перроне с разинутым ртом.

Незнайка и Козлик даже не слыхали, что произошло ночью. Они спали достаточно крепко, так как в предыдущую ночь им не удалось как следует выспаться из-за кинокошмаров. Уже давно рассвело, а они продолжали спать и, наверно, проехали бы Сан-Комарик, если бы проводник не разбудил их.

— Эй! — закричал он. — Вам, как видно, хочется тоже проспать свою станцию! Ну-ка, вставайте!

Видя, что Незнайка и Козлик даже не пошевелились, он принялся стучать по их полкам стальными щипцами, которыми пользовался для пробивки билетов. Услышав стук, Незнайка и Козлик проснулись.

И вовремя!

Поезд уже подходил к станции. Многие пассажиры, схватив чемоданы и узелки с вещами, толпились у вагонных дверей. Незнайка и Козлик соскочили со своих полок и тоже стали пробираться к выходу.

Сан-Комарик был большой город, поэтому здесь сходило множество пассажиров. Как только поезд остановился, широкий перрон мгновенно заполнился приехавшими, которые тут же смешались со встречавшими, отъезжавшими и провожавшими. Выйдя из вагона, Незнайка и Козлик принялись оглядываться по сторонам, надеясь увидеть в этой пёстрой толпе Мигу и Жулио. Перед ними мелькало множество лиц, но ни одного похожего на Мигу или Жулио не было.

— А может быть, они встречают нас у другого вагона, — высказал предположение Незнайка, приподнимаясь на цыпочки и стараясь поверх голов разглядеть, что делалось у других вагонов.

— Подождём, — сказал Козлик. — Нам не к спеху. Скоро перрон очистится, и они увидят нас.

— Или мы их, — сказал Незнайка.

— Разумеется, или мы их, — подтвердил Козлик.

Скоро толпа приехавших и встречавших схлынула, а после отхода поезда разошлись и провожавшие. Перрон опустел, и на нём не осталось никого, кроме Незнайки и Козлика.

— Что же это? — недоумевал Козлик. — По правде сказать, мне эти Мига и Жулио никогда не внушали доверия. Я всё время ждал, что они выкинут с нами какую-нибудь скверную штуку. А может, они ошиблись и придут встречать нас к следующему поезду?

Тут к ним подошёл железнодорожный служащий в форменной фуражке и спросил, что они здесь делают.

— Нас, понимаете, должны были встретить, но не встретили, — объяснил Козлик.

— Ну, не встретили, так в другой раз встретят, а торчать здесь нечего. Это запрещено правилами, — сказал служащий.

— А когда прибудет следующий поезд из Давилона? — спросил Козлик.

— Завтра в это же время, — ответил служащий и зашагал прочь.

— Что ж, придём сюда завтра. Может быть, они перепутали дни, — сказал Козлик.

Они прошли через вокзал и зашагали по улице.

— Что же нам теперь делать? — спросил Незнайка.

— Надо где-нибудь раздобыть денег, — ответил Козлик. — Ведь у нас с тобой даже на обед нет. Да и на ночлег припасти надо.

— А где мы будем раздобывать деньги?

— Ну, придётся искать работу. Ты когда-нибудь служил в ресторане?

— Никогда в жизни, — признался Незнайка.

— Самое лучшее, — сказал Козлик, — это куда-нибудь в ресторан официантом устроиться или поваром. Поближе к еде, — пояснил он. — Я однажды служил в ресторане швейцаром. Видел, как официанты работают. Ничего сложного. Только устроиться трудно. Обычно все места заняты.

Увидев по пути ресторан, Козлик смело отворил дверь, и они с Незнайкой вошли. Для завтрака время уже было позднее, а для обеда раннее, поэтому в ресторане посетителей не было. Увидев хозяина ресторана, который стоял за буфетной стойкой и озабоченно щёлкал на счётах, подсчитывая не то доходы, не то расходы, Козлик спросил:

— Вам повара или официанты не требуются?

Хозяин перестал щёлкать на счётах и, окинув Незнайку и Козлика взглядом, спросил:

— А кто из вас повар?

— Я повар, — ответил Козлик. — А вот он официант.

— Какой же из тебя повар! — усмехнулся хозяин. — Повара обычно бывают толстенькие, а ты вон какой худой.

— Вы меня только возьмите, я обязательно растолстею, — ответил Козлик.

— Вот ты растолстей сначала, а тогда я тебя возьму! — сердито буркнул хозяин.

— А нельзя ли в таком случае вот ему поваром? — показал на Незнайку Козлик. — Он, кажется, потолще меня.

— Но ты ведь сказал, что он официант, а не повар, — возразил хозяин.

— Это ничего. Он может и поваром.

— Ты на самом деле можешь готовить еду? — обратился хозяин к Незнайке.

— В точности не скажу, так как ни разу не пробовал, — ответил Незнайка. — Надо попробовать.

— Нет, — ответил хозяин. — Мне такой повар не нужен. И вообще мне повар не нужен. У меня уже есть повар.

— Тогда возьмите его помощником, — предложил Козлик.

— И помощник не нужен.

— Тогда возьмите нас официантами.

— И официанты не нужны. Мне и своих официантов придётся увольнять. Видишь, посетителей совсем нет.

— Ну возьмите нас хоть посуду мыть, — не унимался Козлик.

— У меня есть судомойка, — махнул хозяин рукой.

— Какой-то осёл! — обругал хозяина Козлик, когда они с Незнайкой вышли на улицу. — Ну скажи, пожалуйста, какая ему разница, кто из нас повар, ты или я, если ему вообще повара не нужны? Только время на разговоры потратили!

В другом ресторане разговор получился примерно такой же. Узнав, что Незнайка и Козлик согласны работать в его ресторане поварами, официантами, буфетчиками, пекарями, кассирами, судомойками, полотёрами, директорами, ночными сторожами или швейцарами, хозяин спросил:

— И вы всё это можете?

— Всё можем, — заверил Козлик.

— А предсказывать будущее не можете

— Чего нет, того нет, — развёл Козлик руками. — Предсказывать будущее, к сожалению, не можем.

— А вот я предскажу вам будущее, — сказал хозяин. — Сейчас вы вылетите за дверь и никогда сюда не вернётесь больше.

— Это почему? — спросил Козлик.

— Потому что я так предсказал.

— Этот тоже осёл! — вынес свой приговор Козлик, очутившись за дверью. — На его месте я бы не хуже предсказывал.

В следующем ресторане разговор получился ещё короче. Не успел Козлик открыть рот, как хозяин стукнул кулаком по столу и сказал:

— Марш! И чтоб я тебя больше не видел!

— Коротко, но не совсем вежливо! — сказал Козлик.

Само собой разумеется, что эти слова тоже были сказаны уже на улице.

Первые неудачи не обескуражили Козлика. Они с Незнайкой ещё долго ходили по ресторанам, всюду получая отказ и подвергаясь насмешкам, после чего принялись бродить по магазинам и предлагать себя в продавцы. Впрочем, с тем же успехом! Хозяева магазинов интересовались больше покупателями, чем продавцами.

Скоро наступил вечер. Повсюду засветились яркие огни реклам. Центральные улицы города, куда забрели в это время Незнайка с Козликом, наполнились электрическим светом, весельем и музыкой, гуляющими и танцующими коротышками, скрипением качелей, вертящихся каруселей, чёртовых колёс и других приспособлений для весёлого времяпрепровождения.

В этом отношении Сан-Комарик ничем не отличался от других больших лунных городов.

Незнайка и Козлик с завистью поглядывали на коротышек, которые сидели у ресторанов за столиками и угощались разными вкусными блюдами. Смотреть на всё это и не иметь возможности утолить голод было очень мучительно.

— Лучшее средство заглушить аппетит — это смотреться в кривые зеркала, — сказал Козлик. — Я лично всегда так делаю. Когда смеёшься, голод не так сильно чувствуется.

Они принялись бродить вдоль выставленных у краёв тротуара кривых зеркал и разглядывать свои отражения. Одно из зеркал до такой степени исказило их физиономии, что Незнайка и Козлик, как ни было им грустно, всё же не смогли удержаться от смеха.

Посмеявшись, Незнайка заметил, что есть действительно стало хотеться меньше. В это время они увидели коротышек, собравшихся толпой перед небольшим деревянным помостом, над которым красовалась вывеска с надписью: «Весёлый балаганчик». На помосте за занавеской, сделанной из обыкновенной простыни, стоял какой-то смешной коротышка. Он просунул голову в круглое отверстие, имевшееся посреди простыни, а стоявшие перед помостом зрители швыряли в него резиновыми мячами, целясь прямо в лицо. Коротышка смешно гримасничал и нелепо дёргался в стороны, стараясь уберечь лицо от ударов, что очень веселило зрителей.

Услыхав смех, Незнайка и Козлик подошли ближе и тоже принялись хохотать, глядя на смешные ужимки этого потешного коротышки.

— Зачем же он это? — спросил, задыхаясь от смеха, Незнайка. — Это же, наверно, больно, когда по лицу мячом?

— Конечно, больно, — ответил Козлик. — Но ведь надо как-нибудь зарабатывать на жизнь. Ему хозяин платит за это.

Тут Незнайка увидел хозяина балаганчика. Он стоял возле большой белой корзины, доверху наполненной резиновыми мячами. Каждый, кто хотел швырнуть мячом в коротышку, платил хозяину сантик. Как раз в этот момент один из зрителей, желая потешить себя и других, уплатил сразу за пять мячей и принялся швырять их в лицо коротышки. От четырёх мячей коротышке удалось увернуться, зато пятый угодил ему прямо в глаз, да с такой силой, что веко моментально распухло. Глаз у бедняги закрылся и перестал видеть. Испуганный коротышка сказал, что сегодня он уже не сможет работать, и ушёл домой. Хозяин балаганчика, однако, не растерялся и, взобравшись на помост, закричал:

— Ну-ка, друзья, кто хочет заработать три фертинга? Плачу целых три фертинга тому, кто продержится до закрытия.

— Становись сам! — закричал кто-то из зрителей. — Ну-ка, подставляй свою толстую рожу!

В это время Козлик быстро пролез сквозь толпу и, вскочив на помост, сказал:

— Давай я попробую.

— Попробуй, попробуй! Только не вздумай пищать, когда получишь мячиком по носу, — послышалось из толпы.

Все засмеялись вокруг. Стараясь не обращать внимания на смеющихся коротышек, Козлик спрятался за занавеску и просунул в отверстие голову. Он сразу же убедился, что занавеска не давала возможности сильно отклонять голову и действовать здесь надо как можно проворнее. Не успел он оглядеться вокруг, как «игра» началась и довольно метко брошенный мяч огрел его по лбу.

Это на секунду ошеломило Козлика и напомнило, что зевать здесь нельзя. После первого удара по лбу последовало несколько увесистых ударов по щекам, а один мяч даже попал ему по носу. Но самый сильный удар пришёлся по уху. Боль была такая, что у Козлика невольно выступили на глазах слёзы. Чтобы как-нибудь увернуться от летящих мячей, он дёргался из стороны в сторону, крепко зажмуривался, стараясь уберечь от повреждения глаза, отчего получались очень смешные гримасы.

Зрители веселились вовсю. Привлечённые смехом, к толпе присоединялись новые прохожие. Торговля мячами шла бойко. Хозяин едва успевал получать деньги.

Но Незнайке на этот раз было не до веселья. Он с замиранием сердца следил за движениями своего друга и испытывал такое чувство, будто удары доставались не Козлику, а ему самому. Он готов был умолять коротышек, чтоб они не обижали бедного Козлика, готов был колотить всех, кто бросал в него мячами, а заодно и владельца балаганчика, который придумал это дурацкое развлечение ради собственной выгоды.

Время, однако, шло. В воздухе становилось прохладнее. Вскоре толпа начала понемногу редеть, а потом и вовсе рассеялась. Хозяин отсчитал Козлику три фертинга самыми мелкими монетками и закрыл своё увеселительное заведение на ночь.

Через пять минут Незнайка и Козлик сидели в тёплом помещении столовой и с аппетитом уплетали вкусный перловый суп с пирогами и гречневую кашу с маслом. Козлик крякал от удовольствия, чмокал губами и жмурился, словно проголодавшийся котёнок, которого принесли с мороза и угостили сметанкой. Незнайка тоже на все лады расхваливал и суп, и кашу, и пироги. После перенесённых волнений еда казалась ему особенно вкусной.

Глава двадцать третья

В «ТУПИЧКЕ»

Гостиница «Экономическая», куда отправились ночевать Незнайка и Козлик, славилась своей дешевизной. За пятьдесят сантиков здесь можно было получить на ночь вполне удобный номер, что было чуть ли не вдвое дешевле, чем в любой другой гостинице. Этим объяснялось, что гостиница «Экономическая» никогда не испытывала недостатка в жильцах. Каждый, прочитав на вывеске надпись: «Самые дешёвые номера на свете», недолго раздумывая шёл в эту гостиницу. Уплатив пятьдесят сантиков, Незнайка и Козлик получили ключ и, разыскав свой номер, очутились в небольшой чистенькой комнате. Здесь были стол, несколько стульев, платяной шкаф, рукомойник с зеркалом у стены и даже телевизор в углу.

— Смотри, — сказал с удовольствием Козлик. — Где ещё можно получить за пятьдесят сантиков номер, да ещё с телевизором? Можешь поверить мне на слово, что нигде. Неспроста гостиница называется «Экономической».

Отворив шкаф и положив на полочку свои шляпы, Незнайка и Козлик хотели расположиться на отдых, но в это время зазвенел звонок, и на том месте, где обычно бывает электрический выключатель, замигал красный глазок. Взглянув на этот световой сигнал, Незнайка и Козлик заметили, как из отверстия, которое имелось в стене, высунулся плоский металлический язычок с углублением на конце, а под ним замигала светящаяся надпись: «Сантик».

— Ах, чтоб тебя! — воскликнул Козлик и с досадой почесал затылок. — Я, кажется, уже знаю, что это за штука. По-моему, мы попали в гостиницу, где берут отдельную плату за пользование электричеством. Видишь —

язычок. Если не положишь на него сантик, то свет погаснет и мы останемся в темноте.

Не успел он это сказать, как лампочка под потолком погасла и комната погрузилась во мрак.

Сунув руку в карман, Козлик достал монетку достоинством в сантик и положил её в углубление на конце язычка. Язычок моментально исчез в отверстии вместе с монеткой, и лампочка засветилась вновь.

— Теперь всё в порядке, — облегчённо вздохнул Козлик.

В это время Незнайка обратил внимание на то, что в номере не было кроватей.

— На чём же мы будем спать? — с недоумением спросил он.

— Здесь откидные кровати, — объяснил Козлик. — Так часто делается в дешёвых гостиницах. Днём кровати всё равно никому не нужны, они откидываются к стене, а на ночь опускаются снова.

Незнайка огляделся по сторонам и убедился, что кровати здесь были устроены на манер откидных полок, как это бывает в вагонах поезда.

Козлик подошёл к одной из полок и потянул за привинченную сбоку металлическую ручку. Кровать, однако же, не откинулась, а вместо этого из стены высунулся ещё один металлический язычок и под ним опять замигала надпись: «Сантик».

— Ах, черти! — воскликнул Козлик. — Так здесь, значит, и за кровати надо платить!

Он сунул в углубление язычка сантик. Кровать мгновенно откинулась, а из стены в тот же момент высунулись ещё три язычка, под которыми замигали надписи: «Простыня — 1 сантик», «Одеяло — 1 сантик», «Подушка — 2 сантика».

— А! — закричал Козлик. — Теперь мне понятно, почему гостиница называется «Экономической»! Потому что здесь можно сэкономить уйму денег. Захотел сэкономить сантик — спи без простыни или без одеяла. За два сантика можешь спать без подушки. А за целый пятак спи на голом полу. Сплошная выгода!

Вытащив горсть монеток, Козлик принялся класть их на высунутые язычки. Один за другим язычки исчезали, словно проглатывали монетки, а из отверстия, открывшегося в стене, выскакивали, как из автомата, то аккуратно сложенная простыня, то подушка, то одеяло.

Застелив постель, Козлик подошёл к другой полке и устроил точно таким же путём постель для Незнайки. Поскольку спать им ещё не хотелось, друзья решили посмотреть телевидение. Подойдя к телевизору, Козлик повернул рукоятку. Телевизор, однако же, не включился, зато сверху высунулся уже знакомый нам язычок и потребовал плату сразу пять сантиков.

— Да это же грабёж! — возмутился Козлик. — Такие деньги платить только за то, чтоб посмотреть телевизор!

Поворчав немного, он всё же вынул пять сантиков и положил их на язычок. Пять сантиков исчезли в утробе телевизора. Экран тотчас же засветился, и на нём замелькали кадры незнакомого фильма. В фильме показывалось, как целая орава полицейских и сыщиков ловила шайку преступников, похитивших какие-то ценности. Полицейские то и дело устраивали облавы, засады, внезапные нападения, но преступникам каждый раз удавалось ловко обмануть полицейских и уйти от преследования.

Незнайка и Козлик смотрели фильм с середины и никак не могли понять, где и какие ценности преступники похитили. Им всё же почему-то хотелось выяснить этот вопрос. В то же время им чрезвычайно интересно было узнать, поймают в конце концов преступников или нет.

Картина между тем становилась всё напряжённее и стремительнее. Одна за другой возникали головокружительные погони, массовые драки и оглушительные перестрелки. На самом интересном месте, когда главаря шайки вот-вот должны были схватить, телевизор вдруг выключился, вверху снова высунулся язычок и замигала надпись: «5 сантиков».

— На, жри! — с досадой проворчал Козлик и поскорей сунул в телевизор ещё пять сантиков.

Экран замелькал по-прежнему, бандиты бросились выручать своего главаря. Полицейские стали забрасывать их бомбами со слезоточивыми газами, а потом вызвали на подмогу бронированные автомобили и снова пустились в погоню, круша и ломая всё на своем пути.

Незнайке и Козлику всё же не удалось досмотреть этот захватывающий фильм до конца. Когда язычок высунулся в пятый раз, Козлик сказал:

— Хватит! Мы не Скуперфильды какие-нибудь, чтоб выбрасывать деньги на ветер! Да к тому же и спать пора.

Решив на ночь умыться, Козлик подошёл к рукомойнику, но и тут пришлось израсходовать сантик на воду, сантик на мыло и сантик на полотенце.

Вслед за Козликом начал умываться Незяайка. Но едва он намылил лицо, как что-то щёлкнуло и вода перестала течь. Незнайка вертел кран то в одну сторону, то в другую, стучал по нему кулаком, но это не помогало. Мыло невыносимо щипало ему глаза, а смыть было нечем. Тогда Незнайка стал звать на помощь Козлика. Видя неладное, Козлик подбежал к крану, но как раз в это время погас свет и комната снова погрузилась во мрак. Единственное, что можно было разглядеть в темноте, это настойчиво мигавший красный глазок на стене и поблёскивавший под ним металлический язычок.

Сообразив, что вновь требуется уплата за электричество, Козлик бросился к язычку, доставая на ходу из кармана сантик. Слизнув в одно мгновение монетку, язычок скрылся в стене, и свет загорелся. Наладив таким образом дело со светом, Козлик подбежал к рукомойнику и увидел, что здесь также высунулся язычок, требовавший уплаты за воду.

— Ах ты ненасытная утроба! — выругался Козлик. — Я ведь с тобой расплатился уже! Ну на, жри, если тебе мало!

И здесь сантик был мгновенно проглочен, в результате чего вода полилась из крана, и Незнайка смог наконец смыть разъедавшее глаза мыло.

Тяжело вздохнув, Козлик подсчитал оставшиеся у него монетки и сказал, что надо поскорей укладываться спать, так как денег у них осталось мало. Раздевшись, друзья забрались в постели, но на этом их траты не кончились. Вскоре они почувствовали, что в комнате стало холодно. Как ни кутались они в одеяла, холод пронизывал их, как говорится, до костей. Наконец Козлик вскочил с постели и решил потребовать, чтоб их перевели в более тёплый номер. Подбежав к двери и увидев на стене ряд кнопок с надписями: «Коридорный», «Посыльный», «Горничная», «Официант», он принялся изо всех сил нажимать на них, но в ответ на это из стены лишь высовывались язычки, каждый из которых неумолимо требовал: «Сантик», «Сантик», «Сантик».

— С ума вы все посходили! — возмущался Козлик. — Где я вам наберу столько сантиков!

В это время Незнайка заметил на стене ещё две кнопки, под которыми имелись надписи: «Отопление» и «Вентиляция».

— Постой, — сказал он. — Мы, наверно, забыли включить отопление.

Он нажал кнопку, но и тут из стены высунулся язычок и заявил о своём желании получить сантик.

— В последний раз даю! — проворчал Козлик, доставая из кармана монетку.

Сантик произвёл своё магическое действие. Послышалось приглушённое гудение, и из отверстия, имевшегося под рукомойником, в комнату начал поступать тёплый воздух. Почувствовав, что в комнате стало теплей, друзья забрались в кровати и, пригревшись, заснули.

Утром они проснулись ранёхонько и решили поскорей удрать из гостиницы, чтоб сохранить остатки монеток. Однако и тут на их пути возникло препятствие в виде наглухо запертой дверцы шкафа, в котором они оставили свои шляпы. Сколько ни дёргал Козлик за ручку, из дверцы лишь высовывался язычок, требуя сантик в уплату за хранение вещей. Видя, что ничего не поделаешь, Козлик полез в карман за монеткой.

— Чтоб вас черти побрали! — выходил из себя он. — Это какая-то грабиловка, а не гостиница. Тут поживёшь, так не только без шляпы останешься — гляди, как бы и штаны не сняли. Скоро чихнуть бесплатно будет нельзя.

Заскочив в закусочную и наскоро позавтракав, друзья поспешили на вокзал в надежде, что Мига и Жулио появятся к приходу поезда. Надежды их оказались, однако, напрасными. Поезд пришёл, но Мига и Жулио так и не появились.

— Теперь ясно, что они обманули нас и удрали с деньгами, — сказал Козлик.

Они снова отправились искать работу, но в этот день их поиски не увенчались успехом. Козлик сказал, что это ничего, так как скоро откроется «Весёлый балаганчик» и можно будет попытаться подзаработать там. Явившись на улицу, где было уже знакомое им увеселительное заведение, Незнайка и Козлик увидели, что вчерашний коротышка выздоровел и уже стоял на помосте, увёртываясь от летевших в лицо мячей. Правда, под глазом у него красовался большой синяк, но коротышка, по-видимому, привык не обращать внимание на подобные пустяки.

— Что ж, — сказал Козлик, — я думаю, это ничего. Скоро его кто-нибудь стукнет мячиком так, что он полетит с ног, тогда я опять займу его место.

Расчёты Козлика оказались верными. Скоро, действительно, кто-то запустил мяч с такой силой, что коротышка не успел увернуться. Удар на этот раз пришёлся по другому глазу. Схватившись рукой за подбитый глаз и заливаясь слезами от боли, бедняга побежал поскорей домой. Козлику было жалко несчастного коротышку, но вместе с тем он был рад, что теперь сможет заработать немного денег.

Не успел он, однако, предложить свои услуги хозяину, как стоявший неподалёку коротышка вскочил на помост и закричал:

— А теперь я буду! Давайте в меня бросайте.

Он тут же просунул голову в отверстие в занавеске, и мячи полетели в него.

Этот новый коротышка оказался хорошим актёром. Он ловко увёртывался от мячей. Зная, однако, что публике не нравится, когда мячи летят мимо, он время от времени наклонял голову и нарочно подставлял под удар лоб. Мячик, не причинив коротышке особенного вреда, отскакивал ото лба, а коротышка, сделав вид, будто удар был сильный, падал на пол и, высунувшись из-за занавески, дрыгал ногами в воздухе. Это страшно смешило зрителей и привлекало новых прохожих. Хозяин был очень доволен, что ему попался такой хороший работник.

Козлика не оставляла надежда, что и этот смельчак не продержится долго, но он всё же продержался до закрытия балагана.

— Теперь нам с тобой придётся лечь спать без ужина, — с огорчением сказал Козлик.

— А разве у тебя не осталось больше монеток?

— Осталось всего двадцать сантиков, но эти деньги понадобятся нам, чтоб заплатить за ночлег.

— А может быть, лучше эти деньги проесть и переночевать просто на улице? — спросил Незнайка.

— Что ты! Что ты! — испуганно замахал Козлик руками. — Или забыл, что я тебе про Дурацкий остров рассказывал? Лучше без еды потерпеть, чем попасть полицейским в руки.

— Небось как проголодаешься посильней, так и на Дурацкий остров захочешь, — проворчал Незнайка.

— Что ж, бывает и так, — согласился Козлик.

Разговаривая таким образом, друзья шагали по городу. Чем дальше они уходили от центра, тем реже встречали освещённые витрины магазинов и яркие огоньки реклам. Дома становились всё ниже, а окна подслеповатее. Асфальтированные тротуары кончились и пошли просто булыжные, с выбоинами и ухабами и лежащими поперёк кучами мусора. Вид всего этого производил на Незнайку удручающее впечатление. Одни названия улиц могли вызвать неприятное чувство. Если в богатых кварталах города чаще встречались такие названия, как Светлая улица, Счастливая улица, бульвар Радости, то здесь в ходу были такие названия, как улица Бедности, Тёмная улица, Грязная улица, Болотная или Гнилая.

Заметив, что они забрели в какую-то глушь, Незнайка спросил:

— Разве мы не пойдём сегодня в «Экономическую» гостиницу?

— Нет, братец, — ответил Козлик. — «Экономическая» гостиница нам сегодня не по карману. У нас на каждого всего по десять сантиков, а за такую сумму можно переночевать лишь у Дрянинга в «Тупичке». Это так гостиница называется, — пояснил Козлик.

Пройдя по Большой Трущобной улице, наши друзья свернули на Малую Трущобную и, миновав Первый, Второй и Третий Трущобные переулки, свернули в узенький закоулочек, который назывался Мусорный тупичок. В конце этого закоулочка стоял большой серый дом, с виду напоминавший огромный мусорный ящик.

Над входной дверью, которая поминутно открывалась, пропуская всё новых коротышек, висела вывеска с надписью: «Общедоступная гостиница «Тупичок».

Теперь уже неизвестно в точности, называлась ли гостиница так, потому что помещалась в тупичке, или же улица была названа тупичком вследствие того, что здесь была гостиница с таким названием.

Незнайка и Козлик вошли в дверь и очутились перед конторкой с окошечком. Заглянув в окошечко, Козлик спросил:

— У вас найдётся два места по десять сантиков?

Кто-то, кого не видел стоявший сбоку Незнайка, ответил:

— Найдётся. Минус второй этаж, места двести пятнадцать и двести шестнадцать.

Козлик протянул в окошечко деньги и получил два жестяных жетона, на которых были выбиты цифры: «215» и «216».

— А что значит — минус второй этаж? — заинтересовался Незнайка. — Почему минус?

— Этот дом не только поднимается вверх, но и опускается вниз, под землю, — объяснил Козлик. — Все этажи, которые вверх, те — плюс, а которые вниз, те — минус. Минус второй этаж — это значит второй подземный этаж.

— А почему нам нельзя вверх?

— Вверх дороже, — ответил Козлик. — Вот разбогатеем, переселимся наверх.

Спустившись по грязной деревянной лестнице на два этажа вниз, наши друзья вошли в дверь и очутились в огромной комнате с низким, прогнувшимся, закопчённым потолком. Первое впечатление у Незнайки было, будто он снова попал в каталажку. Такие же складские полки с лежавшими на них коротышками, такая же чугунная печь с длинными, тянувшимися через всё помещение трубами, такая же тусклая лампочка под потолком. Вся разница заключалась в том, что здесь было гораздо грязней и тесней. Полки были не из пластмассы, как в каталажке, а из грубых, почерневших, неотёсанных деревянных досок, и стояли они так тесно, что между лежавшими на них коротышками, казалось, трудно было просунуть палец.

В отличие от арестованных, которые томились в каталажке, здешние обитатели пользовались гораздо большей свободой. Каждый здесь считал себя вправе делать всё, что ему приходило в голову. Многие не только пекли картошку в золе, но и варили в жестянках из-под консервов похлёбку, жарили какие-то длинные бесформенные коржи из теста, развешивая их на горячих жестяных трубах. На этих же трубах висели вперемежку с коржами чьи-то носки, сохнущее после стирки бельё, изорванное до последней степени тряпьё, бывшее когда-то одеждой, даже чьи-то ботинки.

От всего этого жарящегося, варящегося, пекущегося, сохнущего и просто чадящего в помещении стоял такой удушливый запах, что у Незнайки перехватило дыхание и помутилось в глазах. Почувствовав головокружение, он зашатался и принялся хвататься руками за стенку. Видя, что Незнайка неожиданно побледнел, Козлик подхватил его под руки и сказал, что это ничего, что это у него с непривычки и постепенно пройдёт.

— Старайся только не дышать носом. Дыши ртом, — советовал Козлик.

Незнайка старательно зажал пальцами нос. Понемногу он отдышался и пришёл в себя.

— Теперь тебе надо полежать, и всё будет хорошо, — утешал его Козлик.

Поддерживая Незнайку под руку, он провёл его между рядами полок, словно по лабиринту. Увидев приколоченные к полкам таблички с цифрами «215» и «216», Козлик остановился.

— Вот и наши места, — сказал он.

Недолго думая Незнайка залез на полку и увидел, что здесь не было даже матраца, а вместо подушки лежал простой деревянный чурбан.

— Что это? — удивился он. — Как же здесь спать?

— Спи, да и всё тут, — отозвался коротышка с соседней полки. — Уж если захочешь, так и на голой доске заснёшь, а не захочешь, так и на мягкой перине будешь без сна валяться.

— Это ты верно, братец, — подхватил другой коротышка. — Когда-то и в этой ночлежке были матрацы да подушки, так, поверишь, дошло до того, что никто спать не мог.

— Это почему же? — заинтересовался Незнайка.

— Потому что в матрацах развелись клопы и другие вредные насекомые. От них, поверишь ли, никому житья не было. Зато когда матрацы

пришли в негодность, хозяин этой гостиницы господин Дрянинг решил новых не заводить, а старые приказал сжечь вместе с клопами. Истинное благодеяние учинил! С тех пор хорошо стало.

— И нам хорошо, и господину Дрянингу тоже неплохо: не нужно тратиться на матрацы, — вступил в разговор третий коротышка.

— Ты, братец, на Дрянинга не сердись, — сказал первый. — Он коротышка хороший. Истинный благодетель наш. Так и в газетах пишут. Если бы не он, сколько коротышек осталось бы без ночлега! В какой ты ещё гостинице найдёшь место за десять сантиков?.. Эх, ты! Недаром тебя называют Строптивым!

— А тебя недаром зовут Покладистым, — ответил Строптивый. — Думаешь, Дрянинг эту ночлежку для нашего с тобой удовольствия построил? Как бы не так! Для собственной выгоды!

— Какая же выгода в десяти сантиках? Если бы он гнался за выгодой, то построил бы гостиницу, в которой можно фертинг за номер брать, а то и два. А он о бедных заботится, о тех, у кого нет фертингов. Так и в газете писали!

— Экий же ты тюфячок, братец! Мало ли что в газетах напишут! Для того чтоб хорошую гостиницу построить, надо много денег затратить. Да и на обстановку надо потратиться. В хорошей гостинице ты получишь за фертинг целую комнату, а здесь нас гляди сколько напихано: один над другим лежит! С каждого десять сантиков — это получится выгодней, чем по фертингу за целую комнату брать, — сказал Козлик.

— Говорят, этот Дрянинг накупил в каждом городе на окраинах участков земли по дешёвке и настроил вот таких гостиниц, вроде мусорных ящиков, — сказал Строптивый. — Ну и что ж, доход верный! Бедняки-то везде есть!

— Не слушай его, братец, — зашептал Покладистый, повернувшись к Незнайке. — А ложись-ка ты лучше спать. Тебе хорошее место досталось, на средней полке. На верхней полке спать душно, потому что нагретый воздух всегда вверх поднимается, а на нижней полке опасно: крыса укусить может.

— Крысы — это самое скверное дело в дрянинговских гостиницах, — сказал Козлик. — В прошлом году я жил в дрянинговской ночлежке в городе Давилоне. Там у нас одного коротышку укусила крыса за шею. Ужас до чего мучился, бедный! На шее у него вздулся желвак величиной с два кулака, вот не вру, честное слово! С тех пор я боюсь, как бы и меня не укусила крыса. Мне всё почему-то кажется, что она меня куснёт обязательно за это самое место, что и того коротышку, — показал Козлик пальцем на шею.

— А крыса может укусить того, кто на средней полке лежит? — спросил Незнайка.

— Крыса всё может, — сказал Строптивый. — Конечно, ей прямой расчёт укусить сперва того, кто на нижней полке лежит. Но бывают крысы бешеные. Такая крыса бежит, словно с цепи сорвалась, и кусает всех без разбора. Она не станет смотреть, на какой ты полке лежишь!

— Что вы там про крыс завели беседу! Или у вас нет другой темы для разговора? — закричал коротышка, лежавший на верхней полке. — Вот я слезу сейчас и заткну вам глотки!

Коротышки притихли. Отвратительный запах уже не так тревожил обоняние Незнайки, но было нестерпимо душно. Решив лечь спать, Незнайка принялся стаскивать с себя рубашку, но Строптивый сказал:

— А вот этого я тебе не советую. Закусают!

— Кто закусает? — удивился Незнайка.

— А вот увидишь кто, — усмехнулся Строптивый.

Незнайка решил последовать совету Строптивого и растянулся на полке, не снимая одежды. Скоро он почувствовал, что на него напали какие-то мелкие зверушки и принялись немилосердно кусать. Незнайка чесался, раздирая чуть ли не до крови тело, но это не помогало.

— Ты лучше не чешись, братец, — посоветовал ему Покладистый. — Расчешешь тело, так они ещё больше кусать начнут. Клопы очень чувствительны к запаху крови.

— Ты ведь говорил, что клопов сожгли вместе с матрацами, — проворчал Незнайка.

— Ну и что ж? Тех сожгли, а это развелись новые. Всё равно их теперь меньше стало. Ты просто не представляешь, братец, сколько их раньше было. Теперь благодать! Ты только потерпи малость вначале, а потом они насосутся крови и лягут спать. Клопам тоже спать надо.

Незнайке, однако же, не хотелось дожидаться, когда клопы насытятся его кровью. Правда, некоторое время он терпел, а потом соскочил на пол и принялся сбрасывать с себя этих отвратительных насекомых. Воздух внизу был не такой душный, поэтому Незнайка решил сидеть всю ночь на полу, надеясь, что клопам не придёт в голову искать его здесь. Сев на пол и прислонившись спиной к деревянной стойке, он задремал, но в тот же момент почувствовал, как что-то коснулось его ноги. Открыв глаза, он увидел перед собой жирную серую крысу, которая вытянула вперёд свою острую усатую мордочку и, шевеля кончиком носа, обнюхивала его ботинок.

— Чу! Чтоб ты пропала! — испугался Незнайка и отдёрнул ногу.

Крыса, не особенно торопясь, отбежала в сторонку и, остановившись неподалёку, стала поглядывать на Незнайку своими блестящими, словно бусинки, глазками. С тревогой осмотревшись по сторонам, Незнайка заметил, как из-под лавки вылезла другая, точно такая же крыса и тоже стала шевелить носом. Сообразив, что спать в клопином обществе всё же безопаснее, чем в крысином, Незнайка полез обратно на полку. На этот раз он решил последовать совету Покладистого и лежал тихо, добровольно отдавая себя на съедение клопам.

— Ешьте, черти! Хоть всего съешьте! — сердито бормотал он. — Всё равно жизнь такая, что её и не жалко!

Вокруг него все уже спали. Многие коротышки были простужены и задыхались от душившего их кашля. Некоторых терзали во сне кошмары. Их стоны, мычания, вскрикивания каждый раз заставляли Незнайку вздрагивать. Видя, что и другим коротышкам приходится несладко, Незнайка перестал обращать внимание на свои страдания, на окружающий его шум, вонь, духоту и клопиные укусы. К тому же он почему-то вспомнил о Пончике и начал высчитывать, на сколько дней может хватить ему запасов еды в ракете.

Вспомнив, что запас еды был приготовлен на десять дней для сорока восьми путешественников, Незнайка помножил сорок восемь на десять. Это он сделал, чтоб узнать, на сколько дней хватит еды, если вместо сорока восьми путешественников останется только один. Получилось четыреста восемьдесят. Зная, что в году, круглым счётом, триста шестьдесят дней, а в месяце тридцать дней, Незнайка вычислил, что еды в ракете должно хватить на год и четыре месяца.

Убедившись, что непосредственная гибель от недостатка питания Пончику пока не грозит, Незнайка успокоился. Произведённые арифметические расчёты, однако, настолько утомили Незнайку, что глаза его сами собой закрылись, и он погрузился в сон.

Глава двадцать четвёртая

ПРИКЛЮЧЕНИЯ ПОНЧИКА

А что же Пончик? Занявшись Незнайкой, мы совсем позабыли о нём. Это нехорошо, пожалуй, так как многих читателей может интересовать и его судьба. Мы расстались с Пончиком, когда он пошёл с Незнайкой в лунную пещеру и потерял там один свой космический сапожок. Читатели, наверно, помнят, что Незнайка в тот момент как раз провалился сквозь лунную оболочку.

Окликнув Незнайку несколько раз и убедившись, что его поблизости нет, Пончик страшно перепугался и, вместо того чтоб отправиться на поиски своего друга, решил поскорей возвратиться в ракету. Выбравшись из пещеры, он заковылял по прямой, словно луч, дорожке к видневшемуся вдали космическому кораблю.

Солнышко, однако ж, припекало с такой страшной силой, что Пончик не выдержал и пустился бежать вприпрыжку. От быстрого бега и второй космический сапожок свалился у него с ноги, но Пончик и не подумал его поднимать, а даже обрадовался, так как бежать совсем без сапог было значительно легче. За каких-нибудь двадцать минут он добежал до ракеты и нажал кнопку, которая имелась в ее хвостовой части. Дверца шлюзовой камеры гостеприимно раскрылась. Недолго думая Пончик залез в ракету. Здесь он был в безопасности. Ничто теперь не угрожало ему, но его всё же тревожило какое-то неприятное чувство, оттого что он убежал из пещеры, оставив Незнайку без помощи.

Зная по собственному опыту, что любое неприятное чувство может быть вытеснено каким-либо противоположным, то есть приятным чувством, Пончик решил пойти в пищевой отсек и несколько, как он имел обыкновение выражаться, подзаправиться там. Забравшись в пищевой отсек, он принялся уничтожать содержимое целлофановых и хлорвиниловых трубочек, тюбиков, мешочков, пакетиков, извлекая их из термостатов, холодильников и саморегулирующихся космических духовых шкафов.

Пончик, который, как известно, был не дурак покушать, показал на наглядном примере, насколько велико может быть расхождение между теоретическими расчётами и практической жизнью. Незнайка установил, что Пончику обеспечен запас еды больше чем на год, так как все свои вычисления произвёл в расчёте на обыкновенного едока, не принимая во внимание его индивидуальные, то есть личные, едовые свойства. Вся беда оказалась в том, что личные едовые качества Пончика заключались в его чрезвычайной едовой недисциплинированности. Говоря проще, он мог есть что угодно, где угодно, когда угодно и в каких угодно количествах.

Того, что, по расчётам Незнайки, должно было хватить на год и четыре месяца, в действительности хватило Пончику лишь на четверо с половиной суток. Прикончив в этот рекордно короткий срок запасы продовольствия, находившиеся в пищевом отсеке, Пончик пробрался в хвостовую часть ракеты и попробовал жевать семена, хранившиеся в складском помещении.

Семена, однако, показались ему невкусными. Вот тогда-то он опять вспомнил о Незнайке.

«Наверно, Незнайка вернулся бы в ракету, если бы не обнаружил где-нибудь продуктов питания, — подумал Пончик. — А поскольку он не вернулся, значит, продукты питания где-то найдены, а раз это так, то мне нет никакого смысла сидеть в ракете, а необходимо отправиться на поиски Незнайки».

Натянув на себя космический скафандр и подобрав новые, подходящие по размеру космические сапоги, Пончик выскочил из ракеты и поскакал во весь опор к уже известной ему пещере. Добравшись до пещеры, он спустился в сосульчатый грот, а оттуда в тоннель с ледяным дном. Здесь он поскользнулся, как и Незнайка, и, прокатившись на животе по наклонной плоскости, полетел в подлунный колодец. Спустя некоторое время он заметил, что выскочил из колодца и летит на страшной высоте с раскрывшимся парашютом над каким-то приморским городом. Сильный ветер нёс его в сторону. Постепенно снижаясь, Пончик пролетел над приморскими городами Лос-Свиносом и Лос-Кабаносом. Уже значительно снизившись, он подлетел к городу Лос-Паганосу, но изменивший своё направление ветер понёс его в сторону моря. Пончик видел, что купания ему не миновать. Утонуть он не боялся, так как был толстенький, а толстенькие коротышки, как известно, в воде не тонут. Единственное, чего он боялся, это как бы его не укусила акула.

Шлёпнувшись в воду, он тотчас принялся работать руками и ногами и спустя час уже был у берега. Прибой в этот день был особенно сильный, и Пончику никак не удавалось пришвартоваться к берегу. Это происходило из-за того, что в громоздком космическом скафандре он был крайне неповоротлив и не мог маневрировать в бурной морской воде с достаточной ловкостью. Как только он ощущал под собой дно и пытался встать на ноги, подкатившаяся сзади волна опрокидывала его и, перевернув на спину, тащила обратно в море. Пробившись у самого берега минут двадцать, он понял в конце концов, что ему необходимо расстаться со скафандром. Кувыркаясь в волнах словно дельфин, он умудрился сбросить с себя космические сапоги, потом гермошлем, а потом и сам скафандр. Все эти ставшие теперь ненужными ему космические причиндалы были тотчас унесены морем, а Пончик, став в тот момент более обтекаемым и подвижным, ускользнул от бросавшихся на него волн и выскочил на сухой берег.

Первое, что требовалось ему после столь героической борьбы с разбушевавшейся водной стихией, был отдых. Сняв с себя вымокшую одежду, он разложил её на берегу для просушки, сам же лёг рядом и принялся отдыхать. Тёплый, ласковый ветерок приятно обдувал его тело. Морские

волны ритмично шумели, что действовало на Пончика успокаивающе и усыпляюще. Решив всё же не спать, так как это было бы неблагоразумно в незнакомой обстановке, Пончик принялся изучать окружавшую местность.

Узкий пологий берег, тянувшийся полосой вдоль моря, был ограничен с противоположной стороны обрывистыми, словно подмытыми водой холмами, которые поросли сверху зелёной травкой и мелким кустарником. Сам берег был покрыт ослепительно белым песочком и какими-то прозрачными камнями, напоминавшими обломки ледяных или стеклянных глыб. Осмотрев внимательно несколько таких камней и полизав один из них языком, Пончик убедился, что перед ним вовсе не лёд и не стекло, а кристаллы обыкновенной поваренной соли. Выбрав пару кристаллов покрупней, он положил между ними несколько кристаллов помельче и принялся их толочь. В результате у него получилась мелкая, годная для употребления в пищу столовая соль.

Будучи коротышкой практическим, не привыкшим расставаться с тем, что попадается в руки, Пончик натолок соли побольше и набил ею карманы курточки. Убедившись, что одежда его просохла, он оделся и зашагал вдоль холмов в ту сторону, где, по его расчётам, должен был находиться город, который он видел, когда спускался на парашюте.

Расчёты его оказались верными. Дойдя до края холмов, он увидел, что море образовало здесь обширный залив, на берегах которого уступами расположился красивейший город. Это был город Лос-Паганос, в который съезжались богачи из всех других городов, так как здесь был отличнейший климат и можно было прекрасно повеселиться.

Самая большая и самая красивая улица Лос-Паганоса тянулась вдоль береговой линии. В домах, которые стояли здесь лишь по одну сторону улицы, помещались многочисленные магазины, рестораны, столовые, закусочные, гостиницы, кинотеатры, весёлые балаганчики, подземные гаражи и бензозаправочные станции. По другую сторону улицы, то есть непосредственно на берегу моря, были переполненные гуляющими коротышками пляжи, купальни, ныряльные вышки, лодочные и пароходные пристани, плавучие рестораны, морские качели и карусели, чёртовы водяные колёса, параболоиды и другие увеселительные механизмы.

Прогулявшись по набережной и поглазев на купающихся коротышек, Пончик остановился у небольшого здания, над входом в которое было написано: «Пищезаправочная станция».

С виду это заведение ничем не отличалось от обычного ресторана. Как и во многих других ресторанах, здесь имелась открытая веранда со столами, за которыми обедали посетители. Разница заключалась лишь в том, что здесь можно было пообедать или позавтракать, не выходя из автомашины, а это было очень удобно для любителей автомобильного спорта. Стоило остановить свой автомобиль у входа и дать сигнал, как из ресторана выскакивал официант и подавал обед прямо в машину.

Пончик хотел тут же зайти в это пищезаправочное заведение и пообедать вместе со всеми, но его смутила афиша, которая висела у входа. На афише было написано:

ДОБРО ПОЖАЛОВАТЬ!
Кормим вкусно!
Сегодня за деньги, завтра в долг.

Именно эта последняя фраза показалась Пончику непонятной, так как он не знал, что такое деньги.

— Не будем спешить, а сначала понаблюдаем немножко, — сказал сам себе Пончик.

Усевшись неподалёку от веранды на лавочке, он принялся наблюдать за обедавшими. От его внимания не ускользнуло, что каждый посетитель ресторана, пообедав, давал официанту какие-то бумажонки или металлические кружочки.

«Может быть, эти бумажонки с кружочками и есть деньги?» — подумал Пончик.

Чтобы проверить свою догадку, он подошёл к официанту и спросил:

— У вас тут почему-то написано: «Сегодня за деньги, завтра в долг». А что будет, если сделать наоборот: завтра за деньги, сегодня в долг?

Официант сказал:

— Иди вот к хозяйке, пусть она тебе объяснит, а я не философ, чтоб такие вопросы решать.

Пончик подошёл к хозяйке, которая в это время считала деньги за стойкой, и повторил свой вопрос.

— Что такое тарелка каши, надеюсь, знаешь? — спросила хозяйка.

— Ещё бы! — подтвердил Пончик.

— Ну так ступай за мной.

Она провела Пончика через кухню, в которой, задыхаясь у огромной плиты, работали поварихи и повара, и, отворив дверь во двор, сказала:

— Видишь у сарая дрова? Расколи их, получишь тарелку каши или пять сантиков.

Пончик подошёл к куче дров и принялся колоть их топором. Куча была большая, и Пончик расправился с нею не раньше чем часа через два.

— Ну, что тебе дать? Деньги или ты, может быть, хочешь каши? — спросила хозяйка, когда Пончик вернулся к ней.

— Каши, — ответил Пончик, но, вспомнив, что хотел посмотреть на деньги, сказал: — Давай лучше деньги.

Хозяйка отсчитала ему пять сантиков. Пончик повертел их в руках, осмотрел со всех сторон и сказал:

— А если мне хочется каши?

— Тогда возвращай деньги.

Хозяйка явно обрадовалась, что сантики вернулись обратно к ней.

Сев за стол и получив от официанта тарелку гречневой каши, Пончик вооружился ложкой и принялся есть. Каша была хорошая, с маслом, но всё же Пончику показалось, что в ней чего-то недостаёт. Он сразу сообразил, что в каше недоставало соли, и стал искать на столе солонку. Убедившись, что солонки на столе не было, он запустил в карман руку, вынул щепотку соли и посолил кашу. Его действия привлекли внимание остальных посетителей. Увидев, что толстенький коротышка посыпал каким-то белым порошком кашу, после чего с удовольствием принялся уплетать её, все с любопытством стали поглядывать на него, а сидевший рядом коротышка спросил:

— Скажите, что это за порошок, которым вы посыпали кашу? Должно быть, новое лекарство какое-нибудь?

— Никакое не лекарство, а просто соль, — сказал Пончик.

— Какая соль? — не понял коротышка.

— Ну просто соль. Столовая соль, — пояснил Пончик. — Вы что, соли никогда в жизни не видели?

Коротышка в недоумении пожал плечами:

— Не понимаю, о какой соли вы говорите!

— Должно быть, здешние жители едят пищу без соли, — сказал Пончик. — А вот у нас все кушанья едят с солью. Это очень вкусно. Если хотите, попробуйте.

Он протянул щепотку соли лунному коротышке, который как раз в это время ел суп.

— Как же её есть? — спросил коротышка.

— Бросьте в суп и размешайте. Увидите, как будет вкусно.

Коротышка бросил соль в суп, размешал ложкой и с некоторой опаской, словно боялся обжечься, попробовал. Сначала он сидел, застыв на месте, и только моргал глазами, будто прислушивался к своим внутренним ощущениям, а потом все увидели, как его лицо медленно расплылось в улыбке. Проглотив ещё ложку супа, он воскликнул:

— Просто бесподобно! Совсем другой вкус!

Склонившись над тарелкой, он принялся хлебать суп, крякая от удовольствия, чмокая губами и расхваливая кушанье на все лады. Как раз в это время официант принёс ему каши.

— Скажите, а кашу тоже можно есть с солью? — спросил коротышка.

— Всё можно, — ответил Пончик, — и суп, и борщ, и щи, и бульон, и кашу, и макароны, и вермишель, и салат, и картошку... Даже простой хлеб можно есть с солью. От этого он делается только вкусней.

Он протянул коротышке ещё щепотку соли. Коротышка посолил кашу и принялся есть с таким удовольствием, что Пончику, который давно расправился со своей кашей, даже завидно стало.

— Скажите, а не можете ли вы мне дать немножечко соли? — обратился к Пончику коротышка, который сидел за столом напротив и с интересом следил за тем, что происходило.

Пончик уже было запустил руку в карман, чтоб достать щепоть соли, но так как вместе с завистью в нём проснулась и жадность, он сказал:

— Ишь какой хитренький! А вы что мне дадите?

— Что же вам дать? — развёл коротышка руками. — Хотите, я вам дам сантик?

— Ладно, гоните монету, — согласился Пончик.

Получив сантик, он отпустил коротышке щепотку соли. Тут и другие посетители начали подходить к нему. Каждый протягивал ему сантик, взамен которого получал щепоть соли. Пончик с удовольствием наблюдал, как перед ним на столе росла кучка монеток. Не обошлось тут и без недоразумений. Один лунатик, не разобравшись, в чём дело, попробовал есть соль в чистом виде и тут же с отвращением выплюнул. Другой купил у Пончика сразу десять щепоток соли за десять сантиков и бросил всю эту соль в тарелку с супом. Ясно, суп у него получился такой, что в рот взять было нельзя.

Пончик стал объяснять всем, что соль надо употреблять в небольших количествах, иначе вкус от неё теряется, и уж ни в каком случае нельзя есть соль в чистом виде. Всё это чрезвычайно заинтересовало коротышек, которые даже не представляли себе, что пищу можно было есть с солью. Каждому хотелось проверить новый метод питания. Некоторые, пообедав без соли, начинали обедать вторично, на этот раз с солью. Многие, отведав с солью супа или борща, тут же проверяли, насколько улучшится от добавки соли вкус щей или макарон, оладий, картофеля, жареных кабачков и других блюд.

Поскольку у Пончика завелись деньги, он и сам поминутно просил официанта принести ему то борща, то каши, то щей и наглядно демонстрировал перед новыми посетителями преимущества питания с солью. Хозяйка увидела, что дела её ресторана сразу улучшились, и была очень довольна.

К концу дня Пончик распродал весь свой запас соли и ушёл с карманами, туго набитыми медяками. На следующее утро он сбегал на берег моря, быстренько натолок соли и снова явился на пищезаправочную станцию. Здесь он увидел, что хозяйка приготовила для него специальный столик, над которым висела табличка с надписью: «Продажа соли». За этим столом Пончик сидел, торговал солью и одновременно закусывал, требуя подать ему то одно, то другое блюдо. Всё это было очень выгодно для него и к тому же удобно.

За несколько дней весть о том, что на пищезаправочной станции кормят какими-то сногсшибательными блюдами с какой-то сказочной солью, разнеслась по всему городу. Желающих покушать новомодных кушаний было столько, что хозяйка расширила веранду и кухню, сделала сбоку пристройку, а вдоль набережной велела устроить навес из брезента и поставить под ним ещё два десятка столов. Сообразив, что вкус кушаний ещё больше улучшится, если соль класть в пищу при варке, она договорилась с Пончиком, что сама будет покупать у него весь запас соли, необходимый для её ресторана.

Теперь Пончику не нужно было по целым дням торговать в ресторане солью, и он стал раскидывать умом, как бы нажить на этом деле побольше денег. Поскольку владельцы других ресторанов обращались к нему с просьбами доставлять и им соль, он решил увеличить добычу этого ценного пищевого продукта и основал соляной завод. С этой целью он нанял неподалёку от моря старенький, подбитый ветром сарайчик, в котором раньше смолили лодки, купил полдюжины больших медных ступок — и завод был готов. Шестеро рабочих на этом заводе только и делали, что толкли соль в медных ступках. Трое рабочих заготавливали сырьё, то есть таскали с морского берега кристаллы соли. И, наконец, ещё трое рабочих разносили в мешках готовую соль по столовым и ресторанам. Сам Пончик теперь ничего не делал, а только получал деньги. Каждому своему рабочему он платил в день по фертингу. Весь расход на оплату рабочих составлял, таким образом, лишь двенадцать фертингов в день, в то время как всю дневную добычу соли он продавал владельцам ресторанов за двести сорок — двести пятьдесят фертингов. Выходило, что клал в свой карман Пончик чуть ли не в двадцать раз больше денег, чем отдавал рабочим, в результате чего богател, как говорится, не по дням, а по часам.

Если раньше Пончику самому приходилось толочь соль и таскать её на своей спине в ресторан, то теперь это за него делали другие, а денег в его карман попадало во много раз больше. Пончик высчитал, что каждый рабочий приносил ему за день в среднем двадцать фертингов дохода. Сообразив, что дохода будет получаться тем больше, чем больше у него будет рабочих, он увеличил количество их до восемнадцати и хотел увеличить ещё больше, но хлипкий сарайчик не мог вместить слишком большого количества коротышек, и поэтому Пончик решил построить рядом другое, более обширное помещение.

Жил теперь Пончик в полное своё удовольствие, как и все остальные лунные богачи, и даже назывался он теперь не просто Пончик, а господин Понч. Из гостиницы он переехал в собственный дом, завёл себе слуг, которые одевали его и раздевали, убирали у него в комнатах, смотрели за домом. От нечего делать он по целым дням просиживал в ресторанах, ел там самые вкусные вещи, а в промежутках между едой околачивался на берегу залива и вертелся на чёртовых водяных колёсах или на морском параболоиде.

Многим, вероятно, известно, как устроено обыкновенное чёртово колесо. Это огромный деревянный круг, насаженный на торчащую кверху ось. Коротышки, желающие повеселиться, садятся в центре этого круга, после чего круг начинает вертеться всё быстрей и быстрей. Появляющаяся в результате вращения центробежная сила сбрасывает коротышек одного за другим с круга на землю. Победителем считается тот, кому дольше всех удастся удержаться на вращающемся круге. Водяное чёртово колесо устроено так же, как и обыкновенное, с той только разницей, что устанавливается оно не на земле, а на воде. Здесь центробежная сила сбрасывает коротышек уже не на землю, а в воду, что гораздо смешней и даже приятнее, особенно в жаркую погоду.

Что касается морского параболоида, то он имеет такое же устройство, как и чёртово водяное колесо, с той разницей, что вертящийся диск сделан в виде огромного блюдца с поднятыми кверху краями. Коротышка, которого центробежная сила отбрасывает всё дальше от центра, подкатывается к краю блюдца, после чего с силой вылетает вверх и шлёпается в воду, предварительно описав в воздухе кривую линию, напоминающую параболу.

На таких параболоидах, которые в огромном количестве были установлены на побережье залива, очень любили вертеться приезжавшие в Лос-Паганос богачи, поскольку в результате действия на организм центробежной силы, полётов в воздухе и окунания в воду у них разыгрывался аппетит, а они это очень ценили, так как страшно любили покушать. Этим, возможно, объяснялось, что и Пончик тоже больше любил вертеться на параболоиде, чем на простом водяном колесе.

Такое беспечное существование Пончика длилось всё же недолго. Многим лунатикам удалось вскоре проведать, где он берёт кристаллы соли для своего завода. Это привело к тому, что неподалёку от берега один за другим начали возникать небольшие соляные заводики. Каждый, кому удалось сберечь достаточную сумму денег, затрачивал её на устройство такого заводика и начинал приумножать своё богатство. В результате соли с каждым днём добывалось всё больше, а продавалась она всё дешевле и уже не приносила таких барышей, как вначале. Если прежде Пончик, затратив на оплату рабочего фертинг, получал взамен двадцать фертингов прибыли, то теперь никто не мог выколотить из рабочего больше одного фертинга.

Однако и это было очень выгодно, в силу чего соляной промысел продолжал развиваться.

Дела пошли значительно хуже, когда в Лос-Паганос вернулся из поездки крупнейший землевладелец Дракула, которому принадлежало всё морское побережье, начиная от Лос-Паганоса вплоть до самого Лос-Свиноса. Узнав, что какие-то неизвестные личности растаскивают лежавшие на побережье кристаллы для переработки их на соляных заводах, он велел обнести побережье забором, а кристаллы давать только тем, кто будет за них платить.

Таким образом, половина прибыли, которую получали владельцы соляных заводов, теперь стала попадать в карманы землевладельца Дракулы.

И это было бы ещё ничего, если бы сам Дракула и владельцы других морских побережий, где имелись запасы соли, не начали строить на своих землях огромных соляных заводов. На этих заводах соль мололи уже не вручную, а применяя усовершенствованные машины. Соль стала вырабатываться в таких огромных количествах, что цены на неё баснословно понизились. Доходы владельцев соляных заводов сделались ещё меньше, а это им, конечно, не очень нравилось. Владельцы крупных заводов считали, что излишки соли появились из-за того, что очень много развелось мелких заводов. Мелкие же солепромышленники видели причину всего этого неудовольствия в том, что появились крупные заводы, вырабатывавшие несообразно большие количества соли.

Кончилось всё это дело тем, что владельцы крупных заводов, которым было легче договориться, так как их было меньше, объединились в бредлам. На первом же заседании этого вновь испечённого бредлама владельцы крупных заводов пришли к выводу, что с владельцами мелких заводов надо как можно скорей разделаться.

Господин Дракула, который был избран председателем соляного бредлама, сказал:

— Наилучший выход из создавшегося положения — это начать продавать соль ещё дешевле. Владельцы мелких заводов вынуждены будут продавать соль по слишком низкой цене, их заводишки начнут работать в убыток, и им придётся закрыть их. А вот тогда-то мы снова повысим цену на соль, и никто не станет мешать нам наживать капиталы.

Так они и сделали. Соль стала продаваться по такой низкой цене, что Пончику и остальным мелким хозяйчикам приходилось расходовать на приобретение соляных кристаллов и оплату рабочих гораздо больше денег, чем они выручали от продажи своей продукции. Мелкие соляные заводики стали закрываться один за другим. Пончик держался дольше других. Чтобы как-нибудь сводить концы с концами, он продал свой дом, продал новое помещение для завода, которое едва успел построить, но всё же и для него пришёл день, когда в кармане не осталось ни сантика. Не хватило даже денег, чтоб расплатиться с рабочими.

Ещё хорошо, что владелец приморских увеселительных заведений принял Пончика работать крутильщиком на чёртовом колесе. Если бы не это, Пончик совсем остался бы без средств к существованию.

Глава двадцать пятая

ПАНИКА НА ДАВИЛОНСКОЙ БАРЖЕ

Мы оставили господина Скуперфильда как раз в тот момент, когда проводник высадил его из вагона в городе Паноптикуме. Некоторое время Скуперфильд стоял на перроне и осовело смотрел вслед удалявшемуся поезду. Как только поезд скрылся вдали, Скуперфильд подошёл к стоявшей у края платформы лавочке и растянулся на ней, предварительно сунув под голову цилиндр и накрывшись газетой. Время было раннее. Ещё было совсем темно, и никто не мешал Скуперфильду всхрапнуть.

Вскоре наступил рассвет. На перроне появился какой-то железнодорожный начальник и, разбудив Скуперфильда, сказал, что спать здесь не полагается. В это время к станции подошёл поезд. Перрон быстро заполнился сошедшими с поезда пассажирами. Встав с лавочки и напялив на голову цилиндр, Скуперфильд постоял в раздумье и отправился вслед за остальными пассажирами в город.

Обратив внимание на газету, которую продолжал держать в руках, он вспомнил, что собирался скупить гигантские акции, как только они упадут в цене, и начал прикидывать в уме, сколько мог бы подзаработать на этом дельце. Поразмыслив, он понял, что для проведения столь сложной денежной операции ему следовало бы находиться не в своём Брехенвиле, а в Давилоне, Грабенберге или хотя бы в Сан-Комарике, так как только в этих городах имелись специальные рынки, на которых велась продажа различных акций. Нужно сказать, что рынок, на котором торгуют акциями, очень отличается от обычного рынка, где торгуют яблоками, помидорами, картофелем или капустой. Дело в том, что продавцу фруктов или овощей достаточно разложить свой товар на прилавке, чтобы все видели, чем он торгует. Продавец акций носит свой товар в кармане, и единственное, что может делать, это выкрикивать название своих акций и цену, по которой он желает их продавать. Покупателю тоже остаётся только выкрикивать название тех акций, которые он хочет купить.

С тех пор как появились акционерские рынки, некоторые лунатики стали покупать акции не только для того, чтоб иметь долю в барышах какого-нибудь предприятия, но и для того, чтоб продавать их по более высокой цене. Появились торговцы, которые покупали и продавали акции в огромных количествах и получали на этом большие прибыли. Такие торговцы уже не ходили сами на рынок, а нанимали для этого специальных крикунов, или так называемых горлодёриков. Многие горлодёрики работали не на одного, а сразу на нескольких хозяев. Для одного хозяина такой горлодёрик покупал одни акции, для другого — другие, для третьего не покупал, а, наоборот, продавал.

Нетрудно представить себе, что творилось, когда такой горлодёрик, попав на рынок, начинал кричать во всё горло:

— Беру угольные скрягинские по семьдесят пять! Беру сахарные давилонские по девяносто, даю нефтяные по сорок три!..

Однако невозможно даже представить себе, какой оглушительный шум стоял, когда все горлодёрики, собравшись вместе, начинали выкрикивать подобного рода фразы, стараясь перекричать друг друга.

В давние времена, когда появились первые продавцы акций, в городе Давилоне для них была отведена целая площадь. Однако жители близлежащих кварталов стали жаловаться городским властям, что от этих крикунов им житья не стало. Поскольку городские власти ничего не предпринимали, жители сами пробовали разгонять крикунов, вооружившись дубинами и камнями. Крикуны не хотели давать себя в обиду и, в свою очередь, нападали на жителей. Чуть не каждый день происходили побоища! Не зная, что предпринять, городские власти перевели этот крикливый рынок на другую площадь, но и там начали возникать кровопролитные стычки.

Потеряв всяческое терпение, городские власти погрузили всех крикунов на огромную баржу и вывезли их на середину давилонского озера. Там эта баржа была укреплена навечно на якорях. Крикуны получили возможность кричать хоть до потери сознания, теперь это никому не мешало. Каждое утро они приезжали на баржу на лодках, а впоследствии между баржей и берегом даже начал курсировать небольшой пароход. Всё, таким образом, совершилось к общему удовольствию.

В скором времени такая же баржа была установлена и в городе Грабенберге, а затем в Сан-Комарике. Когда изобрели телефон, все три баржи были соединены между собой телефонными проводами, и крикуны

с давилонской баржи в любое время могли узнать о положении дел на грабенбергской и сан-комаринской баржах.

Как и у каждого миллионера, у Скуперфильда на каждой из этих барж имелись свои горлодёрики, которым он в любой момент мог отдать по телефону приказ покупать те или иные акции. Однако всегда нужно было знать, когда начинать покупку акций, так как в противном случае можно было заплатить лишнее. Чтобы быть в курсе дела и не совершить промаха, Скуперфильд решил поехать на давилонскую баржу и разнюхать, по какой цене продаются гигантские акции. Конечно, он не мог тут же отправиться на вокзал, так как хотел сначала зайти домой и побывать на своей макаронной фабрике. Вспомнив, что ему надо домой, он огляделся по сторонам и заметил, что идёт по какой-то незнакомой улице.

— Должно быть, я по ошибке не туда, куда надо, свернул, когда сошёл с поезда, — с досадой проворчал Скуперфильд.

Он всё же решил идти по этой улице дальше, надеясь, что встретит какое-нибудь знакомое место и поймёт, в какую сторону ему надо свернуть. Улица, однако, скоро кончилась. Скуперфильд увидел, что вышел из города и очутился в открытом поле.

— Что за чушь? Совсем на край света забрёл! — пробормотал Скуперфильд с усмешкой. — Размечтался, дурень, об этих акциях так, что и голову потерял!

Повернувшись, он зашагал в обратную сторону, пробрался в другой конец улицы, после чего свернул на какой-то незнакомый бульвар, а пройдя его, попал на какую-то новую, незнакомую ему улицу.

— Чудеса! — бормотал Скуперфильд про себя. — Оказывается, у нас в Брехенвиле есть такие места, где я отродясь не бывал. А я-то воображал, что знаю Брехенвиль как свои пять пальцев.

Пробродив целый час по каким-то неизвестным ему закоулкам, Скуперфильд пришёл к выводу, что окончательно заблудился, и стал спрашивать прохожих, где находится Кривая улица, то есть та улица, на которой он жил. Один из прохожих сказал, что Кривая улица совсем в другом конце города. Сев на автобус и проехав в другую часть города, Скуперфильд разыскал наконец Кривую улицу, но его удивило, что дома здесь были какие-то не такие, как раньше. Всё, казалось, изменилось до неузнаваемости с тех пор, как он был здесь в последний раз. Когда же Скуперфильд подошёл к дому № 14 (а он жил в доме № 14), то от удивления даже разинул рот. Вместо небольшого одноэтажного домишки с решётками из железных прутьев на окнах перед ним стояло большое двухэтажное здание с красивым балконом и фигурами двух каменных львов у входа.

— Что за чудеса! — пробормотал Скуперфильд, протирая глаза и чувствуя, что у него начинает заходить ум за разум. — Может быть, тут волшебство какое-нибудь?

Увидев на балконе хозяйку, он закричал:

— Скажите, хозяюшка, это дом Скуперфильда?

— Какого ещё Скуперфильда? — сердито отвечала хозяйка. — Это мой дом.

— А... а... — заакал Скуперфильд, разевая рот, словно ему не хватало воздуха. — А... а куда же вы мой дом дели?

Хозяйка повернулась к нему спиной и, хлопнув дверью, ушла с балкона.

Нерешительно потоптавшись на месте, Скуперфильд поплёлся по улице дальше.

— Что ж... — бормотал он, не замечая, что разговаривает сам с собой. — Что ж, если дом потерялся, то надо отыскать хотя бы мою макаронную фабрику. Не могла же затеряться целая макаронная фабрика с двенадцатью огромными корпусами и пятью тысячами работавших коротышек.

Встретив прохожего, Скуперфильд спросил, не знает ли он, где находится макаронная фабрика Скуперфильда.

— Эва! — засмеялся прохожий. — Да разве она здесь? Макаронная фабрика Скуперфильда находится в Брехенвиле. Это на каждой макаронной коробке написано.

— А разве мы с вами не в Брехенвиле? — озадаченно спросил Скуперфильд.

— Как же в Брехенвиле? — удивился прохожий. — Мы-то в Паноптикуме.

— В каком ещё Паноптикуме?

— Ну город такой есть — Паноптикум. Не слыхали разве?

— А, Паноптикум! — вскричал Скуперфильд, сообразив наконец, в чём дело. — Значит, я просто

не на своей станции вылез. То-то я гляжу, что здесь всё как-то не так, как у нас в Брехенвиле.

Вернувшись поскорей на вокзал, Скуперфильд узнал, что до вечера поездов в Давилон больше не будет и он сможет попасть туда не раньше завтрашнего утра. Это привело Скуперфильда в волнение, так как он знал, что цены на акции быстро менялись.

И действительно, в тот день, когда в газете «Давилонские юморески» появилась уже известная нам статейка, все, у кого были гигантские акции, бросились продавать их. На давилонской барже эти акции предлагались сначала по 80 сантиков штучка, потом по 60, по 50, по 30, по 20, по 10, но никто не хотел покупать их. На следующий день, то есть в тот день, когда Скуперфильд блуждал по городу Паноптикуму, цена на акции снизилась до пяти сантиков, но всё равно никто не покупал их.

Владельцы гигантских акций были в отчаянии. Все видели, что затратили свои деньги впустую и теперь не смогут вернуть их. Однако трое богачей — Жмурик, Тефтель и Ханаконда, — закупившие в целях наживы большие количества гигантских акций, быстро придумали, что надо делать. Они уплатили значительную сумму денег владельцу нескольких давилонских газет господину Гадкинзу, пообещавшему напечатать в своих газетах ряд статей, которые должны были быстро поправить дело.

И действительно, в тот же день в вечерней газете «Давилонские побасёнки», которая принадлежала господину Гадкинзу, появилась небольшая статейка:

ПАНИКА НА ДАВИЛОНСКОЙ БАРЖЕ

Со вчерашнего дня на давилонской барже царит небывалая паника. Владельцы гигантских акций торопятся сбыть с рук свой товар. Как всегда, когда продавцов много, а покупателей мало, цены на акции значительно понижаются. В чём причина охватившей давилонскую баржу паники? Причина эта — гнуснейшая статейка, напечатанная на гаденьких страничках паршивенькой газетёнки «Давилонские юморески». Владельцам гигантских акций невдомёк, что эта грязненькая, ничтожная газетёнка издаётся на средства богача Спрутса и печатает лишь то, что выгодно для него. Нет никакого сомнения, что щупальца ненасытного Спрутса тянутся к гигантским акциям. Как только акции достаточно снизятся в цене, они окажутся в щупальцах Спрутса и он станет единственным владельцем этого доходнейшего предприятия. Хочется сказать всем доверчивым чудакам: не поддавайтесь панике. Уж кто-кто, а господин Спрутс своей выгоды не упустит.

На следующее утро в «Газете для любителей почитать лёжа», также принадлежавшей Гадкинзу, появилась статья «Берегите карманы». В ней говорилось, что карманы нужно беречь от господина Спрутса, который хочет облапошить владельцев гигантских акций и уже начал протягивать к ним свои щупальца.

Обе эти статьи, конечно, не прошли незамеченными, в результате чего гигантские акции сразу подскочили в цене и к открытию давилонской баржи продавались уже не по пять, а по пятьдесят сантиков.

Господину Скуперфильду, который в то же утро прибыл на давилонскую баржу, эта цена, однако ж, показалась очень высокой, и он решил подождать денёчек, надеясь, что она вскорости упадёт.

На следующий день в газете, также принадлежавшей господину Гадкинзу, появилась статья, которая называлась: «Куда тянутся щупальца Спрутса?» В ней говорилось, что щупальца Спрутса тянутся к карманам владельцев гигантских акций с целью опустошить их. Эта статья также произвела своё действие, в результате чего акции стали продаваться по шестьдесят сантиков. Испугавшись, что в дальнейшем цена ещё больше повысится, Скуперфильд дал приказ своим крикунам покупать акции по этой цене. Горлодёрики принялись скупать акции на всех трёх баржах в огромных количествах. Продавцы акций быстро убедились, что товар их охотно покупается, и начали поднимать цену. На другой день гигантские акции продавались уже по семьдесят сантиков, а ещё через день — по восемьдесят.

Богачи Жмурик, Тефтель и Ханаконда, не надеясь, что цена поднимется ещё больше, и опасаясь, как бы она не начала падать, поспешили продать свои акции Скуперфильду по восемьдесят сантиков. Правда, они тотчас же пожалели, что у них не хватило терпения подождать ещё немного. Дело в том, что господин Гадкинз продолжал своё дело и в тот же день напечатал статью, которая называлась: «Почему Спрутс помалкивает?»

В этой статье Гадкинз указывал на то, что Спрутс не ответил ни слова на все возводимые на него обвинения. Раз он молчит, писал Гадкинз, значит, всё это правда, а если всё это правда, то Спрутс на самом деле решил подорвать доверие к Обществу гигантских растений и прибрать к рукам акции.

Каждый, кто читал эту статью, приходил к убеждению, что на следующий день акции будут продаваться ещё дороже и уж во всяком случае восстановятся в своей прежней цене. Скуперфильд был особенно рад, так как хотя израсходовал почти все свои капиталы, но успел скупить массу акций, и теперь ему оставалось лишь продать их повыгодней. Весь вечер он сидел у телефонного аппарата и звонил своим давилонским, грабенбергским и сан-комаринским горлодёрикам, чтоб они с утра отправлялись на баржу и начинали продажу акций по фертингу штука. Целую ночь он просидел, высчитывая, какую получит прибыль, если все акции будут проданы по фертингу. Расчёт оказался довольно сложным, так как не все акции были куплены по одной цене: часть из них он приобрёл, как известно, по шестьдесят сантиков, другую часть — по семьдесят, третью — по восемьдесят.

Впрочем, все надежды Скуперфильда на огромные барыши вскоре лопнули, словно мыльный пузырь. Наутро, ещё до открытия давилонской баржи, в газете «Давилонские юморески» появилась статья, в которой объяснялись причины молчания Спрутса. В статье писалось, что Спрутс молчал, так как было смешно отвечать на какие-то нелепые, сумасбродные обвинения. Как мог господин Спрутс подрывать доверие к Обществу гигантских растений, в то время как никакого такого общества

и на свете-то нет? — спрашивалось в статье. Ведь с тех пор как учредители этого общества удрали с деньгами, общество само собой перестало существовать, так как что́ оно может стоить без принадлежавшего ему капитала. Какую цену могут иметь акции, если деньги, собранные от их продажи, бесследно исчезли? Абсолютно никакой ценности они иметь уже, конечно, не могут, и приходится лишь удивляться существованию чудаков, которые тратят денежки на приобретение акций, годных лишь на то, чтобы оклеивать ими стены в чуланах.

Нетрудно представить себе, что творилось на барже, когда скуперфильдовские горлодёрики начали предлагать гигантские акции по целому фертингу штука. Ничего, кроме смеха, их предложения не могли вызвать. Видя это, Скуперфильд отдал распоряжение продавать акции по девяносто сантиков, потом по восемьдесят, по семьдесят… Он мечтал уже лишь о том, чтоб хотя бы вернуть свои деньги, но не тут-то было!

Никто не хотел брать акции, даже когда он понизил цену до пятидесяти сантиков. В этот день Скуперфильд решил не снижать больше цену и подождать до следующего дня. Но на следующий день во всех газетах были напечатаны статьи, сообщавшие о бегстве Миги и Жулио, и опубликованы фотографии, снятые в тот момент, когда разъярённая толпа ворвалась в контору по продаже гигантских акций, чтоб потребовать свои деньги обратно. На отдельных снимках можно было разглядеть пустые несгораемые сундуки, пустую несгораемую кассу с настежь раскрытыми дверцами, а также привязанную к подоконнику верёвку, по которой Незнайка и Козлик спустились вниз.

Никто, конечно, не знал, что Спрутс подкупил владельцев газет, чтоб они не печатали до поры до времени сообщений о бегстве Миги и Жулио. Но теперь, когда газеты сообщили об этом, Скуперфильду оставалось только выбросить свои акции. Их и даром никто не хотел брать. Истратив почти весь свой запас денег на акции, Скуперфильд, как принято говорить, сел на мель. Ему нужно было покупать для своей макаронной фабрики муку, нужно было платить рабочим, а поскольку денег на всё не хватало, он решил снизить рабочим плату: вместо фертинга в день стал платить по полфертинга.

Рабочие были возмущены, так как и на фертинг они могли существовать только впроголодь. Они сказали, что бросят работу, если Скуперфильд не прибавит плату. Скуперфильд вообразил, что рабочие решили его попугать, и не стал прибавлять плату. Тогда рабочие бросили работу. Фабрика остановилась, и теперь Скуперфильд уже не получал никаких доходов. Он всё же не хотел удовлетворить требования рабочих, так как знал, что, не работая и не получая совсем никакой платы, они просто погибнут с голоду. Рабочим и на самом деле приходилось трудно, но им помогали рабочие других фабрик. Они знали, что если Скуперфильд одержит в этой борьбе победу, то и остальные фабриканты начнут снижать плату рабочим, и тогда с богачами уже никакого сладу не будет.

Скуперфильд хотел набрать для своей фабрики других рабочих, но в Брехенвиле все безработные знали о борьбе, которую вели с ним рабочие, и никто не захотел наниматься к этому сквалыге.

Видя, что ничего не поделаешь, Скуперфильд решил совершить поездку в какой-нибудь другой город и навербовать там рабочих для своей фабрики. В какой-то газете он вычитал, что меньше, чем где бы то ни было, фабриканты платят рабочим в городе Сан-Комарике и что там будто бы наибольшее количество безработных. Обрадовавшись, что ему удалось отыскать город, в котором рабочие терпят такие страшные бедствия, Скуперфильд оставил все свои дела и спешно выехал в Сан-Комарик.

Глава двадцать шестая

НЕЗНАЙКА РАБОТАЕТ

Положение, в котором очутились Незнайка с Козликом, было чрезвычайно скверным. Им никак не удавалось устроиться на работу, и они буквально пропадали без денег. По примеру других безработных, они с утра до ночи околачивались в той части города, где были богатые магазины. Увидев остановившийся у дверей магазина автомобиль какого-нибудь богатого покупателя, они стремглав бросались, чтоб отворить дверцу и помочь богачу вылезти из машины; когда же богач возвращался из магазина, они помогали ему дотащить покупки и погрузить их в багажник. За это богачи иногда награждали их мелкой монеткой.

Заработав таким способом немного денег, друзья откладывали десять сантиков на ночлег, а на оставшиеся деньги ужинали в какой-нибудь дешёвой столовой. Обедать и завтракать в эти дни им удавалось редко. Козлик говорил, что если приходится переходить на одноразовое питание, то лучше всего питаться вечером, перед отходом ко сну, так как если проешь свои денежки днём или утром, то к вечеру всё равно снова проголодаешься и ночью не сможешь заснуть.

В дрянингском «Тупичке» они жили уже не на минус втором этаже, а на минус четвёртом, так как за место на полке там брали не десять, а всего пять сантиков. Впрочем, жизнь на минус четвёртом этаже мало чем отличалась от жизни на минус втором. Просто там было больше грязи, больше шума, больше вони, больше тесноты и больше клопов. Единственное, чего было там меньше, — это свежего воздуха. Что же касается крыс, то их было столько, что ночью невозможно было слезть с полки, без того чтобы не наступить какой-нибудь крысе на хвост.

Козлик, как уже говорилось, очень боялся этих мерзких животных. Ни о чём, кроме крыс, он теперь уже и думать не мог и постоянно говорил о них. Ночью ему часто снилось, будто его кусает за шею крыса, и он в ужасе просыпался. И наяву ему всё время мерещились крысы, и даже в таких местах, где их вовсе не было. Кончилось дело тем, что его на самом деле укусила ночью за шею крыса. Проснувшись от страшной боли, он дико вскрикнул и сбросил с себя эту мерзкую тварь. Шея у него моментально распухла, да так сильно, что головой нельзя было пошевелить. Наутро у него поднялась температура, и с этого дня он уже не мог встать с постели.

Теперь Незнайка один ходил по магазинам, стараясь заработать побольше денег, чтоб накормить своего больного друга. Все остальные обитатели ночлежки тоже старались облегчить страдания Козлика. Некоторые угощали его печёной картошкой, а когда Незнайке не удавалось заработать достаточно денег, платили за его место на полке. Каждый наперебой предлагал какое-нибудь средство, чтоб исцелить больного. Одни говорили, что к распухшей шее надо приложить холодный компресс из тёртой сырой картошки, другие предлагали приложить компресс из тушёной капусты, третьи утверждали, что прикладывать надо варёный хрен, четвёртые советовали облепить больное место глиной и завязать тряпкой.

Все эти средства были испробованы, а больному становилось всё хуже. К сожалению, ни у кого не было достаточно денег, чтоб пригласить врача, а никакой врач не стал бы лечить больного бесплатно.

Вскоре Незнайке всё же удалось устроиться на постоянную работу, и у него появилась надежда заработать такую сумму денег, которой хватило бы на оплату лечения. Однажды он шёл по улице и увидел на одном из домов вывеску, на которой было написано: «Контора по найму собачьих нянь». Набравшись смелости, Незнайка вошёл в дверь и очутился в комнате, где на длинной лавочке, стоявшей вдоль стены, сидели несколько коротышек. В конце комнаты, за деревянной перегородкой, сидел сотрудник конторы и с кем-то разговаривал по телефону. Присев на краю лавочки, Незнайка спросил сидевшего рядом коротышку, кто такие собачьи няни и для чего их нанимают. Коротышка сказал:

— Многие богачи любят собак, но так как ухаживать сами за собаками не любят, то нанимают других коротышек, чтоб они нянчились с ними. Вот такие специалисты по уходу за псами и называются собачьими нянями. Иногда такую собачью няню приглашают поиграть с какой-нибудь собачонкой, пока её хозяева сходят в театр или кино. Такая работа называется работой по вызову. Но часто собачьих нянь приглашают в какой-нибудь богатый дом на постоянную работу. Это значительно выгодней.

— А трудно быть собачьей няней? — спросил Незнайка.

— Это зависит от того, какая попадётся собака. Добрый хороший пёс никаких забот тебе не доставит: ты его вовремя покорми да выведи погулять — это всё, что он от тебя требует. Но существуют такие избалованные твари, которые привыкли по пять раз на день принимать ванну. Вот ты с утра её выкупай в тёплой воде, потому что холодной она терпеть не может, потом насухо вытри, расчеши гребешком, чтобы шерсть не сбивалась комьями, дай ей позавтракать, потом наряди в жилетик или попоночку, чтоб она не простудилась после купания, и уж только тогда веди на прогулку. На прогулке тоже не спи, а следи в оба, как бы эта тварь не цапнула кого-нибудь за ногу, а она только и норовит, чтоб прохожего укусить или погрызться с чужой собакой. После прогулки веди её в парикмахерскую. Там ей сделают маникюр, шерсть постригут, завьют, морду наодеколонят так, что от неё за километр духами разит, словно от какой-нибудь барыни...

— А разве пускают собак в парикмахерскую? — удивился Незнайка.

— Как же! — подтвердил коротышка. — Существуют специальные собачьи парикмахерские. Да и не только парикмахерские. Есть специальные собачьи магазины, торгующие всякими собачьими деликатесами, собачьи рестораны, закусочные и кондитерские, специальные собачьи спортзалы и спортплощадки, бассейны для плавания и стадионы. Есть псы, которые любят бегать наперегонки на таких стадионах. Их за это награждают медалями. Есть также любители водного спорта, которые участвуют в заплывах или играют в водное поло. Существуют в то же время такие псы, которые сами заниматься спортом не любят, но зато любят смотреть на разные собачьи состязания. Я слыхал, что в городе Давилоне даже театр построили для собак.

— Верно, верно! — подхватил другой коротышка. — Однажды я был в этом театре. Очень любопытное зрелище! Говорят, что собак больше всего интересуют спектакли с участием сыщиков, которые ловят преступников и раскрывают различные преступления. Особенно им нравятся пьесы, в которых наряду с сыщиками участвуют сыскные собаки. Один мой знакомый рассказывал, будто медицинские исследования показали, что собачье самочувствие значительно улучшается после того, как она побывает в собачьем театре или посмотрит на состязание в собачьем спортзале. В этом деле, однако, необходимо соблюдать умеренность, так как слишком частые посещения собачьих состязаний могут расстроить собачью нервную систему. Некоторые из псов так сильно волнуются, глядя на какие-нибудь собачьи гонки, что потом плохо спят, дёргаются во сне и даже могут потерять аппетит.

— Я тоже однажды ухаживал за собакой, которая жила в очень богатом доме, — вмешался в разговор третий коротышка. — К этой собаке был приставлен специальный доктор, который следил за её здоровьем и лечил от ожирения. Она завела моду дрыхнуть по целым дням, а поскольку это было для неё вредно, доктор велел мне постоянно её тревожить и не давать спать. Мне то и дело приходилось стаскивать её с постели, а она за это на меня злилась и нещадно кусала. Доктор находил, что для собаки это как раз полезно, потому что вынуждало её делать какие-то движения, в результате чего она могла похудеть. Собака, однако же, не худела. Вместо неё худел я и к тому же постоянно ходил искусанный. В конце концов она всё же подохла от ожирения, несмотря на постоянно оказываемую врачебную помощь.

Как раз в это время дверь отворилась, и в контору вошёл большой белый пудель с заплетённой в косички гривой и пушистой кисточкой на хвосте. Он втащил за собой на цепочке хозяйку в пышном газовом платье и большой модной шляпе, напоминавшей корзину с цветами. Вслед за хозяйкой в контору вошла служанка, на руках у которой сидела небольшая курносая собачонка, с головы до хвоста покрытая рыженькими кудряшками.

— Мне нужна хорошая няня для моих двух очаровательных крошек, — сказала хозяйка сотруднику конторы, который, увидев богатую посетительницу, выскочил из-за своей загородки.

— Пожалуйста, госпожа! — воскликнул он, расплываясь в улыбке. — В нашей конторе постоянно имеется богатейший выбор обслуживающего персонала для собак самых разнообразных и благородных пород. Вы их всех видите перед собой. Каждого из них можно назвать истинным другом зверей, специалистом своего собачьего дела, энтузиастом, так сказать, комнатного и декоративного собаководства. Все они знакомы с правилами хорошего поведения, обладают изысканными манерами и прекрасно воспитаны... Встать, охламоны! — прошипел он, обернувшись к сидевшим на лавочке коротышкам.

Все встали послушно.

— Кланяйтесь госпоже!

Все поклонились. И Незнайка тоже.

— Вам остаётся, госпожа, остановить свой выбор на том, кто больше понравится.

— Дело тут не во мне, — сказала хозяйка. — Я хотела бы, чтоб няня понравилась моим очаровательным крошкам... Ну-ка, Роланд, — обратилась она к пуделю. — Покажи, миленький, кто тебе больше нравится.

С этими словами она сняла поводок с ошейника пуделя. Освободившись от привязи, пудель не спеша направился к коротышкам и принялся обнюхивать каждого. Подойдя к Незнайке, он почему-то очень заинтересовался его ботинками, долго обнюхивал их, после чего задрал голову, лизнул Незнайку прямо в щёку и сел перед ним на пол.

— Ты не ошибся, Роландик? — спросила хозяйка. — Тебе на самом деле нравится этот?.. Ну-ка посмотрим, что скажет Мими.

Служанка нагнулась и спустила на пол маленькую собачонку. Собачонка покатилась на своих коротеньких лапках прямо к Незнайке и тоже уселась у его ног.

— Смотрите, и Мими выбрала этого! — усмехнулась служанка.

Незнайка присел и принялся гладить обеих собак.

— Скажите, голубчик, — спросила хозяйка, — вы на самом деле любите животных?

— Души в них не чаю! — признался Незнайка.

— В таком случае я беру вас.

Сотрудник конторы записал Незнайкино имя, а также имя и адрес хозяйки, которую, кстати сказать, звали госпожой Миногой, после чего сказал, что Незнайка должен уплатить за услуги конторы фертинг; если же у него нет, то чтоб принёс, как только получит жалованье. На этом формальности были закончены, и Незнайка удалился в сопровождении обеих собак, а также госпожи Миноги со служанкой.

В доме, где теперь предстояло Незнайке жить, его поселили в светлой, просторной комнате, стены которой были украшены портретами Роланда, Мимишки и каких-то других собак. Посреди комнаты стояли три кровати. Две были побольше — на них спали Роланд и Незнайка. Третья кровать была поменьше — на ней спала Мимишка. У стены был зеркальный шкаф, в котором хранились собачьи фуфайки, шубейки, попонки, жилетки, ночные пижамки, а также вечерние панталончики для Мими.

Наиболее ответственным делом, которое поручили Незнайке, было купание собак. Для этой цели в доме имелась специальная комната с двумя ваннами. Одна ванна, побольше, — для Роланда, другая, поменьше, — для Мими. Мимишку приходилось купать три раза в день: утром, в полдень и вечером. Роланд же купался лишь по утрам, так как перед купанием ему обязательно надо было распускать косички, а это требовало много времени. Если же косы не распускать, то, намокнув в воде, они свалялись бы, и собака не имела бы такого шикарного вида.

После утреннего купания собак тут же приходилось вести в собачью парикмахерскую, где Роланду вновь заплетали косички, подстригали морду и хвост, восстанавливая нарушенную красоту. Мимишке в это же время подвивали щипцами кудряшки, смазывали шерсть бриолином, чтоб она красиво блестела, подкрашивали чёрной краской ресницы, подрисовывали синькой глаза, чтоб они казались больше и выразительней. Из парикмахерской собаки возвращались в сопровождении Незнайки домой, после чего он вёл их прямо в спальню к госпоже Миноге, которая к этому времени вставала с постели. Пожелав собакам доброго утра и поцеловав их в морды, хозяйка расспрашивала Незнайку, как они провели ночь, после чего отпускала их завтракать, приказав Незнайке получше смотреть за ними.

После завтрака Незнайка с Мимишкой и Роландом отправлялись по заведённому порядку в собачий парк, где в это время гуляли и другие собаки со своими нянями. После гуляния наступала пора вторично купать Мимишку, а Роланд развлекался тем, что ловил в саду сверчков и кузнечиков. Потом все трое отправлялись в собачий ресторан обедать. Пообедав, собаки отдыхали часика полтора, а Незнайка в это время следил, чтоб их не кусали мухи. После отдыха все трое совершали послеобеденную прогулку по городу. Мимишка и в особенности Роланд были большими любителями бродить по улицам, особенно в центре города, где они могли вдосталь разглядывать попадавшихся навстречу пешеходов. Говор толпы, шум автомобилей, а также разнообразнейшие запахи от прохожих, которые улавливало тонкое обоняние собак, — всё это доставляло им неизъяснимое, только одним собакам доступное удовольствие.

Вернувшись с прогулки, собаки делали физзарядку, которая состояла в беганье за Незнайкой по саду, в прыганье через кусты и цветочные клумбы. Такие упражнения считались очень полезными для собачьего самочувствия, хотя и не очень нравились садовнику, на обязанности которого лежало следить за садом. После физзарядки следовал отдых, во время которого Незнайка заполнял так называемый собачий журнал. В этот журнал заносились все сколько-нибудь значительные и даже незначительные случаи из жизни Роланда с Мимишкой.

Наконец приходила пора ужина, после которого время проводили по-разному. Если у госпожи Миноги был званый вечер, то Незнайка приводил Мими и Роланда в комнаты, чтоб гости могли полюбоваться собаками. Если Минога уходила в театр, то обязательно брала с собой и Мимишку, потому что в то время была мода таскать по театрам своих комнатных собачонок. Всех, кто являлся в театр или на концерт без собаки, считали неимущими бедняками и смеялись над ними. В такие вечера на попеченье Незнайки оставался один Роланд, и они отправлялись вдвоём в спортивный собачий зал или плавательный бассейн, где смотрели какое-нибудь собачье состязание, или же отправлялись в дрянингский «Тупичок» и навещали больного Козлика.

Нужно сказать, что Незнайка никогда не забывал о своём больном друге. Не проходило дня, чтоб он не забежал к нему хотя бы на минутку. Обычно это удавалось сделать во время послеобеденной прогулки. Всегда, когда Незнайка обедал с собаками, он не съедал свою порцию до конца, а припрятывал в карман то пирожок, то котлетку, то хлебца краюшку и относил всё это голодному Козлику.

В первый же день он обратился к госпоже Миноге с просьбой заплатить ему жалованье хотя бы за недельку вперёд, так как ему нужно помочь больному приятелю, который находился в дрянингской ночлежке. Госпожа Минога сказала, что теперь он живёт в богатом доме, в обществе приличных собак, и ему не пристало водить компанию с каким-то Козликом, который даже дома собственного не имеет, а обитает в какой-то ночлежке.

— Ни о каких таких Козликах я не желаю и слышать! — сказала она. — Если же вы произнесёте при мне или при Мимишке с Роландом какое-нибудь неприличное слово вроде «ночлежки», я вас уволю. Что же касается платы, то вы будете получать её раз в неделю, но только не вперёд, а по прошествии недели.

Действительно, как только прошла неделя, хозяйка заплатила Незнайке пять фертингов. Для него это была большая радость. На другой день, во время послеобеденной прогулки с собаками, он зашёл в лечебницу и пригласил к Козлику доктора.

Доктор внимательно осмотрел больного и сказал, что его лучше всего поместить в больницу, так как болезнь запущена. Узнав, что за лечение в больнице придётся уплатить двадцать фертингов, Незнайка страшно расстроился и сказал, что он получает всего лишь пять фертингов в неделю и ему понадобится целый месяц, чтоб собрать нужную сумму.

— Если протянуть ещё месяц, то больному уже не нужна будет никакая медицинская помощь, — сказал доктор. — Чтобы спасти его, необходимо немедленное лечение.

Он достал карандаш и кусочек бумаги и принялся делать какие-то вычисления.

— Вот, — сказал наконец он. — Я буду приходить два раза в неделю и делать больному уколы. За каждое посещение будете платить мне по полтора фертинга. Остальные деньги уйдут на лекарства. Думаю, недельки через три мы сумеем поставить больного на ноги.

Он тут же выписал целую кучу рецептов. Здесь были различные медикаменты как для приёма внутрь, так и наружные: витамины разных сортов, антибиотики, синтомициновая эмульсия для прикладывания к распухшей шее, а также стрептоцид, пирамидон и новокаин.

Лечение действительно пошло успешно, и через две недели врач разрешил Козлику вставать, а ещё через неделю сказал, что теперь уже посещения его будут не нужны, так как больной окончательно выздоровел; ему необходимо лишь получше питаться, чтоб восстановить силы.

Это был радостный день как для самого Козлика, так и для Незнайки. Они сидели на полке в дрянингском «Тупичке» и предавались мечтам.

— Теперь нам не нужно будет тратить денежки на оплату врача и лекарств, — говорил Незнайка. — Ты будешь получше питаться, а когда силы твои восстановятся, тоже найдёшь какую-нибудь хорошую постоянную работу.

— Да, это было бы чудесно! — улыбаясь счастливой улыбкой, говорил Козлик.

На полу у их ног лежали Роланд с Мимишкой и, казалось, прислушивались к их разговору. На самом деле они ни к чему не прислушивались, а подкарауливали крысу, которая пряталась от них под полкой. Роланд от природы был замечательный крысолов, поэтому он с огромнейшим удовольствием посещал с Незнайкой дрянингскую ночлежку, где сам воздух, казалось, был пропитан крысиным запахом. Попав с Незнайкой в ночлежку и поймав крысу, Роланд обычно не загрызал её, а, лишь придушив слегка, отдавал поиграть Мимишке. Мимишка с визгом носилась, держа крысу в зубах, на минуточку отпускала её и делала вид, будто смотрит в сторону, а когда крыса пыталась убежать, снова ловила её. Всё это страшно забавляло обитателей ночлежки, которые теперь каждый день с нетерпением ждали, когда появится Незнайка со своими собаками.

Радость Незнайки и Козлика была всё же непродолжительной. Госпожа Минога уже давно обратила внимание на то, что от её любимой

Мимишки стало почему-то попахивать крысами. Заподозрив неладное, она позвонила по телефону в сыскную контору и дала задание проследить, где бывает Незнайка во время прогулок с собаками. Владелец конторы поручил это дело опытному сыщику господину Биглю, который неотступно следил за Незнайкой три дня, после чего представил подробный отчёт о его действиях. Изучив этот отчёт, владелец сыскной конторы сообщил Миноге точный адрес дрянингской гостиницы и время, когда Незнайка бывает там со вверенными ему собаками.

Получив это известие, госпожа Минога чуть не упала в обморок. Узнав от горничной, что Незнайка недавно ушёл на прогулку, она тотчас же вызвала из сыскной конторы сыщика Бигля и велела ему отвезти её вместе с горничной туда, где он перед тем видел Незнайку с её любимцами.

И вот как раз в тот момент, когда Незнайка и Козлик предавались своим мечтам, а Мимишка играла крысой, только что пойманной для неё Роландом, дверь отворилась, и в ночлежке появилась госпожа Минога в сопровождении горничной и сыщика Бигля. Увидев Роланда, который растянулся на грязном полу у ног Незнайки, и свою любимицу Мимишку с отвратительной крысой в зубах, госпожа Минога взвизгнула и, закатив глаза, рухнула на пол. Сыщик перепугался и, приподняв Миногу за талию, принялся изо всех сил трясти её, в то время как горничная брызгала ей в лицо одеколоном. Наконец госпожа Минога очнулась от обморока и, увидев, что Мимишка продолжает забавляться крысой, закричала:

— Ах, отнимите же у неё эту омерзительную, эту гадкую крысу! Дайте её мне сюда! Дайте сейчас же!

Сыщик Бигль моментально подскочил к Мимишке и, отняв у неё полудохлую крысу, учтиво протянул хозяйке.

— Что это? Уйдите! — завизжала Минога, отталкивая от себя крысу и трясясь всем телом. — Зачем вы суёте мне это мерзкое, отвратительное животное? Уйдите, говорят вам!

— Вы же сами сказали «дайте»! Я думал, вам хочется крысу, — растерянно пробормотал Бигль.

— Зачем мне крыса? Я сказала, дайте Мимишку, глупое вы животное!

Сыщик швырнул крысу на пол и, поймав Мимишку, подал хозяйке.

— Ах ты бедная моя лапочка! Мимочка моя! Моя красоточка! — запричитала хозяйка, прижимая Мимишку к груди и целуя её прямо в нос. — Кто дал тебе эту отвратительную крысу?.. Это он? — закричала она, указывая на Незнайку. — Это он привёл тебя в это ужасное звериное логово!.. Роланд! Ты зачем лежишь на грязном полу? Разве ты не видишь, сколько там грязи, мерзкое ты животное! Марш сейчас же ко мне!

Горничная схватила Роланда за ошейник и потащила к хозяйке.

— Пойдёмте сейчас же отсюда! — продолжала кричать Минога. — Здесь грязь! Здесь микробы! Собаки заболеть могут!

А вы, отвратительное животное, вы уволены! — закричала она, обратившись к Незнайке. — Не смейте являться ко мне! Я не потерплю, чтоб вы водили собак по разным разбойничьим притонам! Я вас под суд отдам, изверг, мерзкое вы существо!

Она шумела до тех пор, пока не скрылась за дверью со своими собаками. Незнайка не мог даже слова вставить в свою защиту. Да и что мог он сказать?

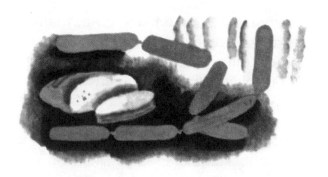

Глава двадцать седьмая

ПОД МОСТОМ

Козлик был страшно расстроен тем, что произошло.

— Это всё из-за меня! — говорил он. — Если бы я не заболел, ничего не случилось бы.

— Не беда! — утешал его Незнайка. — Я лично ничуточки не жалею, что не встречусь больше с этой противной Миногой. А работу какую-нибудь мы найдём. Не расстраивайся!

Козлик понемногу развеселился, а к вечеру по ночлежке разнёсся слух, что завтра ожидается приезд известного богача Скуперфильда, который будет набирать рабочих для своей макаронной фабрики. Все обитатели дрянингского «Тупичка» обрадовались. Многие из них уже давно потеряли надежду получить постоянную работу на фабрике.

— Наконец-то и нам улыбнулось счастье! — говорили они. — Кончится наша нужда, и мы распростимся с этой дрянной ночлежкой. Пусть Дрянинг сам живёт здесь со своими крысами!

Ходили слухи, что Скуперфильд решил увеличить выпуск макаронных изделий, и поэтому ему понадобилось больше рабочих, а так как было известно, что по количеству безработных Сан-Комарик стоит на первом месте, то он и решил приехать сюда. Никто не знал, откуда в ночлежку проникли такие сведения, но известно, что на следующий день Скуперфильд действительно появился в Сан-Комарике. Вместе с ним появились сто двадцать семь больших автофургонов, служивших для перевозки макаронных изделий. Теперь эти фургоны должны были перевезти завербованных Скуперфильдом рабочих на макаронную фабрику в Брехенвиль.

Весь Мусорный тупичок, а также прилегающая к нему Трущобная улица с переулками были заполнены этими макаронными автофургонами. Два таких автофургона, выкрашенных яркой оранжевой краской, заехали во двор гостиницы Дрянинга. Один из них представлял собой передвижной ларёк для продажи макаронных изделий. На этот раз в нём никаких макаронных изделий не было, а весь он был наполнен горячими сосисками и хлебом, предназначенными для раздачи вновь принятым на фабрику коротышкам. В другом фургоне приехал сам Скуперфильд со своим управляющим.

Как только Скуперфильд с управляющим вылезли из кабины, шофёр вытащил из фургона небольшой деревянный стол с двумя стульями и поставил их посреди двора. Управляющий достал из портфеля толстую тетрадь с надписью «Макаронный журнал», положил её на стол рядом с портфелем, и вербовка рабочих началась. Все желавшие поступить на макаронную фабрику подходили по очереди к столу. Скуперфильд лично осматривал каждого, опасаясь, как бы не принять на работу какого-нибудь хромого, безногого, безрукого и вообще слабосильного или больного.

— Я не желаю платить деньги разным калекам, — твердил он своим противным писклявым голосом. — На моей фабрике все должны работать как следует, а не бездельничать. Вы должны понимать, что едете не на курорт, а на макаронную фабрику.

Осмотрев коротышку со всех сторон, он изо всех сил хлопал его рукой по спине, словно пытаясь сбить с ног, тряс ему руку с такой энергией, будто задумал оторвать её, после чего говорил:

— Поздравляю вас, дорогой друг, с поступлением на работу! Можете получить сосиску.

Продавщица из передвижного ларька тут же вручала коротышке бутерброд с сосиской, а управляющий заносил его имя в тетрадь и брал у него расписку в том, что он получил сосиску. Вся эта комедия с сосисками была придумана Скуперфильдом для того, чтобы новые рабочие увидели, какой он добрый, и получше работали на него. Нечего и говорить, что раздавал он сосиски не даром, а намеревался высчитать двойную их стоимость, когда будет расплачиваться с рабочими, и таким образом обтяпать попутно ещё одно выгодное дельце.

Осматривая коротышек, Скулерфкльд затевал разговор с некоторыми из них, так как хотел познакомиться с их мыслями и настроениями. Увидев Незнайку, он строго спросил:

— Бунтовать будешь?

— Это как — бунтовать? — не понял Незнайка.

— А ты кто такой, что смеешь задавать мне вопросы? — вспылил Скуперфильд. — Это моё дело задавать вопросы, а твоё дело отвечать.

Когда тебя спрашивают, ты должен ответить коротко: «Да, господин. Нет, господин». И всё. Понятно тебе?

— Да, господин, нет, господин, — послушно ответил Незнайка.

— Гм! — проворчал Скуперфильд. — Ты, может быть, дурачок?

— Да, господин, нет, господин.

— Гм! Гм! Ну, это, впрочем, хорошо, что ты дурачок. По крайней мере не будешь мутить рабочих на фабрике, не будешь подбивать их бросить работу. Правильно я говорю?

— Да, господин, нет, господин.

— Ну ладно, — сказал Скуперфильд. — Получай сосиску.

Когда вербовка закончилась, все рабочие были посажены в автофургоны и вывезены из Сан-Комарика. Уже была поздняя ночь, когда автоколонна, состоявшая из ста двадцати семи фургонов, появилась на улицах Брехенвиля. Скуперфильд заранее разработал план, по которому автофургоны должны были въехать во двор макаронной фабрики, после чего все вновь принятые рабочие должны были занять свои места у тестомешалок, прессов, котлов, печей, у сушильных макаронных и вермишельных шкафов, то есть сразу же приступить к работе. План этот, однако же, стал известен прежним рабочим. Кто-то сообщил им из Сан-Комарика, что Скуперфильд набирает в ночлежке новых рабочих. Старые рабочие, не желая уступать свою работу пришельцам, сейчас же заняли фабричный двор, закрыли на запор ворота и приготовились к встрече. Как только фургоны появились у ворот фабрики, засевшие во дворе коротышки стали кричать из-за ограды:

— Братцы, вас обманули! Не приступайте к работе! Вас хотят сделать предателями! Эта фабрика наша! Не отнимайте у нас работу!

Приехавшие коротышки вылезли из фургонов и стояли в растерянности. Скуперфильд тоже выскочил из кабины.

— Не верьте им! — закричал он. — Это лодыри! Они не хотят работать. Они хотят, чтоб им даром деньги платили!

— Мы вовсе не лодыри! — кричали из-за ограды. — Это Скупер хочет, чтоб мы даром трудились, а мы боремся за свои права. Он и вас оберёт, если вы станете на него работать.

— А ну заткните им глотки! Что вы их слушаете? Открывайте ворота, или я всех вас уволю! — закричал Скуперфильд и подскочил к воротам.

Вслед за ним к воротам бросились и некоторые из приехавших сан-комаринцев. В ответ на это из-за ограды в них полетели поленья и камни. Испугавшись, сан-комаринцы подались назад. Ворота тут же открылись, засевшие на фабрике рабочие выскочили и принялись колотить

приехавших палками, скалками, чем попало. Приехавшие в ужасе разбегались.

— Стойте! — кричал Скуперфильд. — Вы не имеете права убегать. Вы должны работать на фабрике! Что же, я вас даром кормил сосисками? Остановитесь, несчастные! Вы должны отработать хотя бы сосиски!

Никто, однако ж, его не слушал. Приехавшие сан-комаринцы не были знакомы с расположением улиц в Брехенвиле, они метались в темноте, словно поросята, попавшие на чужое капустное поле, а брехенвильцы наскакивали на них то с одной стороны, то с другой. Несколько коротышек поймали Незнайку и Козлика и, потащив к реке, бросили в воду.

— Вот искупайтесь в холодной водичке. Будете знать, как помогать этой жадине Скуперфильду! — кричали они.

Незнайка и Козлик чуть не захлебнулись в воде, а когда вылезли на берег, то обнаружили, что у Незнайки утонули в реке ботинки, а у Козлика недоставало шляпы.

— Это самое скверное, что могло с нами случиться! — сказал Козлик, трясясь от холода. — Теперь нам осталось лишь попасть к полицейским в лапы и угодить на Дурацкий остров.

Они с Незнайкой решили посидеть на берегу до утра, а когда станет светло, поискать в реке пропавшие вещи.

Как только рассвело, Незнайка и Козлик разделись и полезли в воду. Они ныряли до тех пор, пока не посинели от холода, но ни ботинок, ни шляпы так и не нашли. Должно быть, их унесло течением.

Город вскоре проснулся. На набережной появились прохожие. Чтобы не попасть на глаза полицейским, Незнайка и Козлик прошли вдоль берега и спрятались под мостом.

— В таком виде нам нельзя идти в город, — сказал Козлик. — Первый попавшийся полицейский сцапает нас. Лучше мы сделаем так: ты дашь мне свою шляпу и посидишь здесь, пока я не раздобуду чего-нибудь поесть.

— Лучше ты дай мне свои ботинки, а сам посиди здесь, — сказал Незнайка. — Тебе после болезни трудно много ходить.

Козлик ответил, что ему не трудно, но Незнайка настаивал на своём. Из его предложения, однако, ничего не вышло, так как ботинки Козлика оказались ему малы. На добычу пришлось всё же отправиться Козлику, а Незнайка остался сидеть под мостом без шляпы и босиком.

Сидеть под мостом в одиночестве было скучно, поэтому Незнайка напрягал все свои умственные способности, чтобы придумать какое-нибудь развлечение. Сначала он спел все песенки, которые знал, потом загадал сам себе все известные ему загадки и разгадал их, затем принялся вспоминать пословицы и поговорки, вроде: «Кому пироги да пышки, а нам синяки да шишки», «Слышит ухо, что не сыто брюхо» или «Яков лаком, съем кошку с маком». Всего этого, правда, ему хватило ненадолго, и он принялся перебирать в памяти разные случаи из своей жизни, вспоминать всех своих друзей и знакомых.

Незаметно в голове его всплыло воспоминание о Пончике. Незнайка воображал, что Пончик по-прежнему сидит в ракете, и очень горевал, что ничем не может ему помочь. Он вспомнил, что Пончик очень любил покушать.

«Как бы это не довело его до беды! — подумал Незнайка. — Как бы он не прикончил всех запасов до того, как подоспеет помощь».

Вскоре голод начал донимать Незнайку с такой силой, что он уже ни о чём не мог думать. Одна только мысль вертелась теперь у него в голове: «Куда же запропастился Козлик? Почему он не возвращается?»

Чтоб заглушить голод, Незнайка снова принялся исполнять песни, припоминать пословицы, загадывать и разгадывать загадки. К концу дня терпение его исчерпалось до дна. Он уже решил вылезти из своего убежища и отправиться на поиски Козлика, но в это время заметил, что под мост спускается сверху какой-то коротышка. Сначала Незнайка подумал, что это Козлик, но, присмотревшись, увидел, что это не Козлик.

Коротышка между тем приблизился и, увидев Незнайку, спросил:

— Ты что здесь делаешь?

— Сижу, — ответил Незнайка.

— Я что-то тебя здесь раньше не видел.

— Должно быть, это потому, что я раньше здесь не сидел, — объяснил Незнайка.

— Ты новичок, что ли?

— Как это — новичок?

— Ну, новенький — первый раз под мостом ночуешь.

— Разве я ночую? — удивился Незнайка.

— Чего ж ты залез сюда? Разве не ночевать?

— Нет.

Незнайка хотел рассказать, что с ним случилось, но тут снова послышались шаги и под мостом появились ещё несколько коротышек.

— Эй, Клюква, Пекарь, Орешек! — закричал первый коротышка. — Смотрите, чудачок какой-то залез под мост и говорит, не ночевать пришёл.

Коротышки окружили Незнайку.

— Какая-то подозрительная личность! — сказал тот, которого звали Клюква.

— Наверно, переодетый сыщик, — проворчал Пекарь.

— Отколотить бы его да в воду! — сказал Орешек.

— Братцы, я вовсе не сыщик! — принялся уверять Незнайка. — Пустите меня! Мне надо идти искать Козлика.

— Какого ещё Козлика? — спросил подозрительно Пекарь. — Не пускайте его, а то он пойдёт и скажет полицейским, что мы здесь ночуем.

Незнайка принялся рассказывать коротышкам обо всём, что произошло с ним и с Козликом. Коротышки поняли, что он говорит правду.

— Ну ладно, — сказал Клюква. — Тебе всё равно никуда нельзя идти в таком виде. На тебе ведь нет ни ботинок, ни шапки. Полицейские сейчас же схватят тебя. Завтра мы раздобудем тебе какую-нибудь обувку и шапку, тогда и иди. А Козлик твой, наверно, попросту обманул тебя.

— Как обманул? — удивился Незнайка.

— Ну, взял твою шляпу и удрал с ней. Без шляпы-то ему по городу гулять нельзя, — объяснил Орешек.

— Нет, братцы, Козлик не такой. Он мой друг!

— Знаем мы, какие друзья-то бывают! — проворчал Пекарь.

Между тем наступил вечер. На мосту и вдоль набережной зажглись фонари. Их свет, отражаясь в воде, попадал под мост, благодаря чему там было не совсем темно.

Коротышки начали укладываться спать. Вверху, под откосом, где чугунные арки моста опирались на каменные устои, имелось множество тайников. Каждый вытаскивал из этих тайников какое-нибудь тряпьё и делал из него для себя постель. Один коротышка, которого почему-то звали Миллиончик, оказался даже обладателем двух старых матрацев. На одном матраце он спал, другим укрывался. У коротышки, которого звали Пузырь, была резиновая надувная подушка. Вытащив эту подушку из какой-то трещины между камнями, он старательно её надул и, подложив под голову, сказал:

— Чудесная вещь! Для того, кто понимает, конечно.

Коротышка, который первым увидел Незнайку (его звали Чижик), сказал:

— Тебе тоже надо обзавестись кой-какими вещичками. А пока на вот тебе.

И он бросил Незнайке охапку какой-то рвани. Увидев, как Незнайка неумело расстилает на земле тряпки, Чижик сказал:

— Учись, братец, учись! Я думаю, со временем ты привыкнешь. А на свежем воздухе даже полезно спать. К тому же здесь и то ладно, что нет клопов. Ужас до чего не люблю этой нечисти! В общем, всё было бы хорошо, если б не фараончики, — вздохнул он. — Не позволяют, проклятые, под мостом спать!

Все улеглись наконец, а Пузырь даже начал похрапывать на своей надувной подушке.

— Вот что значит с удобством спать! — сказал Клюква с усмешкой.

Неожиданно в стороне послышался шорох. Кто-то осторожно спускался с откоса.

— Тише! — прошептал Орешек, приподнявшись с земли. — К нам кто-то лезет.

— Вдруг фараончик? — высказал предположение Клюква.

Все забеспокоились, кроме спавшего Пузыря.

— Может, тягу дадим? — спросил Миллиончик, выползая из-под своего матраца.

— Схватим его, а там видно будет, — ответил Клюква.

Коротышки притаились, припав к земле. Какая-то чёрная фигура замаячила на фоне поблёскивавшей в темноте реки и стала пробираться под мост. Как только фигура приблизилась, Пекарь и Клюква вскочили и, сбив её с ног, накрыли матрацем.

— А теперь что делать? — спросил Миллиончик, наваливаясь всей своей тяжестью на матрац.

— Отколотить — и в воду! — вынес свой приговор Орешек.

— Постойте, может, это не фараончик, — сказал Клюква.

Миллиончик стукнул кулаком по матрацу и спросил:

— Признавайся, ты фараончик?

Из-под матраца послышался жалобный писк:

— Я Козлик!

— Братцы, да это Козлик вернулся! — воскликнул Незнайка.

Матрац моментально стащили, и Незнайка бросился обнимать своего друга.

— Почему ж ты так долго не приходил, Козлик?

— Да я, понимаешь, всё у магазинов толокся. Думал, хоть что-нибудь заработаю. Да так и не заработал ни сантика. Видишь, сам голодный и тебе ничего не принёс.

— Гляди-ка, а мы-то думали, Козлик удрал! — радовались коротышки.

А Пекарь сказал:

— Братцы, может быть, у кого-нибудь найдётся кусочек хлебца? Надо же дать им перекусить.

Пузырь, который только что проснулся и с недоумением смотрел вокруг, достал из-за пазухи краюшку хлеба. Разломив хлеб пополам, он протянул обе половинки Незнайке и Козлику. Два друга принялись с аппетитом уплетать хлеб. Коротышки сидели вокруг и глядели на них с улыбкой.

— Смотрите, братцы, — говорил Клюква, — значит, есть дружба на свете!

И всем от этих слов сделалось так хорошо, что никто даже спать не хотел ложиться. Только один Пузырь опустил голову на свою любимую подушку и опять захрапел.

Наконец хлеб был съеден, и тогда все легли и быстро заснули. Скоро погасли фонари на набережной, и под мостом стало совсем темно. Автомобили всё реже проносились по мосту. Наконец движение прекратилось совсем. А когда прошло ещё полчаса, к мосту бесшумно подкатил чёрный полицейский фургон с толстыми железными решётками на крошечных окнах. Из фургона выскочили десять полицейских под командой старшего полицейского Рвигля.

— Пять душ туда, пять душ сюда! Все марш под мост, и никаких разговоров! — прохрипел Рвигль, пригрозив полицейским усовершенствованной электрической дубинкой.

Полицейские безмолвно разделились на два отряда. Первый отряд стал спускаться под мост с левой стороны дороги, а второй — с правой. Очутившись внизу, Рвигль включил потайной электрический фонарь и прошипел:

— Вперёд!

Полицейские тоже зажгли свои фонари и, освещая перед собой путь, двинулись с обеих сторон под мост.

— Стой! — прохрипел Рвигль, увидев спящих на земле коротышек. — Окружить их!.. Приготовить электрические дубинки!.. Ч-ш-ш! Хватайте их, и никаких разговоров!

Полицейские с обеих сторон бросились на спящих коротышек и принялись хватать их. Клюква первый проснулся и, увидев себя в руках полицейских, закричал:

— Братцы, спасайся! Фараончики!

Тут он получил такой удар электрической дубинкой по лбу, что потерял сознание. Остальные коротышки стали вырываться из рук полицейских, но электрические разряды мигом успокоили их. Только один Пузырь не растерялся. Вырвав из рук схватившего его полицейского Пнигля электрическую дубинку, он сунул её под нос противнику. Раздался треск. Между носом полицейского и дубинкой проскочила зелёная искра. Пнигль упал словно подкошенный, а Пузырь швырнул электрическую дубинку в спешившего к нему полицейского Скригля, сам же схватил свою надувную подушку, одним прыжком подскочил к берегу и прыгнул в воду. Растерявшиеся полицейские смотрели, как он плыл по воде, быстро удаляясь от берега.

— Ну и шут с ним! — проворчал Рвигль. — В другой раз поймаем и этого. А сейчас марш, и никаких разговоров!

Полицейские потащили вверх по откосу слабо сопротивлявшихся коротышек, а также полицейского Пнигля, который никак не мог прийти в себя, после того как ему в нос попала зелёная искра.

Через пять минут всё было кончено. Полицейский фургон уехал, а под мостом осталась куча тряпья да два обветшалых матраца, из которых во все стороны торчала солома.

ЧАСТЬ IV

Глава двадцать восьмая

КОГДА ИСЧЕЗЛА РАКЕТА

Велико было удивление Знайки, когда, проснувшись в то утро, на которое был назначен отлёт на Луну, он посмотрел в окно и не увидел космического корабля. Обычно, когда Знайка глядел в окно, он видел возвышавшуюся над крышами домов ракету, верхушка которой торчала на фоне неба, словно гигантская сигара или поставленный торчком дирижабль. Каждый раз, глядя на ракету, Знайка любовался её красивыми очертаниями, в которых было что-то стремительное, неудержимо рвущееся ввысь, в космос, в неведомое. Иногда Знайка нарочно просыпался утром пораньше, чтоб никто не мешал ему насладиться этим прекрасным зрелищем. Сложив на груди руки и устремив дерзкий свой взор в мировое пространство, он стоял у открытого окна и мечтал. Ракета маячила перед ним, поблёскивая стальными боками, словно купалась в золотых лучах восходящего солнца. Свежий утренний ветерок дул прямо в лицо, отчего у Знайки возникало ощущение силы и бодрости. Ему казалось, что всё его тело делалось лёгким и гибким, а на спине появлялись крылья. В такие минуты Знайке хотелось запеть, закричать, сделать какое-нибудь великое научное открытие или подскочить кверху и лететь на Луну.

То, что на этот раз Знайка не увидел в окно ракеты, произвело на него какое-то странное действие. У него было такое чувство, будто всё, что происходило до этого — и находка лунного камня, и открытие невесомости, и постройка межпланетного корабля, — всё это случилось во сне, а теперь вот, когда наступило пробуждение, всё исчезло, как будто ничего и не бывало.

Конечно, это чувство возникло у Знайки лишь на мгновение, так как он не допускал мысли, что сновидение могло быть таким длинным и ярким. Убедившись, что глаза всё же не обманули его, он сообразил, что ракета попросту могла упасть на землю от ветра или от какого-нибудь колебания почвы. Выскочив моментально из комнаты, он сбежал в одно мгновение с лестницы и помчался к калитке.

— Вот беда-то какая! — бормотал про себя Знайка. — А что, если в ракете что-нибудь сломалось во время падения или испортилось?

Он выбежал из калитки и во весь дух помчался по улице. Через пять минут он уже подбегал к Космическому городку, а ещё через минуту ворвался на круглую площадь и остановился как вкопанный. До самого последнего мгновения Знайка надеялся, что увидит ракету, лежащую поперёк площади. Он явственно представлял себе, как она лежит, поэтому то, что увидел он, привело его в изумление. На площади никакой ракеты не было — ни стоящей, ни лежащей, ни целой, ни сломанной.

Чувствуя, что ноги его словно одеревенели, Знайка пробрался к стартовой площадке и произвёл тщательнейший осмотр. Стартовая площадка оказалась совершенно цела. Всё вокруг тоже было цело. На земле не было ни царапины, ни самомалейшей дырочки, в которую могла бы провалиться ракета. Не зная, что думать, Знайка стоял и растерянно озирался по сторонам. В это время он увидел, что через площадь к нему бегут Фуксия и Селёдочка. Обе были страшно взволнованы. Глаза у обеих были широко раскрыты. Подбежав к Знайке, они хотели о чём-то спросить, но только беспомощно разевали рты, так как от волнения ничего не могли сказать.

Сначала Знайка тоже молча глядел на них, но к нему первому вернулся дар речи.

— Где ракета? — закричал он визгливым голосом.

Не дождавшись ответа, он тут же схватил за плечи Селёдочку и принялся трясти изо всех сил.

— Где ракета, я вас спрашиваю, без-без-бездельники?

— Мы не без-без-бездельники! — пролепетала, чуть не плача, Селёдочка.

— Ну, без-бездельницы! — поправился Знайка.

Не в силах стерпеть такой грубости, Селёдочка молча отстранила Знайкины руки и, гордо подняв голову, зашагала прочь. Фуксия тоже с достоинством подняла голову, поджала губки и пошла за Селёдочкой. Знайка с недоумением смотрел, как они скрылись в своём домике, который стоял на краю площади. Только сейчас он сообразил, какую совершил глупость, и побежал за ними.

— Прошу прощения! — закричал он, врываясь в дом. — Вы должны извинить меня. Я так растерялся, что потерял разум! Не будете ли вы любезны сказать, куда делась ракета?

— Мы знаем об этом не больше вашего, — ответила Фуксия. — Мы сами хотели узнать у вас.

— Но я же ничего не знаю, — развёл Знайка руками. — Знаю только то, что больше не вижу её. Раньше видел, а теперь вижу, что больше не вижу, словно кто-нибудь стащил её у нас из-под носа!

— Образумьтесь! Как это можно стащить ракету? — сказала Фуксия. — Ракета тяжёлая!

— Ошибаетесь, — сказал Знайка. — Вы забыли о невесомости. Если включить прибор невесомости, то ракета потеряет вес и её можно унести без всяких усилий.

— Но если вы это сделаете, то также попадёте в зону невесомости и тоже потеряете вес. Как же вы будете нести ракету в состоянии невесомости?

— Но вы забываете, что наряду с зоной невесомости существует зона весомости, — возразил Знайка. — Находясь в зоне весомости и прицепив

трос к ракете, вы свободно можете отбуксировать её в любое место. Это не вызывает сомнений. Думаю, нам необходимо произвести опрос населения и разузнать, не слыхал ли кто ночью подозрительного шума и не наблюдал ли кто-нибудь похищения ракеты.

Пока происходил этот разговор, к Космическому городку стали стекаться жители, желавшие посмотреть на отлёт космического корабля. Увидев, что ракеты на месте нет, все решили, что запуск уже произведён и Знайка со своими друзьями улетел на Луну. Все были страшно расстроены тем, что не смогли присутствовать при старте межпланетной ракеты. Некоторые были даже рассержены. Особенно лютовал профессор Звёздочкин, который специально приехал для этой цели из Солнечного города.

— Это безобразие! — кричал он. — Запуск был назначен на восемь часов утра, а сейчас нет ещё и семи. Видимо, Знайка нарочно переменил час отлёта, чтоб улететь без помех.

Подходили новые коротышки.

— Знайка, такая гадина, улетел раньше времени! Жалко ему было, чтоб мы посмотрели! — кричал Звёздочкин. — Ну попадись он мне, этот Знайка, я из него котлету сделаю!

— Что же это такое? — говорили коротышки. — Это, однако ж, нехорошо! Кто мог подумать, что этот Знайка такая жадина, такая гадина!

Как раз в это время все увидели Знайку, который выходил из дома вместе с Фуксией и Селёдочкой.

— Смотрите, Знайка! — закричал кто-то.

Все побежали к нему. Увидев несущуюся навстречу толпу, Знайка остановился, а Фуксия и Селёдочка даже бросились бежать от испуга. Однако уже было поздно. Толпа окружила их.

— Почему вы не улетели? Где ракета? Мы думали, что вы улетели! — кричали вокруг.

— Кто сказал, что мы улетели? — строго спросил Знайка. — Кто мог такую глупость сказать?

— Ну, кто?.. Это мы сами сказали, потому что ракета... где же она?.. Её нет! — разводили коротышки руками.

— Если ракеты нет, то это ещё не значит, что мы улетели, — рассудительно сказал Знайка. — Это либо какая-нибудь глупая шутка, либо чья-то дерзкая выходка, совершённая с непонятной для меня целью. Все вы должны оказать нам помощь и включиться в поиски ракеты. Мы предлагаем каждому из вас произвести опрос населения, чтоб узнать, не видел ли кто-нибудь ночью чего-нибудь подозрительного и не имеет ли кто-нибудь сведений о местонахождении ракеты. О результатах опроса прошу сообщить немедленно в штаб розысков, который будет помещаться в доме Фуксии и Селёдочки.

Всё утро коротышки только и делали, что ходили по городу и спрашивали друг друга, не видал ли кто ночью чего-нибудь подозрительного. Но поскольку все ночью спали, то никто ничего не видал и не слыхал. Так все расспросы ни к чему и не привели.

К полудню, однако, появилась новая новость: исчез Незнайка. Сколько его ни искали, он нигде не находился. Вскорости стало известно, что исчез также и Пончик.

Как только Знайке сказали об этом, он сразу догадался, что произошло.

— Дело ясное! — закричал он, хватаясь за голову. — Без сомнения, два этих бездельника залезли ночью в ракету и самовольно отправились в полёт!

Тут в штаб розысков явился астроном Стекляшкин и рассказал, что ночью он, по обыкновению, залез на крышу своего дома, чтоб понаблюдать в телескоп звёзды, и случайно заметил на небе какое-то космическое тело, которое быстро скрылось за горизонтом. Он успел разглядеть, однако, что это тело была ракета. Вначале он думал, что это была какая-нибудь чужая ракета, и поэтому никому ничего не сказал, но теперь он обдумал всё тщательно и пришёл к заключению, что это была наша ракета, то есть та ракета, на которой Знайка и его друзья собирались лететь на Луну. Вслед за Стекляшкиным в штаб явился коротышка Рогалик. Он тоже сказал, что проснулся ночью и случайно видел в окно, как эти два субъекта (то есть Незнайка с Пончиком) пробирались по улице в направлении Космического городка.

Теперь уже никто не сомневался, что Незнайка и Пончик отправились на Луну. Знайка готов был рвать на себе волосы от досады.

— И кто мог подумать, что случится такая вещь! — убивался он. — Правда, от Незнайки можно было ожидать всякой пакости, но от Пончика я ничего подобного не ожидал.

— Но они, может быть, сделали это нечаянно? — сказала Селёдочка.

— Как же, «нечаянно»! — язвительно усмехнулся Знайка. — По-вашему, встали ночью, так, чтоб никто не видел, и нечаянно залезли в ракету?

— Нет, в ракету они, безусловно, залезли нарочно, — согласилась Селёдочка. — Но кнопку, должно быть, нажали нечаянно или в шутку. Достаточно ведь было нажать кнопку, чтобы ракета начала свой полёт к Луне.

— Теперь трудно сказать, как это там у них вышло, только за такие шутки я не знаю, что сделал бы! — кипятился Знайка.

— Что же теперь будет с Незнайкой и Пончиком? — спрашивали коротышки.

— Известно что! — сердито ворчал Знайка. — Полетят на Луну. Или вы думаете, что ракета повернёт ради них обратно? Как бы не так!

— А что они будут на Луне делать? Там ведь воздуха нет, — беспокоились коротышки.

— А пусть делают, что хотят! — с раздражением отвечал Знайка. — Сами виноваты! Не нужно было лезть, куда не просят!

— Разве так рассуждать хорошо? — с укоризной сказала Фуксия. — Они совершили ошибку и попали в беду. Нельзя же покидать их в беде! Мы должны помочь им.

— Что же мы можем сделать? — спросил Знайка. — Лететь им вдогонку? А на чём, позвольте спросить?

— Ну, надо сделать другую ракету, — сказала Селёдочка.

— Это не так просто, — ответил Знайка. — Ведь прибора невесомости у нас теперь нет. Придётся строить многоступенчатую ракету, которая могла бы преодолеть силу земного притяжения.

Знайка был прав. Для того чтобы преодолеть силу земного притяжения, ракета должна была получить начальную скорость около двенадцати километров в секунду, но, чтоб развить столь огромную скорость, требовалось такое количество реактивного топлива, которое во много раз превышало вес самой ракеты.

В связи с этим космический корабль приходилось делать многоступенчатым, то есть состоящим из нескольких соединённых между собой ракет. Первая, самая большая ракета была сплошь заполнена топливом. К ней присоединялась вторая ракета, которая тоже была целиком заполнена топливом. Ко второй присоединялась третья такая же ракета. Наконец, шла ракета, в которой, помимо запасов топлива, помещались различная аппаратура, приборы управления, запасы пищи и путешественники.

При запуске такого многоступенчатого космического корабля в работу сначала включалась первая ракета, но как только всё топливо в ней выгорало, она отделялась от корабля и работать начинала вторая ракета. Теперь вес корабля был меньше, и скорость его нарастала быстрей. Как только топливо иссякало во второй ракете, она также отделялась от корабля и падала вниз. Корабль становился ещё легче. В работу включалась третья ракета. Таким образом постепенно достигалась скорость, достаточная для того, чтоб последняя ступень корабля долетела до Луны по инерции, то есть с выключенным реактивным двигателем. Довольно значительный запас топлива в последней ступени был всё же необходим

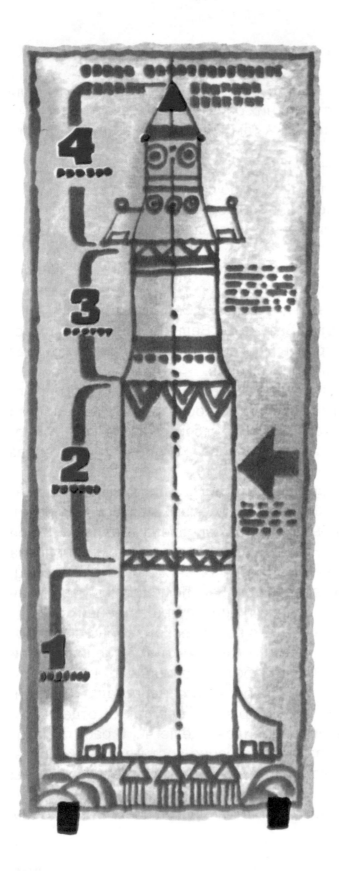

для маневрирования и торможения корабля при посадке на Луну, а также для возвращения на Землю.

Как бы то ни было, как бы ни трудна была задача, Знайка, Фуксия и Селёдочка, а также профессор Звёздочкин тотчас же включились в работу по проектированию межпланетного корабля. Они не спали всю ночь, и к утру космический корабль был спроектирован, но, конечно же, только вчерне, то есть в виде карандашного наброска или эскиза. По предложению Звёздочкина корабль был рассчитан на двенадцать путешественников. Рассчитать его на большее количество космонавтов было нельзя, так как это очень утяжелило бы последнюю ступень, поскольку внутри неё должно было остаться место не только для пассажиров, но и для лунного камня, запасы которого необходимо было доставить на Землю при возвращении с Луны.

По предложению Знайки последняя ступень ракеты должна была иметь двоякое управление, а именно — управление для полётов в условиях тяжести и управление для полётов в состоянии невесомости. Знайка надеялся, что по прибытии на Луну они обнаружат в какой-нибудь из пещер залежи лунита. Обладая же хоть небольшим кусочком лунита, нетрудно будет соорудить прибор невесомости, что крайне облегчит полёты ракеты вокруг Луны и поиски Незнайки и Пончика.

Закончив работу по составлению эскиза, Фуксия и Селёдочка тотчас отправились в Научный городок. Там в работу включилась целая группа инженеров-конструкторов, которые начали делать подробные чертежи отдельных узлов ракеты. Чертежи эти тут же направлялись на различные заводы для выполнения отдельных отливок, поковок, штамповок, а также для изготовления разнообразной аппаратуры для управления космическим кораблём.

Общее наблюдение за ходом выполнения всех деталей Фуксия и Селёдочка поручили инженеру Клёпке. На своём быстроходном прыгающем, плавающем, летающем и ныряющем автомобиле он носился по всему Солнечному городу как угорелый и поспевал всюду, где требовалось его присутствие. В этом отношении Клёпка был, как говорится, коротышка незаменимый.

Несмотря на все принятые меры, работа шла всё же не так быстро, как этого хотелось, и Знайка буквально изнывал от нетерпения. Заниматься разработкой отдельных узлов ему было неинтересно, к тому же эту работу специалисты-конструкторы могли выполнить значительно лучше и быстрее, чем он. От нечего делать Знайка принялся размышлять над открытым им явлением невесомости, стараясь найти теоретическое обоснование процессам, происходящим при взаимодействии энергии, выделяемой лунным камнем, и обычной магнитной энергии.

Своими мыслями Знайка обычно делился с профессором Звёздочкиным, с которым очень подружил за последнее время. С коротышками так часто бывает: сначала они поссорятся, даже подерутся подчас, а после этого подружат до такой степени, что и водой не разольёшь. Так получилось и на этот раз. По целым дням оба эти учёные не расставались друг с другом и обсуждали различные научные

проблемы. Случалось, конечно, что и теперь они крупно спорили, но при этом не теряли уважения друг к другу, понимая, что без споров в науке никак не обойтись. Истина, как любил говорить профессор Звёздочкин, рождается в спорах.

Профессор Звёздочкин очень интересовался Луной и всем, что было с ней связано, в том числе лунным камнем, открытие свойств которого дало возможность Знайке победить абсолютно непреодолимую (как это казалось вначале) силу тяжести. Поскольку единственный образчик лунита, которым можно было располагать для опытов, унёсся по неосторожности Незнайки обратно на Луну, профессор Звёздочкин лишён был возможности изучать свойства лунного камня, так сказать, непосредственно и поэтому расспрашивал Знайку обо всех произведённых им наблюдениях над этим странным веществом.

Получив кое-какие сведения об этом минерале, а также об условиях, в которых он был обнаружен на Луне, профессор Звёздочкин сопоставил целый ряд фактов, известных ему из геологии, минералогии и кристаллографии, сделал необходимые вычисления, в связи с чем пришёл к выводу, что лунит — весьма распространённое на Луне вещество и запасы его должны быть довольно значительны. Это сообщение очень обрадовало Знайку, который надеялся, что залежи лунита могут быть использованы для многих надобностей как на Земле, так и на самой Луне.

Нечего, конечно, и говорить, как велико было нетерпение Знайки и Звёздочкина, как хотелось им поскорей отправиться на Луну и проверить свои гипотезы, то есть свои научные предположения, не говоря уже о том, что необходимо было оказать помощь Незнайке и Пончику. Прошло, однако, целых два месяца, пока первые детали ракеты начали поступать в Космический городок. Ещё два месяца понадобилось на то, чтоб все эти детали собрать, подогнать друг к другу, свинтить, спаять и сварить между собой, оборудовать ракету различными приборами и произвести их проверку. Оба этих последних месяца пролетели для Знайки и профессора Звёздочкина гораздо быстрей, так как они непосредственно участвовали в сборке ракеты и проверке всех её узлов. Каждый знает, что, когда чем-нибудь занят, время течёт быстрей.

Вскоре Знайка снова мог любоваться из окна своей комнаты поблёскивавшей на солнце ракетой, которая гордо поднималась над стартовой площадкой посреди Космического городка. Первая и вторая ступени ракеты были похожи на удлинённые стальные цилиндры, вставленные друг в друга. Третья ступень представляла собой такой же цилиндр с закруглённой верхушкой и длинным, как у бутылки, горлышком. То, что казалось издали горлышком бутылки, и была четвёртая, то есть последняя ступень ракеты, в которой помещалась кабина для космонавтов, запасы продовольствия и приборы управления. Каждому, кто смотрел на ракету со стороны, было ясно, что теперь уже недалеко время, когда она наконец взмоет кверху и, преодолев силу притяжения земного шара, умчится в космическое пространство.

Глава двадцать девятая

ЗНАЙКА СПЕШИТ НА ПОМОЩЬ

После того как господин Спрутс погубил Общество гигантских растений, он сразу почувствовал большое облегчение. Теперь-то он был уверен, что бедняки не выйдут из повиновения у богачей, так как не смогут воспользоваться гигантскими семенами, которые навсегда останутся на поверхности Луны в ракете. Очень скоро он всё же сообразил, что если жители далёкой планеты Земля послали на Луну один космический корабль, то они могут послать и другой. Поклявшись, что не допустит на Луну никаких земных пришельцев с их проклятыми, как он выразился, семенами, господин Спрутс призвал к себе самых лучших лунных астрономов и спросил, могут ли они обнаружить посредством астрономических приборов приближение к Луне космического корабля.

Астрономы сказали, что любое, даже небольшое космическое тело вроде метеора или межпланетного корабля может быть обнаружено при помощи гравитонного телескопа. С помощью другого прибора, который называется гравитонным локатором, астрономы могут измерять расстояние до космического корабля, а также скорость и направление его движения. Этого совершенно достаточно, чтобы заранее предсказать, когда и даже в каком месте лунной поверхности произойдёт посадка прилетевшего корабля.

Пообещав лунным астрономам значительную сумму денег, господин Спрутс велел им вести беспрерывное наблюдение за планетой Земля и, если в межпланетном пространстве будет обнаружено какое-нибудь подозрительное тело вроде космического корабля, сейчас же доложить ему. С тех пор самый усовершенствованный гравитонный телескоп давилонской обсерватории был направлен в сторону ближайшей к Луне планеты, то есть, попросту говоря, в сторону Земли.

Нужно сказать, что гравитонный телескоп вовсе не похож на обычный оптический телескоп, в который мы можем рассматривать звёзды или планеты собственными глазами. Гравитонный телескоп представляет собой сложное устройство, напоминающее телевизор, снабжённый большой, расширяющейся к концу трубой, которая легко поворачивается и может быть направлена в любую часть лунного неба. Эта труба, или рупор, представляет собой сплетение тончайших металлических проводов и является антенной, улавливающей волны тяготения, или так называемые гравитоны, распространяющиеся во все стороны от любого космического тела. Как только эта трубчатая, или, как её иначе называют, рупорная, антенна улавливает волны тяготения, телевизионный экран освещается, и на нём возникает изображение кривой линии. По степени кривизны и по её положению на экране можно судить о величине наблюдаемого космического тела. Включив гравитонный локатор, можно тут же получить сведения о точном расстоянии до этого тела, а также о скорости его движения.

С тех пор как главный гравитонный телескоп давилонской обсерватории был направлен в сторону Земли, астрономам удалось обнаружить несколько мелких космических тел. Не только размеры, но и скорость и направление их движения свидетельствовали о том, что это были обыкновенные метеоры. Вскоре, однако, по соседству с планетой Земля было обнаружено космическое тело, поведение которого показалось астрономам несколько странным. Тело это удалялось от Земли, но скорость его почему-то не уменьшалась, а увеличивалась. Это противоречило законам небесной механики, согласно которым скорость тела, движущегося вблизи планеты, могла увеличиваться только в том случае, если бы тело приближалось к планете. Поскольку же тело не приближалось, а удалялось от Земли, скорость его должна была уменьшаться. Такое ускорение движения могло быть объяснено притяжением какой-нибудь другой крупной планеты, но, поскольку вблизи Земли никакой другой планеты не было, оставалось предположить, что обнаруженное тело приобретало ускорение под влиянием какой-то внутренней, то есть находящейся в нём самом, силы. Источником такой силы мог быть работающий реактивный двигатель, и если это так, то обнаруженное космическое тело было не что иное, как космическая ракета.

Продолжив свои наблюдения, давилонские астрономы убедились, что завладевший их вниманием космический предмет постепенно приобрёл скорость, достаточную для того, чтоб со временем выйти из сферы земного притяжения. Рассчитав траекторию, то есть линию полёта этого перемещающегося в межпланетном пространстве тела, астрономы убедились, что оно направляется к Луне. Об этом немедленно сообщили господину Спрутсу. Господин Спрутс отдал распоряжение продолжать астрономические наблюдения, после чего позвонил по телефону главному полицейскому комиссару Ржиглю и сказал, что ожидается прибытие космического корабля с коротышками на борту, с которыми необходимо как можно скорей разделаться, поскольку они намерены сеять повсюду гигантские семена и подстрекать бедняков к неповиновению богачам.

Главный полицейский комиссар Ржигль сказал, что все необходимые меры будут приняты, но просил сообщить о времени ожидаемого прибытия космического корабля на Луну, о месте предполагаемой высадки космонавтов и об их примерном количестве.

— Все эти сведения необходимы, — сказал он, — чтобы как следует подготовиться к встрече космических гостей и ударить по ним так, чтоб они не успели опомниться.

— Я распоряжусь, чтобы все требуемые сведения были своевременно сообщены вам, — ответил господин Спрутс.

Между тем лунные астрономы продолжали свои наблюдения и вскоре заметили, что космическое тело вышло из сферы притяжения Земли. Полёт его, однако, был не совсем точен, и одно время казалось, что оно пролетит мимо Луны, но вскоре было замечено, что оно несколько замедлило свой полёт и совершило небольшой поворот, в результате чего курс его стал более точным. Такой манёвр в космосе могло совершить только управляемое тело, и у давилонских астрономов не оставалось больше сомнений в том, что они имеют дело с космической ракетой, а не с какой-нибудь случайной кометой или метеором. Теперь космическая ракета была уже в непосредственной близости от Луны, и по показаниям гравитонных приборов можно было довольно точно определить её вес и объём. Сопоставив полученные цифровые материалы и произведя некоторые расчёты, давилонские астрономы пришли к заключению, что в ракете могло помещаться от десяти до двадцати, а может быть, даже и до тридцати пассажиров. Пока невозможно было указать примерное место посадки космического корабля, так как, приблизившись на достаточное расстояние, он не пошёл на посадку, а начал круговой облёт Луны. Астрономы тотчас догадались, что прилетевшие космонавты решили выбрать наиболее удобное место для посадки и поэтому перешли на орбитальный, то есть круговой, полёт.

Догадка лунных астрономов была верна. Знайка, Фуксия и Селёдочка заранее условились, что не станут производить посадку до тех пор, пока не обнаружат на лунной поверхности космического корабля, на котором прилетели Незнайка и Пончик. Они знали, что корабль этот следует искать в районе лунного моря Ясности, но им всё же понадобилось совершить вокруг Луны не менее двух десятков витков, прежде чем удалось обнаружить ракету, одиноко торчавшую на берегу окаменевшего моря.

Совершив ещё несколько витков по той же орбите и установив точное местоположение ракеты на лунной поверхности, космонавты произвели необходимые расчёты, после чего в ход была пущена электронная саморегулирующая машина, которая в нужный момент включила тормозной механизм. Посадка была произведена с предельной точностью, благодаря чему новая ракета опустилась на поверхность Луны неподалёку от старой.

Помимо Знайки, Фуксии и Селёдочки, экипаж корабля состоял из механиков Винтика и Шпунтика, профессора Звёздочкина, астронома Стекляшкина, инженера Клёпки, архитектора Кубика, художника Тюбика, музыканта Гусли и доктора Пилюлькина. Как только посадка была произведена, Знайка, который являлся командиром космического корабля, велел четырём космонавтам, а именно — Винтику, Шпунтику, Фуксии и Селёдочке, надеть космические скафандры и отправиться на разведку.

Первое, что надлежало сделать разведывательному отряду, — это обследовать ракету НИП (так условились сокращённо называть ракету, на которой прилетели Незнайка и Пончик, в отличие от второй ракеты, которую решили сокращённо называть по имени главных её конструкторов Фуксии и Селедочки ракетой ФИС).

Облачившись в скафандры, космонавты, назначенные в разведывательный отряд, отправились под предводительством Знайки к ракете НИП и проникли в неё. Тщательно обыскав все каюты, кабины, отсеки и прочие подсобные помещения, разведчики убедились, что Незнайки и Пончика в ракете нет. Вместе с тем было обнаружено исчезновение двух скафандров. От внимания разведывательного отряда не ускользнуло также, что все продукты, хранившиеся в пищевом отсеке, были начисто съедены. Это заставило Знайку и его спутников прийти к заключению, что Незнайка и Пончик оставались в ракете, пока не прикончили всех запасов продовольствия, после чего решили покинуть своё прибежище и отправились на поиски пищи.

Приказав Фуксии и Селёдочке, а также Винтику со Шпунтиком заняться тщательной проверкой работы всех механизмов и составить подробную опись требуемых исправлений, Знайка покинул ракету. Очутившись на поверхности Луны, он принялся осматриваться по сторонам, пытаясь догадаться, в каком направлении могли уйти Незнайка и Пончик. Прямо перед ним расстилалась равнина, напоминавшая неподвижно застывшее море с видневшимися вдали огненно-красными горами. По правую руку были такие же горы, по левую руку до горизонта тянулись окаменевшие волны. Обернувшись назад, Знайка увидел горы, напоминавшие ему мыльную пену или лежащие на земле облака со сверкавшими на вершинах гигантскими кристаллами горного хрусталя. Неподалёку от скопления этих облачных гор виднелась огромная пирамидальная, или конусообразная, гора. От её подножия к пригорку, на котором стоял Знайка, тянулась светлая и прямая, словно солнечный луч, дорожка.

«Если они и отправились куда-нибудь, покинув ракету, то, безусловно, пошли по этой дорожке», — подумал Знайка.

Придя к такому умозаключению, он тотчас отдал по радиотелефону приказ Кубику, Тюбику, Звёздочкину, Стекляшкину и инженеру Клёпке взять с собой приспособления для лазания по горам и отправляться вслед за ним к пирамидальной горе.

Кубик, Тюбик, Звёздочкин, Стекляшкин и Клёпка мигом надели скафандры. Каждый взял альпеншток, прицепил к поясу ледоруб и моток прочного капронового шнура, а Стекляшкин, помимо того, подвесил на спину свой телескоп, с которым обычно не расставался.

Выбравшись из ракеты, Кубик, Тюбик, Звёздочкин и Стекляшкин зашагали по лунной дорожке, стараясь поскорей догнать Знайку, который ушёл вперёд. Что касается Клёпки, то этот субъект, выскочив из шлюзовой камеры, совершил несколько неорганизованных прыжков возле ракеты, словно пытался перепрыгнуть через неё, после чего поскакал по дорожке, да так резво, что в несколько скачков обогнал Знайку. Он прекрасно знал, что на Луне необходимо сдерживать свои силы и соразмерять движения, так как вес его здесь вшестеро меньше, чем на Земле. Клёпка, однако, был такой коротышка, который и на Земле-то не мог посидеть спокойно. Очутившись же на Луне, он сразу почувствовал непреодолимое желание бегать, прыгать, скакать, кувыркаться, летать и вообще совершать всяческие безрассудства. Возможно, это как раз было одно из проявлений действия уменьшения веса на коротышечью психику.

Увидев эти головоломные прыжки, Знайка понял, что совершил ошибку, взяв на Луну Клёпку. Он тотчас отдал ему приказ вернуться в ракету, но Клёпка не обратил никакого внимания на этот приказ и продолжал кувыркаться.

— Такое нарушение дисциплины недопустимо в космосе! — с раздражением проворчал Знайка. — Ну погоди, я тебя засажу в ракету, тогда попрыгаешь!

Как раз в это время Знайка увидел в стороне от дорожки космический сапог, который Пончик сбросил с ноги, когда бежал из пещеры в ракету. Знайка даже не сразу понял, что это за предмет, но, подняв его, убедился, что это попросту сапожок от скафандра..

Увидев, что Знайка что-то поднял, Кубик, Тюбик, Звёздочкин, Стекляшкин и Клёпка сейчас же подбежали к нему.

— Друзья, мы на верном пути! — воскликнул Знайка, показывая им сапог. — Наша находка доказывает, что Незнайка и Пончик проходили здесь. Не мог же сапог сам собою попасть сюда. Будем продолжать поиски.

Тут Клёпка выхватил у Знайки сапог, нацепил его на остриё альпенштока, поднял вверх и побежал с ним вперёд, размахивая словно флагом. Знайка только головой покачал, глядя на это дурачество.

Скоро путешественники были в пещере, образовавшейся в склоне пирамидальной горы. Углубившись в пещеру, они достигли сосульчатого грота и решили его тщательно обыскать. Все разбрелись среди исполинских ледяных сосулек, свешивавшихся с потолка грота, и вскоре Тюбику удалось обнаружить второй космический сапожок Пончика.

— Второй сапог! — закричал Тюбик, размахивая найденным сапогом.

Знайка и все остальные поспешили к нему.

— Обе наши находки говорят о том, что скоро мы обнаружим и самого обладателя этих сапог, — сказал Знайка. — Вперёд, друзья!

Все двинулись дальше и скоро очутились в тоннеле с ледяным дном. Заметив, что ледяное дно тоннеля шло под уклон, Знайка велел

путешественникам связаться верёвкой, как это делают альпинисты, переходя через ледники. Это было сделано вовремя. Не успели они прикрепить к поясам верёвку и двинуться в путь, как шедший впереди Клёпка поскользнулся на льду и, упав на спину, покатился вниз. Верёвка тотчас натянулась и потащила за собой остальных путешественников.

— Ни с места! Стойте! — закричал Знайка. — Вонзайте в лёд альпенштоки!

Все принялись упираться стальными остриями альпенштоков в лёд. Это задержало падение. Подтащив к себе на верёвке Клёпку, Знайка распорядился, чтоб его привязали позади всех и не разрешали вылезать вперёд.

Вскоре наклон тоннеля сделался настолько крутым, что Знайка побоялся продолжать спуск.

— Дальше нельзя всем опускаться, — сказал он. — Надо кого-нибудь одного опустить на верёвке.

— Спустите меня, — предложил Стекляшкин. — Может, я смогу разглядеть что-нибудь в телескоп.

Приказав спутникам вырубить во льду ступеньки, Знайка связал между собой мотки капронового шнура, так что получилась длинная верёвка. Конец этой верёвки он привязал к поясу Стекляшкина и велел ему осторожно спускаться вниз. Остальные космонавты стояли на ледяных ступеньках и постепенно отпускали верёвку, тщательно следя, чтоб она не выскользнула из рук.

О своих впечатлениях Стекляшкин сообщал оставшимся вверху по радиотелефону.

— Наклон тоннеля делается всё больше и больше! — кричал он. — Стены расширились... Спуск становится почти отвесным... Вижу впереди свет... Спуск стал отвесным... Вишу над бездной. Внизу туман. Облака... Тучи... Вижу что-то в разрывах туч...

— Что видишь? — закричал, сгорая от нетерпения, Знайка.

— Что-то вижу, только не вижу что, — ответил Стекляшкин. — Какая-то муть. Сейчас попытаюсь разглядеть в телескоп.

Он долго не подавал признаков жизни. Наконец закричал:

— Земля!.. Ура! Вижу землю!.. Вижу реку! Вижу зелёное поле! Вижу деревья!.. Лес!

Он замолчал, но через несколько минут снова послышался его голос:

— Ура!! Вижу дома!.. Какой-то населённый пункт вижу! Ура!

— Ура-а-а! — закричали Знайка и Звёздочкин, а за ними и остальные коротышки.

346

От радости они готовы были броситься друг другу в объятья, но не могли выпустить из рук верёвку.

А Стекляшкин уже кричал:

— Снова сгустились тучи!.. Ничего больше не видно! Какая-то мгла!.. Здесь становится очень жарко! Поднимайте меня!

Знайка и его друзья потащили Стекляшкина вверх. Скоро путешественники снова были все вместе и отправились в обратный путь. Как только они вернулись в ракету, Знайка устроил экстренное совещание. Стекляшкин рассказал, что он видел внизу какую-то неизвестную землю с населённым пунктом. Возможно, это был большой лунный город, но, может быть, и небольшой посёлок. Этого Стекляшкин не мог точно сказать, так как видел лишь часть населённого пункта в разрывах облаков.

— Город или посёлок — это не имеет значения, — сказал Знайка. — Раз там есть населённый пункт — значит, есть и население, а раз это так, то мы должны немедленно лететь туда. Лететь же можно на ракете ФИС. Думаю, что она свободно пройдёт через тоннель.

— Пройти-то она пройдёт, — согласился профессор Звёздочкин, — но как мы доставим ракету к тоннелю? Хотя тяжесть здесь в шесть раз меньше, чем на Земле, но мы не сдвинем с места ракету, даже если все впряжёмся в неё.

— Вы забыли о невесомости, дорогой друг, — сказал Знайка с усмешкой. — Ведь теперь в нашем распоряжении имеется прибор невесомости, который был установлен на ракете НИП.

— Ах, верно! — воскликнул профессор Звёздочкин.

Фуксия рассказала, что ракета НИП вполне исправна и ничуть не пострадала при посадке на Луну, все её механизмы действуют безотказно. Что касается прибора невесомости, то он также находится в полной исправности.

Знайка велел принести прибор невесомости и сказал:

— Стоит лишь включить этот прибор, и вокруг ракеты в радиусе примерно тридцати шагов возникнет зона невесомости. Если мы привяжем к ракете шнур длиною хотя бы в сорок шагов, то можно будет спокойно тащить за конец шнура, и ракета полетит за нами, словно воздушный шарик на ниточке.

— Это всё же нуждается в проверке, — сказала Селёдочка. — Зона невесомости на Луне может оказаться значительно больше, чем на Земле. Ведь здесь сила тяжести меньше.

— Верно! — воскликнул Звёздочкин.

Он тут же принялся производить математические вычисления, которые показали, что шнур должен быть длиннее втрое, то есть около ста двадцати шагов. Когда же стали производить практическую проверку, то оказалось, что и эту цифру пришлось увеличить ещё в два раза. При включении прибора невесомости силу тяжести можно было ощущать, только находясь примерно в двухстах сорока шагах от ракеты.

Наконец практическая проверка расчётов была закончена. К ракете привязали длинный капроновый шнур, и Знайка пожелал лично отбуксировать её к пещере. Взяв в руки конец шнура и отойдя от ракеты на двести сорок шагов, он подал по радиотелефону команду включить прибор невесомости. Фуксия тотчас включила прибор. Потеряв вес, ракета медленно отделилась от поверхности Луны и поднялась вверх.

Как известно, все предметы, теряя вес, обычно поднимаются вверх (если они, конечно, не закреплены). Ведь, находясь под действием силы тяжести, каждый предмет как бы сжимается или сплющивается хотя бы на самую ничтожную величину. Но как только предмет потеряет вес, он разжимается, выпрямляется, в результате чего отталкивается, как пружина, от поверхности, на которой стоял.

Заметив, что ракета поднялась на достаточную высоту, Знайка потихонечку потянул за шнур и не спеша зашагал по лунной дорожке. Ракета приняла горизонтальное положение и послушно поплыла над поверхностью Луны. Правда, по временам она опускалась, но, едва коснувшись поверхности Луны, отталкивалась от неё и снова поднималась вверх.

Коротышки, сидевшие внутри ракеты, смотрели в иллюминаторы. Все радовались, видя, как Знайка совершенно без каких бы то ни было усилий тащит огромную ракету на привязи.

Всё же радость их была преждевременна. Знайка уже был недалеко от пещеры и считал свою задачу выполненной, но в это время ракета снова опустилась вниз. На этот раз Знайка увидел, что она не оттолкнулась от поверхности Луны, и почувствовал, что ему стало трудно её тащить, а через несколько шагов он и вовсе не мог сдвинуть её с места. Убедившись, что усилия его напрасны, Знайка решил, что коротышки, оставшиеся в ракете, задумали над ним подшутить, и закричал сердито:

— Эй! Что это там за шуточки? Вы зачем выключили прибор невесомости?

— Прибор включён. Никто и не думал шутить, — ответила по радиотелефону Фуксия.

— Вот я сейчас посмотрю сам.

Знайка быстро вернулся в ракету и принялся проверять прибор невесомости, но сколько он ни включал его, сколько ни выключал, невесомость не появлялась.

— Что ж тут случилось? — растерянно бормотал Знайка. — Одно из двух: либо энергия, выделяемая лунитом, иссякла...

— Либо что? — с нетерпением спросил Звёздочкин.

— Либо что? Либо что? — затвердили толпившиеся вокруг коротышки.

Вместо ответа Знайка схватил прибор и, выбравшись из ракеты, пустился бежать обратно, то есть в том направлении, где стояла ракета прежде.

— Держите его! Он, должно быть, от огорчения с ума сошёл! — закричала Селёдочка.

Инженер Клёпка, а за ним Звёздочкин выскочили из ракеты и погнались за Знайкой.

Отбежав от ракеты шагов на сто, Знайка остановился и включил прибор невесомости. Он сейчас же почувствовал, что невесомость возникла, и в тот же момент заметил, как бежавшие к нему Клёпка и Звёздочкин отделились от поверхности Луны и взмыли кверху. Увидев этот фантастический прыжок, Знайка тотчас же выключил невесомость, в результате чего Клёпка и Звёздочкин снова приобрели вес и, полетев вниз, растянулись на поверхности Луны. Случись это на Земле, они, без сомнения, искалечились бы, но так как здесь сила тяжести была меньше, они, как говорится, отделались лишь лёгким испугом.

Увидев, что Клёпка и Звёздочкин как ни в чём не бывало вскочили на ноги, Знайка пустился в обратный путь. Все коротышки вылезли из ракеты и ждали, что он им скажет. Но Знайка ничего не сказал. Промчавшись мимо ракеты, он подбежал к пирамидальной горе и включил прибор невесомости. На этот раз невесомость не наступила.

— Ну что, Знайка? — стали спрашивать коротышки, подбегая к нему. — Как ты объяснишь это?

— Что же тут объяснять? — развёл Знайка руками. — Вы сами видели, что вон там, вдали, невесомость возникла. Значит, энергия лунита не иссякла. Здесь же, поблизости от горы, невесомость не возникает. Не значит ли это, что где-то вблизи находится вещество, которое поглощает энергию, выделяемую лунитом, и не допускает возникновения невесомости.

Не дослушав до конца Знайку, профессор Звёздочкин подскочил к нему и принялся обнимать.

— Это, без сомнения, так и есть, мой дорогой друг! — закричал он. — Вы, мой друг, великий ученый! Вам принадлежит честь открытия не только лунита, но и антилунита — так я предлагаю назвать это новое вещество.

— Вещество это, однако, ещё не открыто, — возразил Знайка.

— Открыто, мой дорогой, открыто! — закричал Звёздочкин. — Вы открыли антилунит, так сказать, теоретически. Нам остаётся только практически доказать его существование. Так ведь делались многие открытия в науке. Теория всегда освещает путь практике. Без этого она ничего не стоила бы!

— Где же может находиться этот антилунит? — спросил Кубик. — Где нам искать его?

— Он может залегать где-нибудь под нами, в недрах Луны или в недрах этой горы. Недаром невесомость исчезает поблизости от горы, — сказал Знайка.

— Так его надо искать! — закричал Клёпка. — Надо поскорей брать лопаты и начинать копать. Что же мы тут стоим?

— К сожалению, я должна охладить ваш пыл, — сказала Селёдочка. — Что за спешка, скажите, пожалуйста? Для чего это вам понадобилось вдруг копать?

— Ну, для того, чтоб найти антилунит, разумеется, — сказал Клёпка.

— Для чего же антилунит?

— Как «для чего»? Чтоб уничтожать невесомость.

— Нам, дорогой, надо не уничтожать невесомость, а наоборот — создавать её, — сказала Селёдочка. — Без невесомости мы не сможем сдвинуть с места ракету, а следовательно, не сможем и полететь на поиски Незнайки и Пончика.

— С Незнайкой и Пончиком придётся повременить, — ответил профессор Звёздочкин. — Хотя мы сейчас и не знаем, какая от антилунита будет для всех нас польза, но мы должны отыскать это удивительное вещество. Мы должны действовать прежде всего в интересах науки. Наука требует жертв.

— Каких это жертв? — вмешалась в разговор Фуксия. — По-вашему, мы должны принести Незнайку в жертву науке?.. Не будет этого! Мы сначала отправимся на поиски наших пропавших друзей, а потом можете искать ваш антилунит.

— Смотрите на неё! — закричал Звёздочкин, показывая пальцем на Фуксию. — Антилунит такой же наш, как и ваш. Так говорить некультурно!

— Некультурно показывать на других пальцем! — сказала Селёдочка.

Неизвестно, до чего бы дошёл этот спор, если бы в него не вмешался доктор Пилюлькин.

— Друзья! — сказал он. — Время обеда прошло, если не считать, что мы пропустили также и время ужина. Я заявляю категорический протест против такого нарушения правил. На Луне, как и на Земле, необходимо соблюдать строгий режим, так как нерегулярное питание и несвоевременный отдых ведут ко всяческим заболеваниям, что особенно нежелательно в условиях космоса. Пора кончать с безалаберностью, беспечностью, расхлябанностью и бездумьем! Сейчас все без разговоров отправятся ужинать, а затем спать... Это сказал вам я, доктор Пилюлькин, а раз сказал я, значит, так и будет, как я сказал!

— Правильно! — подхватил Знайка, — Прекратить сейчас же всяческие разговоры! На Луне дисциплина прежде всего! Попрошу всех построиться в одну шеренгу. Ну-ка, быстренько! Быстренько! И ты, Пилюлькин, становись тоже... Так! Все на месте? А теперь шагом марш в ракету для принятия пищи!

Глава тридцатая

БОРЬБА НАЧИНАЕТСЯ

Так закончился первый день, который Знайка и его друзья провели на Луне. Каждый читатель, наверно, догадывается, что под словом «день» следует понимать вовсе не лунный день, который, как установила наука, длится на поверхности Луны около четырнадцати земных суток, а обычный земной день, который длится лишь около полусуток.

После того как космонавты поужинали, они покинули ракету ФИС и в организованном порядке перешли в ракету НИП. Доктор Пилюлькин сказал, что в ракете НИП условия для проживания лучше, поскольку там каждый может лечь спать в отдельной каюте, в то время как в ракете ФИС все принуждены ютиться в одной двенадцатиместной кабине. Правда, самому доктору Пилюлькину было удобнее следить за всяческими нарушениями режима, когда все помещались в одной кабине, но ради общего блага он решил поступиться личными удобствами.

— Имейте, однако, в виду, — пригрозил он, — я всё равно буду время от времени просыпаться и делать ночной обход. Никакие нарушения режима не ускользнут от моего внимания, так вы и знайте! Это сказал вам я, доктор Пилюлькин, а доктор Пилюлькин, как уже всем известно, бросать слова на ветер не любит!

Сделав такое предупреждение, доктор Пилюлькин забрался в свою каюту и заснул так крепко, что за все восемь часов, отведённых для сна, не проснулся ни разу.

Услыхав богатырский храп, который доносился из каюты Пилюлькина, все коротышки вылезли из своих постелей и каждый занялся каким-нибудь делом. Тюбик принялся рисовать лунные пейзажи. Ему давно уже не терпелось сбросить скафандр и поскорей запечатлеть в красках всё, что посчастливилось увидеть на Луне.

Гусля взял флейту и начал насвистывать какие-то странные мелодии, которые теснились у него в голове. Чувствуя, что мелодии эти как бы ускользают от него и не даются в руки, он схватил лист бумаги, написал сверху: «Космическая симфония» — и стал покрывать бумагу нотными знаками. Посвищет, посвищет на флейте и начинает писать, потом снова посвищет — и опять писать.

Здорово бы ему досталось, если бы Пилюлькин проснулся и услыхал все эти мелодии.

Кубик недолго думая начал создавать архитектурный проект оборудования под жильё лунной пещеры. По этому проекту вход в пещеру закладывался воздухонепроницаемой стенкой, в которой делалась герметически закрывающаяся дверь и шлюзовое устройство, после чего пещера заполнялась воздухом. Стены и потолок пещеры облицовывались гранитом или каким-нибудь другим красивым камнем. Неподалёку от пещеры на лунной поверхности устанавливались солнечные батареи, вырабатывавшие электроэнергию, необходимую для освещения и отопления помещения. Внутренность пещеры постепенно переоборудовалась: появлялись комнаты, коридоры, залы, подвалы, лифты, телефонные будки, закрома, склады, фотолаборатории, научно-исследовательские институты и даже подлунная железная дорога для связи с другими пещерами. Проект быстро обрастал всё новыми и новыми деталями.

Винтик и Шпунтик принялись думать, как доставить в пещеру ракету и запустить её внутрь Луны. В результате долгих обдумываний они додумались приделать к ракете хвост и колёса, чтоб она могла свободно кататься по Луне на манер реактивного роликового труболёта. Единственное, до чего они не смогли додуматься, — это где взять на Луне колёса.

Инженер Клёпка, который выбился из последних сил, прыгая по Луне в скафандре, никаких проектов создавать не стал, а вместо этого решил выяснить, какие выгоды получает обыкновенный земной коротышка, попав на Луну, и какие испытывает неудобства. Продумав всё как следует и сделав точный подсчёт, Клёпка пришёл к выводу, что, попадая на Луну, космонавт получает двадцать четыре выгоды, взамен которых испытывает двести пятьдесят шесть различнейших неудобств.

Знайка и профессор Звёздочкин решали в это время другую задачу, а именно: какие свойства должен иметь вновь открытый антилунит. Исходя из того, что это вещество, по-видимому, обладает свойствами, противоположными тем, которыми обладает лунит, они пришли к выводу, что антилунит скорее прозрачный, нежели непрозрачный, скорее фиолетовый или синеватый, нежели желтоватый, зеленоватый или серо-буромалиновый; теплопроводность его скорее плохая, нежели хорошая, электропроводность же скорее хорошая, чем плохая. Удельный вес его скорее небольшой, чем большой, температура плавления скорее низкая, чем высокая, залегает он в недрах Луны скорее неглубоко, нежели глубоко. Из минералов, которые могут сопутствовать антилуниту, скорее всего можно назвать лунит, так как залежи чистого лунита, взаимодействуя с космическими магнитными силами, могли бы создавать состояние невесомости, что нарушало бы стабильность верхних слоёв Луны, чего в действительности скорее не наблюдается, нежели наблюдается.

Как Фуксию, так и Селёдочку больше всего занимал вопрос, что надо сделать, чтобы прибор невесомости начал работать в новых условиях. Обсудив всесторонне этот вопрос, они пришли к выводу, что победить силы противодействия антилунита можно лишь путём увеличения размеров прибора невесомости, а для этого необходимо отыскать достаточно большой кристалл лунита и взять достаточно сильный магнит.

На другой день Знайке и его друзьям удалось раскопать в глубине лунной пещеры мощные залежи лунита. Условия залегания, как и предполагал профессор Звёздочкин, говорили о том, что в верхних слоях Луны этот минерал вовсе не редкость. Выбрав наиболее крупный кристалл лунита и взяв один из наиболее сильных магнитов, которые были доставлены на Луну в ракете, коротышки попытались сконструировать новый прибор невесомости, не выходя из пещеры. Как и ожидали Фуксия и Селёдочка, невесомость возникла, как только кристалл и магнит были сближены на достаточное расстояние.

Коротышки, присутствовавшие при этом опыте, в тот же момент отделились от дна пещеры и поднялись кверху. Плавая под потолком пещеры в самых разнообразных позах, они всячески старались спуститься вниз, но попытки их были малоуспешны. Находясь в громоздких скафандрах, они не могли точно рассчитать свои телодвижения и использовать реактивные силы для перемещения в пространстве.

Общее недоумение вызвал тот факт, что сам Знайка, а также профессор Звёздочкин в силу каких-то причин не подверглись действию невесомости и как ни в чём не бывало продолжали работать внизу. Они переносили прибор невесомости с места на место, отходили от него в дальние уголки пещеры, проверяя при помощи пружинных весов изменение силы тяжести в разных местах. Все спрашивали Знайку и Звёздочкина, почему на них не действует невесомость, но Знайка и Звёздочкин только посмеивались втихомолку и делали вид, что не слышат вопросов. Натешившись вдоволь, они признались, что нашли антилунит, который и позволяет им сохранять вес.

Выключив прибор невесомости, в результате чего все коротышки моментально опустились вниз, Знайка вытряхнул из своего рюкзака несколько мелких камней. Все с интересом принялись разглядывать их. Камни были твёрдые, плотные, по виду напоминавшие кремень, но в отличие от кремня они были не тёмно-серого, а яркого фиолетового цвета и к тому же обладали какой-то энергией, в силу которой притягивались друг к другу, подобно тому, как притягиваются наэлектризованные предметы или кусочки намагниченного железа.

Знайка сказал, что им стоило большого труда отколоть эти камешки от огромнейшей глыбы, найденной в глубине пещеры, так как антилунит чрезвычайно твёрдое вещество.

— Чем же объясняется действие антилунита? Почему он позволяет сохранять вес? — стали спрашивать коротышки.

— Надо думать, что энергия, выделяемая антилунитом, создаёт в условиях невесомости зону, на которую действие невесомости не распространяется, — сказал Знайка. — Достаточно вам иметь при себе небольшой кусочек антилунита, чтобы вокруг образовалась такая зона, и невесомость уже будет для вас не страшна. Вот смотрите. Сейчас мы с вами проделаем опыт.

Знайка роздал коротышкам кусочки антилунита и включил прибор невесомости. Все коротышки остались на месте, так как никто не ощутил действия невесомости, и только один Знайка, у которого не осталось ни одного камешка, беспомощно повис в безвоздушном пространстве пещеры.

— Вот видите! — закричал Знайка. — Каждый из вас защищён от действия невесомости антилунитом. Но если я приближусь к кому-нибудь из вас, то тоже, по всей вероятности, окажусь в зоне весомости и буду ощущать тяжесть.

Точно рассчитав движения, Знайка взмахнул руками и подлетел к стоявшему неподалёку Пилюлькину. Очутившись рядом с ним, он сразу почувствовал, как сила тяжести словно потянула его за ноги вниз.

— Смотрите! — закричал он. — Теперь я, как и все вы, твёрдо стою на ногах. Но если я попытаюсь отойти от Пилюлькина...

Знайка сделал шаг в сторону и, выйдя из зоны весомости, которая окружала Пилюлькина, сразу же полетел под потолок пещеры.

Остаток дня Знайка и его друзья употребили на то, чтобы обеспечить себя запасами лунита и антилунита. Часть этих запасов они оставили в пещере, другую часть погрузили в ракету ФИС. В ракету ФИС перенесли также и хранившиеся в ракете НИП семена растений.

На следующее утро был назначен запуск ракеты ФИС внутрь Луны. Теперь это нетрудно было сделать. Установив на борту ракеты прибор невесомости и защитив себя от действия невесомости антилунитом, космонавты легко доставили ракету в сосульчатый грот, а оттуда в уходящий в глубь Луны ледяной тоннель. Там ракета была установлена на наклонном ледяном полу тоннеля. Каждый занял своё место в ракете, и спуск начался.

Первое, что сделал Знайка, это включил основной прожектор, имевшийся в головной части ракеты, после чего выключил прибор невесомости. Под влиянием собственного веса ракета заскользила вниз по ледяному полу тоннеля, освещая впереди путь. Не дожидаясь, когда ракета разовьёт слишком большую скорость, Знайка снова включил невесомость. Потеряв вес, ракета по инерции продолжала двигаться вниз. Соприкасаясь с ледяными стенами тоннеля и испытывая трение, она постепенно замедляла движение, и тогда Знайка опять выключал невесомость.

Под действием возникшей силы тяжести ракета снова убыстряла свой ход.

Постепенно наклон тоннеля становился всё круче. Скоро ракета уже не скользила, а словно летела в пропасть, уходя все дальше в глубину оболочки Луны. Наконец лунная оболочка кончилась. Ракета вышла из пропасти и очутилась на просторе. Знайка взглянул на часы и записал в бортовой журнал время выхода из тоннеля с точностью до секунды, после чего выключил прожектор. Вокруг и без того стало светло. Внизу всё было закрыто сплошными облаками, пройдя которые космонавты увидели землю, покрытую зеленеющими равнинами и холмами, перерезанными в разных направлениях прямыми дорогами и тянувшейся от края и до края извилистой лентой реки.

Стекляшкин, который тотчас же приник глазом к своему телескопу, объявил, что видит на горизонте город. Это, однако, был не город Давилон, в который попал Незнайка, а другой лунный город — Фантомас.

Хотя Знайка с друзьями проник внутрь Луны сквозь то же отверстие, что и Незнайка с Пончиком, но, поскольку внутреннее ядро Луны непрерывно вертелось, все они оказались над его поверхностью в разных местах.

Включив механизм поворота, Знайка перевёл ракету в горизонтальное положение, после чего включил основной двигатель и взял курс на видневшийся вдали город.

Через несколько минут ракета уже описывала круги над Фантомасом. Знайка, который ни на секунду не отходил от пульта управления, время от времени поглядывал в большой призматический бинокль, в который видел не только дома, но и автомобили, трамваи, автобусы и даже отдельных пешеходов. Правда, все они казались чрезвычайно крошечными — каждый коротышка с маковое зёрнышко. У Знайки, однако, было очень острое зрение, и он

сумел разглядеть с высоты, как эти крошки выбегали из домов, задирали кверху свои головёнки и приветливо махали ручонками.

— Они видят ракету! — радостно закричал Знайка. — Они приветствуют нас!

Скоро высыпавшие из домов коротышки заполнили все тротуары и мостовые. Теперь уже трудно было что-нибудь разглядеть в общей массе, и Знайке казалось, будто вся улица волнуется, клокочет или кипит.

— Я не мог разобрать, что они там делают! — закричал он, не отрываясь от бинокля.

— Похоже, что они дерутся! — ответил Стекляшкин.

В свой телескоп, который давал значительно большее увеличение, Стекляшкин видел, как на улицах появились отряды полицейских в блестящих металлических касках. Они теснили толпящихся на мостовых коротышек и, колотя их дубинками, загоняли обратно в дома.

— Да, да! — подтвердил Стекляшкин взволнованно. — Похоже, что одни из них колотят других!

Знайка повёл корабль на снижение, и Стекляшкин увидел на крышах домов полицейских, вооружённых винтовками. Сначала он подумал, что у них в руках просто палки, но вскоре заметил, что из этих «палок» как бы вырываются огоньки вспышек с белыми облачками дыма.

— Это у них ружья! — закричал, догадавшись, он. — Они в кого-то стреляют!

— «В кого-то»! — иронически усмехнулся Знайка. — Да они в нас палят!

В это время одному полицейскому удалось попасть в ракету. Послышался звонкий удар. Ракета вздрогнула и, потеряв управление, начала переворачиваться в воздухе. Пуля не смогла пробить прочную стальную оболочку, но, поскольку ракета находилась в состоянии невесомости, толчок, произведённый пулей, был для неё особенно ощутим. От внезапного изменения курса космонавты попадали со своих мест. Произошло замешательство.

Знайка очнулся первым и, подскочив к пульту управления, включил механизм поворота. Ему быстро удалось остановить вращательное движение ракеты и стабилизировать её полёт. Убедившись, что стрельба внизу продолжается, он немедленно увеличил скорость и вывел ракету из-под обстрела.

Для лунных астрономов появление космического корабля над городом Фантомасом не было неожиданностью. В своё время они точно засекли место, в котором прилунилась ракета.

С тех пор несколько десятков гравитонных телескопов, разбросанных в различных лунных городах, следили за этой точкой лунного небосвода. Как только господин Спрутс узнал, что космический корабль прилунился, он тотчас отдал приказ усилить отряды полиции в тех городах, вблизи которых можно было ожидать появление космонавтов. В результате принятых мер фантомасская полиция, как говорится, не ударила в грязь лицом и была поднята на ноги в тот же момент, когда космический корабль появился над Фантомасом. Оставив позади город, Знайка принялся подыскивать удобное для посадки место. Сверху ему были видны небольшие квадратики обработанных полей, крошечные избушки сельских жителей, утопавшие в зелени садов. Дальше космический корабль полетел над лесом.

Скоро лес кончился, Знайка обнаружил на опушке, среди холмов, очень удобную для посадки полянку.

— Вот удобное для посадки место, — сказал он. — Здесь никто не живёт, и мы никому не нанесём ущерба.

Сделав круг над поляной и погасив скорость при помощи тормозного двигателя, Знайка повернул ракету хвостом вниз и начал спуск. Как только космический корабль встретился с твёрдой почвой, Знайка выключил прибор невесомости. Ракета оперлась хвостовой частью о почву и остановилась в вертикальном положении.

Посадка была произведена удачно.

Космонавты один за другим вышли из кабины и, взявшись за руки, трижды прокричали «ура». Так приятно было после долгого перерыва снова очутиться на свежем воздухе, без скафандров. Ноги путешественников утопали в зелёной травке, среди которой пестрели цветочки. Путешественников изумило, что и трава и цветочки были удивительно крошечные, низкорослые, совсем не такие, к каким они привыкли у себя на далёкой Земле. Для того чтоб разглядеть цветочек, надо было пригнуться или присесть на корточки. Это очень смешило всех.

Оглядевшись по сторонам, коротышки заметили, что и деревья в лесу были исключительно мелкие. Каждое дерево не больше веника. Кроме своих ничтожных размеров, эти деревья ничем не отличались от наших земных, но это и было самое удивительное. Представьте себе лунный дуб. Он такой же раскидистый, как и наш, с таким же растрескавшимся, морщинистым стволом, с такими же узловатыми веточками, с такими же по форме листочками, но очень крошечными; такие же крошки жёлуди растут на нём. Вообразите, что такой дубочек растёт у вас в комнате на окне в цветочном горшке вместо комнатного цветка, и вы поймёте, что представляет собой самый простой лунный дуб. Такие же миниатюрные были в лунном лесу и берёзки, и сосны, и плакучие ивы, и другие деревья.

Конечно, для коротышек, которые сами были ростом с палец, и такие деревья должны были казаться большими, но, поскольку у себя на Земле они привыкли к настоящим большим деревьям, эти лунные деревца показались им хотя и очень милыми, но смешными. Все с громким смехом бегали по лесу и кричали:

— Смотрите, смотрите, берёза!

— А вот сосна! Смотрите, сосна! А иголки на ней! Умора! Ха-ха-ха!

Винтик нашёл под лунной осинкой крошечный грибочек-красноголовец. Он долго глядел на свою находку, не понимая, что у него в руках, наконец догадался и принялся хохотать.

— Братцы, гриб! — закричал он. — Вот так гриб! Не завидую я этим лунатикам, если у них тут такие грибы.

Знайка сказал:

— Знаете, братцы, если все растения на Луне такие вот мелкие, то семена, которые мы привезли с Земли, окажутся для лунатиков очень ценным приобретением.

— Ещё бы! — подхватил доктор Пилюлькин. — Они должны сказать нам за них спасибо.

— Пока они не говорят нам спасибо, а палят в нас из ружей! — проворчал Шпунтик.

— Ничего, мы объясним им, и они не будут палить, — сказала Селёдочка.

После обеда Знайка велел вбить вокруг ракеты несколько кольев и привязать к ним ракету.

— Местность для нас совершенно незнакомая, — сказал он. — Возможно, здесь бывают сильные ветры. Они могут повалить ракету.

— Здесь, по всей видимости, не может быть сильных ветров, — возразил Клёпка. — Со всех сторон нас защищают от ветра холмы. Мы находимся между холмами, как бы во впадине.

— Предосторожность всё же не мешает, — ответил Знайка. — Может быть, здесь бывают землетрясения или, вернее сказать, лунотрясения.

Как только его распоряжение было выполнено, он велел установить неподалёку от ракеты сейсмограф для регистрации лунотрясений, гравитометр для измерения силы тяжести, магнитометр для измерения магнитных сил, термогигрометр, регистрирующий температуру и влажность воздуха, крыльчатый анемометр для измерения скорости и направления ветра, а также фотометр, барометр, дождемер и другие метеорологические приборы.

Срубив несколько деревьев, коротышки устроили подставки для всех приборов, а для крыльчатого анемометра соорудили вышку. Работы были в полном разгаре, и доктор Пилюлькин уже собирался вытащить свой микроскоп, чтобы начать изучение микромира Луны с целью обнаружения болезнетворных микробов, но тут Тюбик заметил на вершине одного из холмов отряд коротышек в синих мундирах и медных блестящих касках на головах.

Позади отряда ехал открытый автомобиль с установленной на нём огромной телевизионной камерой, возле которой стоял телеоператор.

— Эва — лунатики! — закричал Тюбик, показывая рукой в сторону появившихся полицейских.

— Глядите-ка, лунатики уже выследили нас! — удивился Знайка. — Ну что ж, это даже, пожалуй, к лучшему. Теперь мы можем поговорить с ними и попытаться узнать что-нибудь о Незнайке с Пончиком.

В это время командир полицейского отряда Ригль приложил ко рту руки рупором и закричал издали:

— Эй! Вам какого лешего надо здесь? Убирайтесь отсюда к лешему, и никаких разговоров!

— Нам надо найти Незнайку и Пончика! — закричал в ответ Знайка.

— Нет у нас ваших дурацких Незнайки и Пончика! — закричал Ригль.

— Помогите нам разыскать Незнайку и Пончика, а мы вам дадим семена наших земных растений, — предложил Знайка.

— Летите вы с вашими дурацкими семенами подальше отсюда! — заорал Ригль во всё горло.

— Без Незнайки и Пончика мы никуда не улетим! — отвечал Знайка.

— Если вы сейчас же не уберётесь отсюда с вашей дурацкой ракетой, я прикажу стрелять! — завизжал, выходя из себя, Ригль. — Ну-ка, считаю до трёх! Убирайтесь отсюда — раз!.. Убирайтесь отсюда — два!..

Заметив, что полицейские взяли наизготовку ружья, Знайка скомандовал коротышкам:

— Все быстро в ракету! Фуксия и Селёдочка, вперёд!

Пропустив вперёд Фуксию и Селёдочку, коротышки один за другим полезли в ракету.

— ...Убирайтесь отсюда — три! — закричал между тем Ригль и взмахнул дубинкой.

Послышались выстрелы. Вокруг засвистали пули. Клёпка, обычно оказывавшийся впереди всех, но на этот раз оказавшийся позади, почувствовал вдруг, как что-то обожгло ему руку чуть повыше локтя. Знайка, который решил сесть в ракету последним, увидел, как лицо Клёпки исказилось от боли, а на белом рукаве рубашки появилось красное расплывающееся пятно крови. Схватив Клёпку в охапку, Знайка втащил его в кабину и, не теряя ни секунды, захлопнул за собой дверь.

Доктор Пилюлькин увидел, что Клёпка ранен, и бросился к нему со своей походной аптечкой. Осмотрев рану и установив, что пуля прошла навылет, не задев кость, Пилюлькин быстро остановил кровотечение и наложил на рану повязку. Клёпка терпеливо переносил боль.

Услышав, что пули так и барабанят по стальной оболочке ракеты, Знайка посмотрел в иллюминатор. Полицейские продолжали беспорядочную стрельбу.

Убедившись, что пули не причиняют ракете вреда, Ригль снова взмахнул дубинкой и закричал:

— Вперёд!

Не прекращая пальбы из ружей, полицейские побежали вперёд. Подбежав к ракете, они с яростью набросились на установленные вокруг приборы и принялись уничтожать их: разбили барометр, разломали сейсмограф, изрешетили пулями дождемер, наконец полезли на вышку, чтоб разбить анемометр.

— Это что же за варварство такое! — вскипел от негодования Знайка. — Ну, подождите-ка, я покажу вам!

С этими словами он включил прибор невесомости. Полицейские, которые не ожидали никакого подвоха, в ту же секунду почувствовали, что почва ушла из-под их ног. Не в силах понять, что происходит, они беспомощно кувыркались в воздухе, безалаберно размахивая руками, брыкаясь ногами и вихляясь всем телом. Никакого толку от этих движений, конечно, не было. Сталкиваясь друг с другом, они разлетались в стороны, взвивались кверху, падали вниз, но, оттолкнувшись от земли, тут же подскакивали, словно резиновые мячи, кверху.

Автомобиль, на котором приехал телеоператор, тоже поднялся вверх. Телеоператор вылетел из него и кувыркался в воздухе, уцепившись руками за свою телекамеру.

Как раз в этот момент на помощь первому отряду прибыл второй отряд полицейских. Они мчались на четырёх грузовых автомашинах, на каждой машине по двадцать пять полицейских. Как только грузовики попали в зону невесомости, они отделились от земли и поплыли по воздуху, перевёртываясь кверху колёсами. Полицейские, крича от страха, цеплялись за борта машин. Одни боялись, как бы не вывалиться из летящей вверх тормашками машины, другие, наоборот, сами спешили выскочить и беспомощно барахтались в воздухе. Никто не понимал, что творится. Всех обуял ужас.

— Теперь эти противные лунатики достаточно напуганы, и, я думаю, можно выключить невесомость, — сказала Селёдочка.

— Думаю, что это небезопасно, — ответил Знайка. — Если выключить невесомость, то лунатики опустятся вниз, а на них сверху упадут автомашины и могут кого-нибудь пришибить. Лучше подождём. Постепенно все они вылетят из зоны невесомости и так или иначе опустятся вниз.

Всё получилось, как сказал Знайка. Поднявшийся ветер постепенно гнал кувыркавшихся в воздухе полицейских в сторону, и скоро все они вместе со своими автомашинами скрылись за лесом.

Глава тридцать первая

КОЛОСОК ПОЛУЧАЕТ СЕМЕНА ГИГАНТСКИХ РАСТЕНИЙ

Нападение полицейских было отбито, и космонавты наконец получили возможность вздохнуть спокойно. Скоро наступил вечер, а за ним ночь. Знайка и его друзья легли спать, не покидая ракеты. Для безопасности коротышки решили не выключать на ночь прибор невесомости. Это не помешало им хорошо выспаться, так как все были защищены от действия невесомости антилунитом.

Утром, как только все встали и позавтракали, было созвано экстренное совещание.

Знайка сказал:

— Дорогие друзья! От нас сейчас требуется величайшая осторожность. Здешнее население почему-то встретило нас враждебно. Я полагаю, что это результат идиотской деятельности Незнайки и Пончика (особенно, конечно, Незнайки), которые попали сюда раньше нас и, безусловно, успели зарекомендовать себя с самой плохой стороны. Думаю, что нам следует остаться пока здесь и не предпринимать дальнейших полётов, так как это может лишь разозлить лунатиков. Сейчас мы с вами приступим к строительству первого Космического городка на Луне. Мы построим для себя жилища, сделаем ангар для ракеты, посадим земные растения, чтоб обеспечить наш отряд запасами продовольствия на будущее, так как неизвестно, сколько нам понадобится здесь пробыть. Когда здешние жители увидят, что мы не делаем никому зла, они начнут относиться к нам более дружелюбно, и мы сможем узнать у них всё о Незнайке с Пончиком и об их местонахождении.

Предложение Знайки было одобрено, и коротышки под руководством архитектора Кубика приступили к строительству. Винтик и Шпунтик

366

тотчас же принялись собирать универсальный комбинированный колёсно-гусеничный мотоцикл-вездеход, который хранился в разобранном виде в специальном отсеке ракеты. Этот вездеход годился не только для езды, но и для многих других надобностей. В нём имелись бак для кипячения воды, бур для сверления скважин, стиральная машина, плуг для вспашки земли, центробежный насос с разбрызгивателем для поливки растений, аппарат для очистки и кондиционирования воздуха, динамо-машина для выработки электроэнергии, коротковолновая радиостанция, канавокопатель и пылесос. Помимо всего прочего, переднее колесо вездехода снималось и заменялось циркулярной пилой, при помощи которой можно было валить деревья, очищать их от веток, распиливать на брёвна и делать доски.

Как только Винтик и Шпунтик очутились в лесу со своим вездеходом, на строительную площадку непрерывным потоком начали поступать брёвна, брусья, доски, планки, рейки, штакетник и другие пиломатериалы. Нечего, конечно, и говорить, что вся работа на строительстве велась в условиях невесомости, что очень облегчало труд коротышек и ускоряло работу.

Увидев, что Винтик и Шпунтик завалили пиломатериалами чуть ли не всю стройплощадку, Знайка велел им прекратить пока это дело и заняться починкой испорченных лунатиками приборов. Сам Знайка вместе с Фуксией и Селёдочкой были заняты исследованием свойств лунита и антилунита. Заменяя в приборе невесомости кристаллы лунита, они обнаружили, что величина зоны невесомости находится в прямой зависимости от величины кристалла: чем больше был кристалл, тем больше была и зона. Поместив кристалл лунита между полюсами подковообразного магнита, Фуксия обнаружила, что зона невесомости перестала распространяться во все стороны, а распространяется лишь в одном направлении, на манер светового луча.

Это было значительное научное открытие, и Знайка сказал, что в дальнейшем можно будет делать приборы направленной невесомости и передавать невесомость на расстояние.

Проделав ряд опытов с кристаллами антилунита, наши исследователи обнаружили, что в этом случае размеры кристаллов не оказывали заметного влияния на способность антилунита устранять невесомость. Независимо от того, брался ли крупный кристалл или совсем маленький, он с одинаковым успехом помогал коротышке сохранить тяжесть. Селёдочка объяснила это тем, что энергия, выделяемая антилунитом, обладает большой мощностью, но её действие ограничивается небольшим пространством, или, выражаясь научно, проявляется лишь на коротких дистанциях.

Увлёкшись своими экспериментами, Знайка, Фуксия и Селёдочка не заметили появившегося из-за холма лунатика, который быстро приближался к ним, размахивая какой-то бумажонкой в руке. Сбежав с холма и попав в зону невесомости, лунатик неожиданно для себя взвился кверху и дико закричал от испуга.

Знайка, Фуксия и Селёдочка оглянулись на крик и увидели нелепо трепыхавшегося в воздухе коротышку.

— Старайтесь не делать лишних движений! — закричал ему Знайка. — Мы сейчас вам поможем!

Лунатик между тем летел по инерции в сторону стоявшей посреди поляны ракеты. Коротышки, занятые постройкой дома, увидели его.

— Я сейчас выключу невесомость, а вы поддержите его, чтоб он не ушибся о землю! — закричал Знайка издали.

С этими словами Знайка выключил прибор невесомости. Лунатик тотчас полетел вниз, прямо на руки подоспевших к нему Тюбика и Пилюлькина. Увидев, что лунатик чуть дышит, Пилюлькин бережно посадил его на землю, прислонив спиной к столбику, на котором был укреплён барометр, и сунул под нос флакон с нашатырным спиртом. Нюхнув нашатырного спирта, коротышка поморщился. Лицо его несколько оживилось. Он уже хотел что-то сказать, но почувствовал, что язык не повинуется ему, и молча протянул Пилюлькину акцию Общества гигантских растений, которую держал в руке. Коротышки мигом столпились вокруг и принялись разглядывать акцию с изображёнными на ней огромными огурцами, арбузами и колосьями гигантской земной пшеницы. Пилюлькин перевернул акцию другой стороной, и все увидели изображение космического корабля и Незнайки в скафандре.

— Братцы, да ведь это наш Незнайка! — закричал Тюбик.

— Постойте, здесь что-то написано, — сказал Пилюлькин и начал читать то, что было напечатано с обратной стороны акции.

Тем временем лунатик окончательно пришёл в себя. Он сообщил космонавтам, что его зовут Колосок и живёт он в деревне Нееловке неподалёку отсюда, потом попросил, чтоб ему дали попить водички, и сказал:

— Когда-то я прочитал в газете, что к нам с далёкой, чужой планеты прилетел космический корабль, гружённый семенами гигантских растений. В статье говорилось, что каждому, кто купит акцию, дадут этих семян. Село наше бедное, но всё же мы наскребли нужную сумму и купили акцию. Многие бедняки покупали тогда акции в складчину. Богачам, однако же, не понравилось, что бедняки скоро смогут выращивать гигантские растения и, покончив со своей бедностью, перестанут работать на богачей. В газетах стали писать, будто никаких гигантских растений на свете нет и космического корабля никакого нет, будто всё это придумали жулики, чтоб обобрать доверчивых бедняков. Все бросились продавать свои акции. Но некоторые бедняки верят и до сих пор, что гигантские семена есть, и не теряют надежды их получить.

Никто из коротышек не понял, что это за акции такие и как их можно покупать или же продавать. Но Знайка, который знал очень многое, сразу всё понял. Поэтому он сказал:

— Бедняки правильно делают, что не теряют надежды. Мы на самом деле привезли семена.

Колосок засиял от радости.

— Когда я увидел в воздухе ракету, — сказал он, — я сразу подумал, что это космический корабль летит к нам с семенами.

Знайка велел коротышкам приготовить для Колоска разных семян, а сам стал расспрашивать, не слыхал ли он чего-нибудь о Незнайке с Пончиком.

— Как же, как же! — воскликнул Колосок. — О Незнайке я много слыхал. Сначала говорили, что он отважный герой, прилетевший из космоса. Его даже по телевидению показывали. И в кино. Говорили, что он привёз нам семена гигантских растений. Говорили, что он очень хороший и ему хочется, чтобы все мы хорошо жили. Потом стали говорить, что он вовсе

и не герой, и не хороший, и ниоткуда не прилетел, что он просто мошенник, который придумал всю эту историю с семенами, чтоб облапошить бедняков и прибрать к рукам их денежки. В газетах стали писать, что его надо поймать, хорошенечко выдрать и засадить в кутузку.

— Ну и что же, поймали его? — спросил Знайка.

— Где там! — махнул Колосок рукой. — Он куда-то сбежал. Последнее время о нём ничего и не слышно. Может быть, богатеи всё же упрятали его за решётку. Им ведь невыгодно, чтоб он гулял на свободе и всем рассказывал про гигантские семена. Недавно в газете писали, что об этих гигантских семенах не только говорить, но даже думать преступно, потому что у нас будто и без всяких семян хорошо живётся. А кто думает о семенах, тот, следовательно, недоволен, и за это его надо в кутузку.

— А где у вас эта кутузка? — спросил Знайка.

— Да разве у нас одна кутузка! Их много. В каждом городе есть.

В это время коротышки принесли большой вещевой мешок, наполненный разными семенами. Знайка объяснил Колоску, как сажать земные семена и как ухаживать за всходами. Наконец Колосок приладил вещевой мешок за спину и собрался в обратный путь.

— Скажите коротышкам из других деревень, пусть тоже приходят за семенами к нам, — сказал на прощание Знайка.

Колосок ушёл, напевая от радости.

Пилюлькин сказал:

— Теперь лунатики будут приходить к нам за семенами, а мы будем расспрашивать их о Незнайке и Пончике. Может быть, в конце концов удастся узнать, где их искать.

— Может случиться, что Незнайка и Пончик сами придут, — сказал Знайка. — Как только им станет известно, что прилетела ракета (а весть об этом быстро распространится), они поймут, что это мы прилетели на выручку.

— Они смогут прийти только в том случае, если находятся на свободе, — сказала Селёдочка. — А что, если эти противные богачи на самом деле куда-нибудь засадили их?

— В таком случае придётся им потерпеть, пока мы будем заняты поисками, — ответил Знайка.

Неожиданно в стороне послышались выстрелы. Коротышки обернулись и увидели Колоска, который бегом возвращался назад. В тот же миг из-за холма выскочили пятеро полицейских. Быстро спустившись вниз, они остановились, как по команде, и приложились к ружьям, готовясь выстрелить. Знайка увидел это и, ни секунды не медля, включил прибор невесомости. Раздался залп. Не подозревая, что могут оказаться

в состоянии невесомости, полицейские выстрелили, и возникшая реактивная сила понесла их назад. В результате они помчались по воздуху с такой страшной скоростью, что в одну секунду превратились в едва заметные точки и скрылись за горизонтом.

— Вперёд будете знать, как стрелять в коротышек! — сердито проворчал Знайка.

Увидев, что Колосок снова беспомощно затрепыхался в воздухе, Знайка поспешил выключить невесомость. Колосок тотчас же опустился вниз и, оправившись от испуга, принялся на чём свет стоит ругать полицейских, называя их головорезами, пиратами, бандитами, угорелыми паразитами и скотами.

— Не успел я дойти по дороге до леса, как полицейские выскочили из-за кустов, — рассказывал он. — Хорошо, что я вовремя заприметил их и бросился удирать, а то быть бы мне в каталажке!

— А кто такие эти полицейские? — спросила Селёдочка.

— Бандиты! — с раздражением сказал Колосок. — Честное слово, бандиты! По-настоящему обязанность полицейских — защищать население от грабителей, в действительности же они защищают лишь богачей. А богачи-то и есть самые настоящие грабители. Только грабят они нас, прикрываясь законами, которые сами придумывают. А какая, скажите, разница, по закону меня ограбят или не по закону? Да мне всё равно!

— Тут у вас как-то чудно! — сказал Винтик. — Зачем же вы слушаетесь полицейских и ещё этих... как вы их называете... богачей?

— Попробуй тут не послушайся, когда в их руках всё: и земля, и фабрики, и деньги, и вдобавок оружие! — Колосок пригорюнился. — Теперь вот явлюсь домой, — сказал он, — а полицейские схватят меня и посадят в кутузку. И семена отберут. Это ясно! Богачи не допустят, чтоб кто-нибудь сажал гигантские растения. Не суждено, видно, нам избавиться от нищеты!

— Ничего, — сказал Знайка. — Мы дадим вам прибор невесомости. Пусть попробуют тогда сунуться со своим оружием! Видали, как полетели эти пятеро полицейских?

Винтик и Шпунтик тут же соорудили для Колоска прибор невесомости и стали показывать, как обращаться с ним.

— Это что же? — с недоумением сказал Колосок. — Я, значит, должен буду всё время болтаться в состоянии невесомости?

— Нет, — засмеялся Знайка. — Мы дадим вам кристаллы антилунита, и вы сможете работать, как обычно. Антилунит защитит вас от невесомости.

Знайка дал Колоску горсть кристалликов антилунита.

— Каждый, кому вы дадите такой кристаллик, будет сохранять вес, если даже попадёт в зону невесомости, — сказал Знайка. — Будьте, однако же, осторожны. Следите, чтоб ни один из кристалликов не попал в руки грабителей, то есть этих самых ваших богачей или полицейских. Пока тайна невесомости не раскрыта, богачи ничем не смогут повредить нам.

Испытав на себе действие антилунита. Колосок заметно повеселел.

— Значит, мы ещё потягаемся с богачами! — воскликнул он. — Хотя им этого и не хочется, а гигантские растения всё-таки будут у нас. Теперь бы мне только домой добраться!

— Садитесь на вездеход, — предложил Винтик. — Мы со Шпунтиком вас живо докатим.

Колосок объяснил, куда нужно ехать. Все трое сели на вездеход. Впереди у рулевого колеса сидел Винтик, за ним — Шпунтик с прибором невесомости в руках, за Шпунтиком — Колосок. В руках у него был мешок с семенами, который он крепко прижимал к груди.

Увидев, что все сели, Винтик включил зажигание и нажал ногой на педаль стартера. Двигатель загудел. Вездеход рванулся с места. В одну минуту он пересек поляну, перемахнул через холм и, выехав на дорогу, помчался к черневшему вдали лесу. Путешественники были уже недалеко от опушки, как вдруг впереди снова загрохотали выстрелы.

— Полиция! — закричал Колосок.

От испуга он свалился с сиденья и растянулся посреди дороги со своим мешком. Заметив это, Винтик круто повернул машину и поехал назад. Выстрелы продолжали грохотать. Пули так и свистали вокруг.

— Включай скорей невесомость, ворона! — закричал Винтик.

Шпунтик спохватился и нажал кнопку прибора невесомости. Выстрелы мгновенно утихли.

Остановив вездеход, Винтик соскочил с него и подбежал к распластавшемуся в дорожной пыли Колоску.

— Ты ранен?

— Ка-а-ажется, нет, — заикаясь от испуга, пробормотал Колосок.

За Винтиком подбежал Шпунтик. Они вместе помогли Колоску подняться на ноги и посадили обратно на вездеход.

Убедившись, что Винтик хочет ехать дальше, Колосок сказал:

— Ку-ку-куда же ты? Там в лесу полицейские!

— Успокойся! Полицейским сейчас не до нас. Не слышишь разве?

Колосок прислушался. Из лесу доносились какие-то вопли.

— Сейчас посмотрим, что там делается, — сказал Винтик и включил двигатель.

Подъехав к опушке, путешественники увидели среди деревьев нескольких полицейских. Они беспомощно барахтались в воздухе, отчаянно крича и цепляясь руками за ветки.

— Надо согнать их с деревьев, чтобы ветер унёс их отсюда подальше, — придумал Винтик.

— Правильно! — подхватил Шпунтик. — Нечего им торчать здесь!

Подскочив к дереву с маячившим вверху полицейским, Шпунтик ухватился за ствол и принялся его трясти.

— Помогите! — завыл полицейский, трепыхаясь всем телом.

— Вот я тебе помогу! — проворчал Шпунтик и с такой силой тряхнул дерево, что полицейский отлетел в сторону и, поднявшись вверх, понёсся над лесом, словно мыльный пузырь, подхваченный ветром.

Такая же участь постигла ещё нескольких полицейских. Дольше всех удалось продержаться самому толстому полицейскому, которого звали Жриглем. Видя, что его никак не стряхнуть, Винтик схватил винтовку, которая плавала тут же в состоянии невесомости, и, взобравшись на дерево, стал тыкать ружейным стволом в толстый живот Жригля.

— Э! Э! Э! — в ужасе закричал полицейский. — Что вы делаете? Осторожнее! Это же ружьё!

— Ну что ж, что ружьё? — спросил Винтик.

— Как — что? Оно же выстрелить может!

— Велика важность! — с усмешкой ответил Винтик. — Сами-то вы любите в других стрелять.

Убедившись, что ему не уйти от расплаты, толстяк полицейский каким-то образом изловчился и пнул Винтика ногой прямо в лоб.

— Ах, ты так! — закричал, разозлившись, Винтик и ткнул Жригля ружейным стволом с такой силой, что ветка, за которую тот держался, сломалась.

Взмыв моментально кверху, толстенький Жригль поплыл над деревьями вслед за остальными полицейскими. Он медленно кувыркался в воздухе, завывая от страха на все лады и продолжая держать отломанную ветку в руках.

— Вот я тебе покажу ещё, как ногами лягаться! — кричал вслед ему Винтик.

Остаток пути наши друзья проехали без приключений. Не прошло и десяти минут, как они выбрались из леса и подъехали к деревушке Неёловке, состоявшей из нескольких полуразвалившихся хижин. Услышав шум двигателя, жители деревушки выскочили из домов, но, увидев, что к ним приближается какая-то непонятная машина, в страхе попятились.

— Не бойтесь, братцы! — закричал Колосок. — Это я! Глядите, я семена привёз!

Узнав Колоска, коротышки обрадовались и окружили со всех сторон вездеход.

— Где семена? Какие семена? — наперебой кричали они.

— Да вот семена! Глядите! Гигантские!

Что тут началось, даже и сказать нельзя. Все закричали от радости, принялись прыгать, плясать. А один коротышка сел почему-то на землю, обхватил голову руками и залился слезами.

— Что же вы плачете, дорогой? — спросил его Винтик. — Разве что-нибудь плохое случилось?

— Эх, миленький, я плачу от счастья. Я ведь думал, что мы уже и не доживём до такой радости!

Когда ликование немножечко улеглось, к Колоску подошёл коротышка, которого звали Кустиком, и потихоньку сказал:

— А у нас тут утром полицейские были!

Коротышки вспомнили про полицейских и приуныли.

— Да, да! — заговорили вдруг все. — Много полицейских нагрянуло. Целый отряд. Всё спрашивали, не видал ли кто-нибудь из нас, как летела ракета. А когда мы признались, что видели, и сказали, что ты отправился искать ракету, чтоб получить семена, они страшно рассердились. Сказали, чтоб все мы сидели дома и не высовывали носа на улицу.

— По-моему, они не позволят нам сажать гигантские семена, — сказал Кустик.

— А мы и спрашивать их не станем, — заявил Колосок. — Теперь полицейские ничего не смогут нам сделать. У нас невесомость есть.

— Какая невесомость? — заинтересовались все.

— Это такая сила, — сказал Колосок, показывая прибор невесомости. — Вот как нажму кнопку, так сила сейчас же выскочит из коробки и поднимет всех полицейских в воздух. Вот стойте-ка смирно. Сейчас всё поймёте.

Сказав это, Колосок нажал кнопку прибора, и коротышки в тот же момент почувствовали, как почва ушла из-под их ног. Очутившись в воздухе, они принялись отчаянно махать руками, дрыгать ногами, пытаясь дотянуться до земли, но из этого ничего не выходило. Убедившись, что земля больше не держит их, все стали кричать от страха и требовать, чтоб Колосок прекратил свои фокусы.

— Друзья, уверяю вас, что это вовсе не фокусы! — сказал Шпунтик.

— Да, да, — авторитетно подтвердил Винтик. — Это вполне достоверный научный факт, и никаких фокусов тут нет.

А Колосок закричал:

— А теперь вообразите, будто вы полицейские и хотите поймать меня. Ну-ка, ловите!.. Чего же вы не ловите?.. Ха-ха-ха!

Увидев, однако, что коротышкам совсем не до смеха, так как многие уже перевернулись вниз головой и буквально вопили от ужаса, он поспешил выключить прибор невесомости.

Коротышки моментально свалились вниз и, придя понемногу в себя, остались сидеть на траве. Все ошалело поглядывали вокруг, не в силах понять, что произошло. Наконец Кустик поднялся на ноги и, покрутив головой, сказал:

— Да, братцы, видать, невесомость — страшная сила. Нашим полицейским эта сила придётся не по нутру!

Глава тридцать вторая

НЕВЕСОМОСТЬ ИДЁТ В НАСТУПЛЕНИЕ

С тех пор как космическая ракета появилась над Фантомасом, телевизионные станции лунных городов только и делали, что передавали сообщения об этом важном событии. Не прошло и получаса, как на всех телеэкранах уже демонстрировался полностью смонтированный, оснащённый надписями и озвученный дикторским текстом телевизионный фильм, в котором операторы телестудии сумели запечатлеть не только полёт космического корабля, но и толпы фантомасских жителей, высыпавших на городские улицы, а также неожиданно появившихся полицейских, которые колотили ни в чём не повинных лунатиков электрическими дубинками, обливали ледяной водой из пожарных брандспойтов и бросали в них бомбы со слезоточивыми газами.

К вечеру был готов ещё один телевизионный фильм, в котором было заснято нападение полицейского отряда на космонавтов, высадившихся в лесистой местности неподалёку от города Фантомаса. Телезрители видели, как полицейские открыли по космонавтам стрельбу, а после того как космонавты укрылись в ракете, принялись уничтожать научные приборы, установленные вокруг. То, что случилось за этим, привело зрителей в трепет и изумление. Неожиданно все увидели, как под влиянием какой-то неведомой силы полицейские поднялись кверху и, потеряв связь с землёй, принялись беспомощно кувыркаться в воздухе. Казалось, сама почва под ними заколебалась и ушла из-под ног. Словно подхваченные вихрем, на экране, сменяя друг друга, замелькали полицейские в самых нелепых позах. Зрители были потрясены окончательно, увидев, как закувыркались в воздухе грузовые автомашины, наполненные до отказа вновь прибывшими полицейскими.

На другой день по телевидению передавалась научная конференция, на которую были приглашены полицейские, участвовавшие в нападении на космонавтов. К сожалению, никто из полицейских не мог сколько-нибудь толково объяснить, что с ними произошло. Один из них рассказал, что, как только был отдан приказ ломать приборы, установленные вокруг космического корабля, он тут же расколотил прикладом ружья какую-то научную машинку и уже размахнулся, чтобы как следует стукнуть другую, но в тот же момент взвился кверху, словно сигнальная ракета, и, несмотря ни на какие старания, уже не мог опуститься вниз.

Другой полицейский рассказал, что внезапно ощутил как бы толчок в грудь, да такой сильный, что полетел вверх тормашками, однако не упал на землю, а принялся носиться по воздуху, словно воздушный шар. Третий сказал, что в первый момент у него неожиданно захватило дыхание и было такое ощущение, будто в рот ему сунули кляп, а когда он очнулся, то увидел, что парит в воздухе вместе с остальными полицейскими. Четвёртый сказал, что у него не было ощущения кляпа во рту, но вместо этого он почувствовал, будто волосы у него на голове зашевелились и встали дыбом. Боясь, как бы каска не слетела с его головы, он протянул руки кверху, но тут же опрокинулся навзничь и, вместо того чтоб упасть на землю, заскользил на спине по воздуху, словно по льду. Пятый признался, что абсолютно не помнит, что с ним происходило, помнит лишь, что летал по воздуху и при этом его тошнило с такой страшной силой, что он чуть не потерял сознание.

Вслед за ним выступили ещё несколько полицейских, которые признались, что их тоже тошнило от страха, а один вспомнил, что ощущал во всём теле необычайную лёгкость. Руки у него и ноги как бы отнялись и ничего не весили, то есть он вовсе не замечал, что они у него есть. Остальные полицейские тотчас же подтвердили, что и у них были такие же ощущения.

В разгар этой беседы в ателье телестудии вошли ещё четверо полицейских. Весь их вид говорил о том, что они побывали в серьёзной переделке. Мундиры их были изорваны в клочья и покрыты грязью. У одного правая рука была забинтована до локтя и лежала на перевязи, перекинутой через плечо. У другого была перевязана левая ступня. Сапог с этой ноги ему пришлось скинуть и надеть вместо него галошу. У всех четырёх были забинтованы головы, так что каски едва держались на макушках. Помимо всего этого, у каждого были четырёхугольные наклейки из пластыря: у кого на лбу, у кого на носу, у кого на щеках или на глазу.

Пошатываясь и хромая и поддерживая друг друга под руки, вся эта четвёрка полицейских пробралась к свободной скамье, стоявшей в углу, и уселась на ней.

Диктор телестудии, ведущий передачу, увидел вновь прибывших полицейских и попросил рассказать, что с ними случилось. Полицейский Мшигль, являвшийся старшим по чину (как раз тот, у которого была повреждена нога), рассказал, что вместе с другими полицейскими он был назначен в охранительный полицейский отряд, который получил задание следить, чтоб местные жители не общались с приземлившимися космонавтами и не вступали с ними в переговоры. Как раз в это время поступило донесение, что один из деревенских жителей, по имени Колосок, уже отправился к пришельцам из космоса, надеясь получить у них семена гигантских растений. В связи с этим Мшиглю было приказано взять под свою команду четверых полицейских, а именно — Кхигля, Чхигля, Гнигля и Вшигля, и устроить с ними засаду на дороге, по которой Колосок должен был возвращаться в свою деревню.

— Расчёт оказался верным, — продолжал рассказ полицейский Мшигль. — Вскоре на дороге показался возвращавшийся Колосок с мешком, в котором, без сомнения, были гигантские семена. Подпустив его поближе, мы выскочили из засады, но мерзкий преступник пустился бежать от нас. Мы преследовали его, пока не увидели вдали ракету. Поскольку приближаться к ракете было небезопасно, я отдал приказ остановиться и стрелять по Колоску залпами. Но как только мы дали первый залп, какая-то необъяснимая сила отбросила нас назад и понесла по воздуху с такой страшной скоростью, что каски на наших головах раскалились от трения и стали дымиться. В несколько секунд мы домчались до Фантомаса, в одно мгновение пронеслись над городом и, попав в какую-то пустынную местность, угодили в болото. Результат: все пятеро получили ожоги от нагревшихся касок; у Кхигля, как вы сами можете убедиться, повреждена рука; у Чхигля поврежден спинной хребет; у Гнигля отбиты внутренности; у меня, как видите, повреждена нога; что же касается Вшигля, то он обгорел так сильно, что его пришлось оставить в больнице.

На этом полицейский Мшигль свой рассказ закончил. Выступивший в конце конференции доктор физических наук профессор Бета сказал в своём заключительном слове:

— Дорогие друзья! Всё нами услышанное свидетельствует о том, что пришельцы с нашей соседней планеты, по всей видимости, владеют тайной невесомости. Как вы сами могли убедиться, это страшная сила. Полицейские, попадающие в состояние невесомости, становятся совершенно беспомощными. Они абсолютно не владеют своими членами, и им остаётся только носиться без толку по воле ветра. Применяя огнестрельное оружие, они могут нанести вред лишь самим себе. Наконец-то дорогие друзья, мы с вами получили возможность вздохнуть свободно. Отныне полицейские уже не смогут угрожать нам: они не смогут ни вешать нас, ни стрелять, ни сажать нас в тюрьму…

В это время послышалось резкое:

— Фить! Фить!

Этот звук издал присутствовавший на конференции старший полицейский инспектор Злигль. Вскочив со своего места, он властно кивнул пальцем двум дежурившим у дверей полицейским. Поняв, что от них требовалось, полицейские без лишних слов метнулись к профессору, скрутили ему за спиной руки и поволокли прочь. Когда всё было кончено, инспектор Злигль подошёл к микрофону и сказал, обращаясь к зрителям:

— Уважаемые телезрители! Дамы и господа! Прошу без паники! Ничего страшного не произошло. Доктор физических наук профессор Бета арестован за распространение вредных мыслей и неуважение к полиции. Теперь он попадёт в каталажку и получит возможность вздыхать там

свободно, сколько ему потребуется. Пусть это послужит для всех вас хорошим уроком. А теперь молчать, и никаких разговоров! Благодарю за внимание.

Это было последнее выступление на научной конференции. По телевидению снова стали показывать телевизионный фильм о нападении полицейских на космонавтов. По окончании фильма начался очередной телерепортаж. На экране появился известный телевизионный репортёр Болтик с микрофоном в руках.

— Уважаемые зрители! — заговорил репортёр Болтик. — Дамы и господа! Наша телекамера установлена неподалёку от деревни Нееловки, жителям которой удалось познакомиться с космонавтами и получить у них семена гигантских растений. Эти самовольные действия деревенских мужланов вызвали осуждение со стороны суперинтенданта полиции Жгигля, по мнению которого никакие гигантские растения нам не нужны, так как богачам... то есть... Тьфу!.. Прошу прощения, господа телезрители! Так как не только богачам, но и всем беднякам у нас хорошо живётся без каких бы то ни было растений...

Телерепортёр Болтик прикрыл рот рукой, потихоньку покашлял, после чего огляделся по сторонам и продолжал:

— Прошу внимания, господа! Сейчас вы увидите деревенских жителей... Вот они. Вы видите их вдали. Мы показываем вам их при помощи телеобъектива. Они роют лопатами землю и бросают в неё семена. Надо полагать, что это и есть семена гигантских растений... А теперь вы видите большой отряд полиции под командой полицейского обер-атамана Мстигля. Вот он! Вы видите его на своих экранах! Полицейский обер-атаман Мстигль отдаёт своим помощникам приказ разбить весь полицейский отряд на группы и приготовиться к штурму. Вы видите, как отдельные группы полицейских, ловко скрываясь за деревьями и кустами, занимают исходные позиции вокруг деревни. Скоро нам с вами удастся увидеть, как эти вредоносные семена, занесённые к нам с другой планеты, будут уничтожены, а виновные в неповиновении жители будут отправлены в полицейское управление... Сейчас будет дан сигнал ракетой, и полицейские ринутся в бой... Посмотрите, как копошатся в земле деревенские жители. Они даже не замечают нависшей над их головой угрозы... А вот и сигнальная ракета. Она взвивается высоко в небо и ярко вспыхивает. По данному сигналу полицейские со всех сторон бросаются к деревне, держа наперевес ружья. Обратите внимание: деревенские жители только сейчас обнаружили бегущих к ним полицейских. Они встревоженно смотрят. Они засуетились, забегали!.. Но что это?.. Что делается с полицейскими?..

Они почему-то поднялись вверх и кувыркаются в воздухе! Прошу прощения, господа телезрители!

Я не пойму, что со мной происходит! Насколько я могу судить, я уже не на земле, а тоже поднялся в воздух. Какая-то непонятная сила удерживает меня вверху. Надо полагать, что мы подверглись действию невесомости, о которой говорил в одной из предыдущих передач по телевидению профессор Бета. Ещё раз прошу прощения, господа! Овладевшая мною сила переворачивает меня вверх ногами! Я чувствую приступы тошноты! Находящийся неподалёку от меня телеоператор Глазик описывает в воздухе круги вместе со своей телекамерой, благодаря чему вы, надо полагать, видите на экранах лишь неорганизованное мельтешение.

Телезрители на самом деле видели в это время на своих экранах какое-то беспорядочное мелькание. Перед их взором то неожиданно возникала земля вместе с деревьями и домами, то мелькало покрытое облаками небо, иногда на какой-то короткий миг появлялась распластанная в воздухе фигура полицейского с искажённой от ужаса физиономией.

— Господа телезрители! — продолжал между тем репортёр Болтик. — Пока наш уважаемый телеоператор Глазик налаживает зрительную связь, разрешите мне обрисовать на словах всё, что здесь происходит. Передо мной множество парящих в воздухе полицейских. В то время как одни занимают горизонтальное или наклонное положение, другие повисли в воздухе вниз головой. У всех выпучены глаза от страха. Многие полицейские совершают руками и ногами резкие, дёргающиеся движения и извиваются всем телом — ни дать ни взять червяки, которых насаживают на рыболовный крючок. Некоторые, наоборот, неподвижно застыли с раскоряченными ногами и растопыренными руками. В таком виде они напоминают одетых в полицейскую форму лягушек. Часть полицейских ветер отнёс в сторону, но большинство находится над деревней... Странное дело! Я вижу,

что невесомость вовсе не действует на деревенских жителей! Все они по-прежнему находятся на земле и со смехом глядят на копошащихся в воздухе полицейских. Что это могло бы означать?.. Это может означать лишь одно, а именно: что прилетевшие космонавты поделились с деревенскими жителями не только космическими семенами, но и сообщили им секрет невесомости и способы управления

ею. Для полицейских этот факт может иметь самые нежелательные последствия, так как теперь они уже не смогут никому воспрепятствовать выращивать гигантские растения.

Тут репортёр Болтик снова покашлял, немножечко помолчал и опять продолжал:

— Внимание, господа телезрители! Вы слышите чей-то крик. Это шумит полицейский обер-атаман

Мстигль. Он требует от полицейских беспрекословного повиновения и обзывает их безмозглыми ротозеями за то, что они побросали свои ружья, которые теперь без всякой пользы плавают в воздухе. Обер-атаман Мстигль отдаёт приказ полицейским ловить ружья к стрелять в деревенских жителей. Я вижу, как господин Мстигль пытается собственноручно поймать проплывающую мимо винтовку. Вот он уже схватил её и готовится выпалить... Бах! Вы слышали выстрел? Что случилось?.. Вы слышали как бы шум пропеллера. Что-то с громким жужжанием пронеслось мимо меня. Это пролетел сам обер-атаман господин Мстигль, вертясь в воздухе словно четырёхлопастный вентилятор. Скорость полёта господина Мстигля была так велика, что через две-три секунды он уже скрылся за горизонтом. Как видно, реактивная сила в условиях невесомости — дело не шуточное. Огнестрельное оружие действительно применять нельзя!.. Внимание, господа. Ветер гонит полицейский отряд всё дальше, словно какую-то мрачную тучу... Сопровождающий меня оператор Глазик никак не может наладить зрительную связь. Автомобиль, на котором находится наша передвижная телестанция, тоже поднялся в воздух. К несчастью, автомобиль зацепился за дерево, и мы не можем лететь вслед за полицейскими, так как мой микрофон, а также и телекамера связаны с телестанцией электропроводом. Если электропровод порвётся, то наш телерепортаж сам собой прекратится. Порывы ветра между тем становятся всё сильней. Я едва удерживаю микрофон в руках. Боюсь, что провод не выдержит...

Не успел Болтик произнести эти слова, как послышался треск. Экраны телевизоров мгновенно погасли. Через несколько секунд на них замелькали какие-то полосы, и появившаяся перед телезрителями дикторша сказала с приятной улыбкой:

— А теперь, дорогие друзья, приглашаем вас потанцевать... Уберите мебель. Стулья поставьте у стен или совсем вынесите из комнаты, стол можно отодвинуть в угол...

Послышалась музыка. На экране появились танцующие пары. Зрителей на этот раз вовсе не интересовали танцы. Однако телевизоров никто не выключал. Каждый надеялся, что вот-вот начнётся передача про космонавтов.

И лунатики, конечно, не обманулись в своих ожиданиях. В те дни как по радио, так и по телевидению то и дело передавались какие-нибудь новости о космонавтах, о гигантских растениях, о невесомости. Особенно поразил всех рассказ о полицейском Хнигле, который, попав в состояние невесомости, выстрелил из дальнобойной крупнокалиберной винтовки, в результате чего реактивная сила понесла его с такой скоростью, что он за каких-нибудь полчаса совершил кругосветное путешествие, то есть облетел вокруг внутреннего ядра Луны и упал примерно в том же месте, откуда вылетел.

Этот головокружительный полёт произвёл столь сильное впечатление на самого Хнигля, что бедняга долго не мог прийти в себя, а когда его доставили в телестудию и попросили рассказать телезрителям о своём кругосветном путешествии, он не мог произнести ничего связного, а только твердил:

— Я-то, это, как его… это вот: бах! А потом пши-и! Пши-и!

И крутил перед собой руками, причём с лица его не сходило идиотское выражение.

Лицо его, впрочем, приобрело несколько осмысленное выражение, когда диктор объявил, что недалеко от города найдена дальнобойная винтовка Хнигля. Телезрители без труда разглядели, что сидевший за столом Хнигль с интересом прислушивался к словам диктора, а когда в павильон принесли винтовку, он выскочил из-за стола, потянулся всем телом к своему ружью, глаза его засветились радостью. Но как только винтовка

очутилась у него в руках, произошла страшная перемена. Руки у него задрожали, весь он затрясся с такой силой, будто сквозь него пропускали электрический ток, лицо исказилось, словно от боли, и побелело. Губы его беззвучно зашевелились, винтовка вывалилась из рук, и, потрясая перед лицом кулаками, словно угрожая кому-то, он закричал страшным голосом:

— Никогда! Слышите? Никогда!

Пнув ногой винтовку так, что она отлетела в угол, и опрокинув несколько стульев, он выбежал из телевизионного павильона. Больше его не видели.

Эта сцена произвела неизгладимое впечатление на телезрителей, а в особенности на полицейских, которые смотрели в тот день передачу. Многие из них впервые поняли, что теперь наконец настала пора, когда нельзя уже безнаказанно хвататься за оружие и палить из него в кого попало. Всем стало ясно, что по-прежнему жить скоро будет нельзя.

Нечего и говорить, что полицейские боялись теперь и близко подходить к ракете, а не то что стрелять возле неё. Деревенские жители могли беспрепятственно приходить к космонавтам и получать у них семена гигантских растений. Теперь гигантские семена сажали не только в деревне Нееловке, но и в селе Голопяткине, Бесхлебове, Голодаевке, Непролазном и во многих других. Знайка распорядился, чтоб лунатикам давали не только нужные им семена, но снабжали их приборами невесомости, а также антилунитом и объясняли им, как всем этим пользоваться, чтоб защититься от полицейских.

Вскоре к космонавтам прибыли несколько рабочих со Скуперфильдовской макаронной фабрики. Они сказали, что решили прогнать с фабрики Скуперфильда, а макароны будут делать сами без всяких хозяев. Чтоб осуществить этот план, им нужно устроить на фабрике невесомость, так как в противном случае полицейские могут помешать им и даже вовсе прогонят их с фабрики.

Получив от космонавтов прибор невесомости и достаточное количество антилунита, скуперфильдовские рабочие укрепили на фабрике все станки для раскатки теста, макаронные и вермишельные месилки, сушилки, парилки, прессы и печи с таким расчётом, чтобы все эти механизмы могли работать в условиях невесомости. Эффект от всех этих мероприятий получился огромный. Ни мука, ни макаронное тесто теперь ничего не весили, механизмы же в условиях невесомости работали во много раз быстрей. Благодаря этому выпуск макаронных изделий на фабрике увеличился в несколько раз, и теперь макароны можно было продавать значительно дешевле.

Бедняки, у которых постоянно не хватало денег на покупку еды, очень радовались. Они говорили, что скуперфильдовские макароны (все почему-то по-прежнему называли макароны этой фабрики скуперфильдовскими, хотя теперь они делались без какого бы то ни было участия Скуперфильда)... Так вот, все говорили, что скуперфильдовские макароны, а также вермишель и лапша стали не только намного дешевле, но и вкусней. И это, как потом выяснилось, была абсолютная правда, так как макаронное тесто, изготовляемое в условиях невесомости, лучше подходило, становилось пышней, что отражалось на вкусовых качествах готовой продукции.

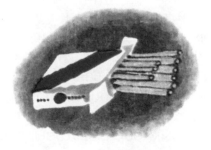

Глава тридцать третья

ПОНЧИК ПЕРЕВОСПИТЫВАЕТСЯ

С тех пор как Пончик стал работать крутильщиком на чёртовом колесе, его характер сильно переменился. Раньше он жил без всяких забот: ел да пил, а в свободное от еды время слонялся по набережной и вертелся на чёртовом колесе или морском параболоиде, не задаваясь мыслью о том, какая сила приводит все эти механизмы в движение. Но теперь он на собственном опыте убедился, что никакое чёртово колесо само по себе вертеться не будет, если его не начнут вертеть коротышки.

Как уже говорилось, каждое чёртово колесо представляло собой круг или диск, насаженный на вертикальную ось. Этот диск устанавливался на огромной круглой лохани, плавающей неподалёку от побережья и закреплённой на якорях. Лохань, прикрытая сверху диском, погружалась больше чем наполовину в воду, так что её почти и видно-то не было. Со стороны казалось, что огромнейший деревянный диск как бы сам собой крутится над водой.

Обычно внутри лохани помещались двое крутильщиков. Целыми днями они шагали по дну этой круглой посудины, изо всех сил нажимая руками на рычаги, соединённые с осью, и приводя тем самым во вращение ось вместе с укреплённым на ней диском. Нетрудно представить себе, какая это была тяжёлая и изнурительная работа.

Внутри лохани было и темно, и тесно, и сыро, и до такой степени душно, что пот с бедных крутильщиков катился ручьями. Они стаскивали с себя всю одежду и работали в одних трусиках, но даже это не приносило им облегчения. Вода, проникавшая сквозь щели в досках, заливала лоханку. Крутильщикам то и дело приходилось откачивать воду насосом, если же они не успевали это сделать, то работали по колено в холодной воде, что самым зловредным образом отзывалось на их здоровье. Они постоянно кашляли и чихали, болели суставным ревматизмом, катаром верхних дыхательных путей, гриппом и даже воспалением лёгких.

Пончик до такой степени уставал на работе, что, придя домой, растягивался на койке и вставал только для того, чтобы чего-нибудь пожевать. Даже еда не доставляла ему прежнего удовольствия. Теперь единственным для него наслаждением было отправиться в выходной день на берег и самому повертеться на каком-нибудь чёртовом колесе, параболоиде или хотя бы на водяной колбасе.

— Вот и чудесно! — со злорадной усмешкой бормотал он. — Целую неделю я вертел разных бездельников, а теперь пусть другие бездельники повертят меня!

Через некоторое время он, однако, заметил, что всё меньше испытывает радости от верчения на колесе. Всякое удовольствие отравляла мысль о том, что, пока он вертится, кто-то другой принуждён вращать колесо, выбиваясь из последних сил и задыхаясь от недостатка воздуха в мрачной, сырой лоханке. Наконец эта мысль сделалась до такой степени противна ему, что он и вовсе перестал вертеться на чёртовом колесе.

Теперь у Пончика осталась одна отрада — поболтать о том о сём с крутильщиком Пискариком, с которым он работал в одной лоханке. Этот Пискарик вначале презирал Пончика за его привычку вертеться на колесе. Он говорил, что это занятие годится лишь для богатых бездельников, которые не знают, куда им девать время и деньги, простому же, нормальному коротышке стыдно тратить с таким трудом заработанные денежки на пустое баловство. Увидев, что Пончик не увлекается больше этим пустячным делом, Пискарик перестал посмеиваться над ним. Теперь он беседовал с Пончиком на серьёзные темы, не отделываясь одними шуточками, и давал ему иногда почитать интересную книжку или газету.

Однажды, когда они возвращались вместе с работы, Пискарик сказал:

— Ты, я вижу, коротышка хороший, и тебе можно доверить секрет. У нас здесь есть тайное общество. Называется Общество свободных крутильщиков. Если хочешь, я могу записать и тебя. Мы время от времени собираемся, беседуем о жизни, покупаем в складчину хорошие книги, вместе подписываемся на газету. Одному, знаешь, трудно потратиться на газету, вместе же гораздо легче. Мы хотим, чтобы все крутильщики сделались образованней и умней.

— А что вы будете делать, когда сделаетесь умней? — спросил Пончик.

— Начнём бороться с хозяевами всех этих чёртовых колёс, колбас и параболоидов. Первым делом будем добиваться, чтоб хозяева сократили рабочий день. Ведь все мы очень утомляемся и постоянно болеем, оттого что нам от зари до зари приходится вертеться в сырых лоханках и дышать спёртым воздухом.

— Как же заставить хозяев сократить день?

— Сейчас сделать это, конечно, трудно, потому что нас ещё очень мало. Но погоди, со временем нас станет больше, тогда мы придём к хозяевам и скажем, что не будем работать на них, пока рабочий день не станет короче. Объявим забастовку. А впоследствии и совсем прогоним хозяев и станем свободными по-настоящему.

— Что ж, это мне нравится, — ответил Пончик.

И он решил стать членом Общества свободных крутильщиков. Пискарик познакомил его с крутильщиками Лещиком, Сомиком и Судачком, которые тоже были членами этого общества. В свободное от работы время они собирались вместе, беседовали о разных вещах, читали интересные книги, газеты и даже мечтали поднакопить денег и купить сообща телевизор.

В то время в газетах часто печатались сообщения о забастовке на Скуперфильдовской макаронной фабрике. Свободных крутильщиков очень интересовало, чем кончится борьба рабочих с богачом Скуперфильдом. Вскоре, однако, газеты стали печатать сообщения о прибытии на Луну космического корабля и о том, что прибывшие с далёкой Земли космонавты начали раздавать лунатикам семена гигантских растений.

Как только Пончик узнал о прибытии космонавтов, он сразу сообразил, что это прилетел Знайка со своими друзьями. Он тут же хотел поехать в Фантомас и отправиться на поиски космического корабля, который приземлился, как стало известно, в окрестностях этого города. Но потом Пончик подумал, что ему, пожалуй, достанется от Знайки за то, что он улетел с Незнайкой на ракете без спросу и подвёл остальных коротышек, которые тоже собирались в полёт. Поразмыслив как следует, Пончик решил никуда не ездить, а остаться в Лос-Паганосе и по-прежнему работать на чёртовом колесе.

В газетах между тем появлялись всё новые сообщения о космонавтах, о гигантских семенах, о невесомости, с которой полицейские никак не могли сладить. Большого шума наделало сообщение о том, что скуперфильдовские рабочие овладели невесомостью и прогнали со своей фабрики Скуперфильда. Как только Пискарик узнал об этом, так сейчас же сказал:

— Вот если бы и нам устроить здесь невесомость. Мы бы тоже прогнали хозяев, да и колёса вертеть в состоянии невесомости было бы легче.

— Верно! — подхватил Судачок. — А что, если кому-нибудь из нас съездить в Фантомас и встретиться с космонавтами? Может быть, и нам удастся раздобыть невесомость.

Тогда Пончик сказал:

— Братцы, я долго молчал, но теперь больше не могу молчать и признаюсь вам. Я думаю, что на космическом корабле прилетели мои приятели. Я ведь тоже когда-то жил на планете, называемой Большой Землёй, а потом прилетел сюда к вам с Незнайкой.

И Пончик рассказал обо всём, что с ним случилось. Увидев, что он говорит правду, Пискарик сказал:

— В таком случае тебе немедленно нужно ехать и поговорить со своими друзьями. Думаю, они не откажут нам в помощи, когда узнают о нашей тяжёлой доле. Только надо держать всё это дело в секрете, а то, боюсь, как бы богачи не помешали нам.

Никому не сказав ни слова, Пискарик, Лещик, Сомик и Судачок собрали все деньги, которые у них были, накупили разных продуктов и сложили их в сумку, чтобы Пончику было что кушать в дороге. Потом купили ему билет на поезд до города Фантомаса, и все пятеро отправились на вокзал.

— Главное, в пути ни с кем не болтай, — напутствовал Пончика Пискарик. — Держи, как говорится, уши пошире, а рот поуже. Если полицейские

пронюхают, что ты едешь к космонавтам, то угодишь ты не к космонавтам, а прямым путём в каталажку.

Скоро подошёл поезд. Попрощавшись с друзьями, Пончик залез в вагон. Там уже было полно коротышек, но Пончику всё же удалось отыскать для себя местечко на лавке. Усевшись поудобнее, он принялся разглядывать пассажиров и прислушиваться к разговорам.

Очень скоро ему стало ясно, что все разговоры вертелись вокруг космонавтов, гигантских растений и невесомости. Один пассажир рассказывал, что космонавты — это какие-то особенные безволосые коротышки, у которых четыре уха, два носа, но всего один глаз во лбу, причём дышат они не лёгкими, а жабрами, так как постоянно живут в воде, и когда вылезают на сушу, то ходят в водолазных костюмах, а вместо рук у них плавники. Пончик тут же хотел сказать, что это неправда, что космонавты такие же коротышки, как и все прочие, но, вспомнив, что Пискарик советовал ему держать язык за зубами, решил не вмешиваться в разговор.

Другой лунатик, сидевший неподалёку от Пончика, рассказывал, что невесомость — это такая сила, которая ломает коротышкам руки и ноги и перемалывает внутри все кости в муку, в результате чего каждый, кто побывает в состоянии невесомости, уже ни ходить, ни стоять, ни сидеть больше не может и ничего делать не может, так как внутри его организма не остаётся ни одной целенькой косточки; единственное, что он может делать, — это ползать по земле наподобие гусеницы или червяка.

Пончик снова хотел сказать, что это враки, так как сам не раз бывал в состоянии невесомости, однако ж все кости у него целёхоньки и он вовсе не ползает на манер червяка.

Всё же он и на этот раз вспомнил, что ему не следует распускать язык.

Третий коротышка рассказывал, будто читал в газете, что гигантские растения, которые растут на Большой Земле, действительно приносят огромнейшие плоды, что арбузы там, например, вырастают величиной с гору, но все эти арбузы да и все остальные плоды горькие, даже ядовитые, и совершенно не годны в пищу.

Услышав такие речи, Пончик, который особенно принимал близко к сердцу всё, что касалось еды, не вытерпел и уже хотел сказать, что арбузы на Земле очень сладкие, но тут в разговор вмешался коротышка в жёлтой тужурке, который сидел рядом с Пончиком.

— А может, всё это враки, братцы? — ответил он. — Мало ли что пишут в газетах. Богачам ведь невыгодно, чтоб у нас были гигантские растения, вот они и печатают разную чепуху.

— А ты бы лучше помалкивал, — сказал ему другой коротышка. — Откуда ты знаешь, кто здесь с нами едет в вагоне? Может быть, рядом с тобой сидит переодетый полицейский и всё слышит, что ты говоришь.

Коротышка в жёлтой тужурке с опаской взглянул на сидевшего рядом Пончика. Поймав этот взгляд, Пончик вспылил:

— Это кто же, по-твоему, переодетый полицейский? Я переодетый полицейский? Вот как дам тебе полицейского!

— Да ты что? Разве я про тебя говорю? — стал оправдываться коротышка.

— А про кого? Я же слышу, что ты говоришь: «Переодетый полицейский рядом сидит». А кто рядом сидит? Я рядом сижу! Значит, я и есть переодетый полицейский.

— Братцы, хи-хи! — закричал кто-то сзади. — Здесь у нас переодетый полицейский сидит! Сам сказал! Я, говорит, и есть переодетый полицейский! Вот этот толстенький. То-то я гляжу, что он всё сидит и молчит, только прислушивается к чужим разговорам.

— Придержите языки, братцы! — раздался крик. — Здесь полицейский!

Наступила тишина. У всех сразу пропала охота разговаривать. Все молча сидели и искоса поглядывали на Пончика. Только слышно было, как колёса стучат по рельсам. Наконец кто-то сказал:

— Недавно, братцы, я видел по телевизору обгорелого полицейского. На него было страшно смотреть, до такой степени он обгорел. Просто ужас какой-то!

Другой коротышка исподлобья взглянул на Пончика и спросил:

— А тот полицейский был тоже переодетый?

— Нет, — ответил рассказчик. — Тот был не переодетый, а в настоящей полицейской форме, только сильно изорванной, так как, пока летел, он цеплялся за деревья и телеграфные провода. Говорили, что он выстрелил в состоянии невесомости. А в состоянии невесомости стрелять нельзя.

— А у нас одного полицейского вытолкнули из вагона на полном ходу поезда, — сказал коротышка, который сидел напротив Пончика.

— А он тоже был переодетый? — спросил первый коротышка.

— Да, он тоже был переодетый, и притом толстенький.

Все засмеялись и стали наперебой рассказывать разные смешные истории про полицейских. Пончик не знал, смеяться ли ему вместе со всеми или лучше помалкивать, поэтому он вначале сидел совершенно молча и только криво улыбался, а потом встал с лавки и залез на верхнюю полку, где его никому не было видно. Между тем наступил вечер. Пассажиры начали укладываться спать. Одни забрались на верхние полки, другие расположились на нижних. Пончик уже было уснул, но среди ночи почему-то проснулся. Вспомнив, что забыл поужинать, он принялся вытаскивать из сумки бутерброды с сыром и колбасой и уплетать их. В это время он услыхал разговор двух коротышек, которые лежали внизу.

— Ты куда едешь? — спрашивал один.

— В Фантомас, — отвечал другой. — А ты?

— Я тоже в Фантомас. Только мне нужно не в самый Фантомас. Я хочу к космонавтам пробраться.

— А зачем тебе к космонавтам?

— Понимаешь, мы всей деревней решили достать гигантских семян и посадить их. Вот меня и снарядили к космонавтам за семенами.

— А ты знаешь, где искать космонавтов?

— Знаю. Нужно добраться до деревни Нееловки, а там мне скажут. В газете писали, что нееловцы уже побывали у космонавтов и достали семян.

Пончику захотелось узнать, что за коротышка пробирается к космонавтам. Он взглянул вниз украдкой и увидел, что это был уже знакомый ему лунатик в жёлтой тужурке.

«Вот и хорошо! — сказал сам себе Пончик. — Увяжусь за этой жёлтой тужуркой и тоже попаду, куда мне надо. Всё очень просто устроилось».

396

На деле всё оказалось совсем не так просто. Утром, как только поезд прибыл в Фантомас, Пончик вылез из вагона и отправился вслед за коротышкой в жёлтой тужурке, которого, кстати сказать, звали Мякиш. Сначала всё как будто шло складно. Жёлтая тужурка была хорошо видна, и Пончик не терял её из виду в толпе городских пешеходов. Скоро он обратил внимание, что Мякиш почему-то кружит по городу, проходя всё по тем же улицам, где уже был. Иногда он словно нарочно прятался за углом дома и, пропустив Пончика вперёд, бросался в обратную сторону.

«Какой-то бестолковый лунатик попался! — ворчал про себя Пончик. — Не знает дороги — спросил бы кого-нибудь!»

Наконец, когда Пончик совсем выбился из сил, они вышли из города и зашагали по шоссейной дороге. Мякиш, как нарочно, шёл быстрым шагом. Пончик отставал от него всё больше и больше. Скоро наших путников догнала грузовая автомашина. Увидев её ещё издали, Мякиш поднял руку. Машина, оставив далеко позади Пончика, затормозила. Мякиш попросил шофёра подвезти его до деревни Нееловки.

— Ладно, полезай в кузов, — согласился шофёр.

Увидев, что Мякиш садится в машину, Пончик собрал остатки сил и пустился бежать. Машина тронулась, но Пончик всё же успел догнать её и уцепился сзади за кузов. Увидев это, Мякиш схватил лежавший на дне кузова гаечный ключ и принялся колотить им по пальцам Пончика.

— А-а-а! — заорал бедный Пончик.

Не в силах стерпеть боль, он разжал пальцы и шлёпнулся посреди мостовой, словно мешок с песком.

— Так тебе и надо, проклятый полицейский! — проворчал Мякиш. — Может быть, ты хоть теперь отвяжешься от меня!

Нечего, конечно, и говорить, что Мякиш принимал Пончика за переодетого полицейского и поэтому всеми силами старался отделаться от него.

Шофёр между тем прибавил скорость, и машина в одно мгновение скрылась из виду. Скоро Мякиш был уже в деревне Нееловке и беседовал с нееловцами, которые встретили его очень приветливо. Они рассказали, что уже посадили полученные от космонавтов гигантские семена, и повели Мякиша в поле, чтоб показать ему первые всходы. Бедняга Мякиш даже заплакал от радости, когда увидел маленькие зелёные ростки, показавшиеся местами из-под земли.

— Это ничего, братцы, что они маленькие, — говорил он. — Так уж на свете устроено, что всё большое растёт из маленького.

Узнав, что Мякиш приехал за гигантскими семенами, Колосок вызвался проводить его к космонавтам. Они уже хотели отправиться в путь,

но как раз в это время Мякиш увидел Пончика, который ковылял по дорожке, ведущей к деревне.

— Смотрите, братцы! — испугался Мякиш. — Опять этот проклятый переодетый полицейский! Он ещё в поезде привязался ко мне. Должно быть, подслушал, как я говорил, что к космонавтам еду.

— Сейчас мы его поймаем и проучим как следует! — сказал Колосок.

Коротышки спрятались за забором, и, как только Пончик подошёл ближе, все сразу бросились на него. Кто-то накинул ему на голову пустой мешок, кто-то другой тут же потянул его кверху за ноги.

— Это что, братцы? За что? — закричал Пончик, чувствуя, что летит в мешок. — Пустите меня!

— Попался, полицейский, так уж лучше молчи! — сказал Колосок.

— Я не полицейский, братцы! Я Пончик! Я космонавт! Мне надо к ракете пробраться.

— Ишь чего захотел! — ответил Мякиш. — Не отпускайте его, братцы! Подержите в мешке пока, а то он снова увяжется за мной.

— Ладно, вы с Колоском идите, а мы запрём его в погреб, — сказал коротышка, которого звали Штифтик.

Он быстро завязал мешок сверху, чтобы Пончик не смог удрать, и коротышки поволокли пленника к стоявшему неподалёку погребу. Колосок с Мякишем ушли и ещё долго слышали, как Пончик орал, безуспешно пытаясь вырваться из мешка:

— Я не полицейский! Я Пончик! Я космонавт! Пустите меня!

Колосок и Мякиш только посмеивались, слушая эти крики. Когда они пришли к космонавтам, Знайка распорядился, чтоб Мякишу дали семян гигантских растений, а также прибор невесомости и запас антилунита для защиты от полицейских, а потом стал расспрашивать его, не слыхал ли он чего-нибудь о потерявшихся Незнайке и Пончике.

— О Незнайке я уже много слыхал, — ответил Мякиш. — О нём даже в газетах писали. А вот о Пончике ничего не слыхал, кроме разве того, что этот проклятый переодетый полицейский тоже называл себя Пончиком.

— Какой переодетый полицейский? — заинтересовался Знайка.

— Да вот увязался за мной тут один тип в поезде, — ответил Мякиш. — Всё время подслушивал да подглядывал, а в Фантомасе сошёл с поезда и принялся следить за мной, так что добрался до самой Нееловки.

— А где он теперь? — стали спрашивать космонавты.

— Да вы, братцы, не беспокойтесь, — сказал Колосок. — Мы его засадили в мешок и спрятали в погреб.

— А как он выглядел? — спросил Знайка.

— Как вам сказать... — ответил Мякиш. — Такой толстенький. Лицо словно блин...

— Толстенький? — закричал Знайка. — Так, может быть, это и есть наш Пончик?

Услышав эти слова, Винтик и Шпунтик бросились к своему вездеходу и через минуту уже мчались в Нееловку. Не прошло и часа, как они возвратились с Пончиком. Космонавты окружили со всех сторон вездеход. Пончик, который ещё не опомнился от встречи с Винтиком и Шпунтиком, сидел на вездеходе и, разинув рот, смотрел на Знайку, на Фуксию и Селёдочку, на Тюбика, на доктора Пилюлькина и на всех остальных космонавтов. От волнения он не мог произнести ни слова. Наконец сказал:

— Братцы! — и залился слезами.

Коротышки помогли ему слезть с вездехода и начали его утешать, а он подходил к каждому, каждого прижимал к груди и говорил, вытирая кулаком слёзы:

— Братцы! Братцы!..

Больше ничего от него не могли добиться.

Винтик и Шпунтик рассказали, что, когда они вытряхнули Пончика из мешка, он тоже вначале громко заплакал, а потом всю дорогу только и делал, что твердил: «Братцы, братцы», словно позабыл, какие ещё на свете бывают слова.

Доктор Пилюлькин сказал, что это ничего, что Пончик скоро оправится от потрясения и заговорит по-прежнему, как все нормальные коротышки. Надо только дать ему немного покушать, тогда он войдёт в свою обычную колею.

Так и на самом деле случилось. Пончика усадили за стол, поставили перед ним тарелку борща и тарелку каши. Пончик быстро уписал всё это и тут же начал рассказывать о том, что произошло с ним, и о том, как они вместе с Незнайкой залезли тайком в ракету и отправились на Луну; как путешествовали по Луне и попали в пещеру; как Незнайка провалился в подлунный мир, после чего Пончик остался совсем один; как он сидел в ракете, пока не прикончил все пищевые запасы, после чего тоже провалился в подлунный мир и попал в город Лос-Паганос, где принялся торговать солью; как сначала разбогател, потом разорился, потом стал работать на чёртовом колесе и сделался членом Общества свободных крутильщиков.

— Вот и всё, братцы. А теперь я приехал к вам, чтоб вы дали нам немножечко невесомости. Это облегчило бы тяжёлый труд крутильщиков и помогло бы нам избавиться от жадных хозяев, — закончил свой рассказ Пончик.

— А как же Незнайка? Ты с тех пор не встречался с ним? — спросил Знайка.

— Э, Незнайка! — пренебрежительно махнул рукой Пончик. — Я даже говорить о нём не хочу. Да, по-моему, и нет теперь уже никакого Незнайки.

— Неужели погиб? — опечалились коротышки.

— Если бы погиб, то ещё не так страшно, а то ведь превратился в барана! — воскликнул Пончик. — Его сцапали полицейские и отправили на Дурацкий остров, а все, кто попадает на этот остров, рано или поздно превращаются в овец или баранов.

— За что же его отправили на Дурацкий остров?

— За то, что торговал воздухом.

— Как это — торговал воздухом? — удивились все.

— Ну, это так говорится. Когда кто-нибудь продаёт то, чего у него нет, то про него говорят, что он продаёт воздух. А Незнайка затеял продавать гигантские семена, которых у него не было, вот его и наказали за это. Так и в газете писали.

— Слушай, Пончик, а нельзя ли как-нибудь всё же спасти Незнайку? — спросила Селёдочка. — Может быть, он не успел ещё превратиться в баранчика или в овечку. Не можем же мы оставить его в беде!

Пончик крепко задумался. Потом сказал:

— Нельзя ли мне ещё тарелочку кашки? Может быть, у меня созреет какой-нибудь план.

Ему быстро принесли тарелку каши. Он её съел и сказал:

— План у меня созрел: мы захватим один из кораблей, на которых отвозят лунатиков на Дурацкий остров. Эти корабли обычно заходят к нам в Лос-Паганос. Лунатиков мы освободим, за это они нам только спасибо скажут, а сами поплывём выручать Незнайку.

— А где искать Дурацкий остров, ты знаешь? — спросил Пончика Знайка.

— Об этом не беспокойся, — ответил Пончик. — Мы возьмём с собой кого-нибудь из старых моряков, а их у нас в Лос-Паганосе много. У меня даже есть один знакомый безработный капитан Румбик. В общем, это дело пустячное. Был бы корабль, а капитаны найдутся!

Глава тридцать четвёртая

НЕЗНАЙКА НА ДУРАЦКОМ ОСТРОВЕ

То, что рассказал о Незнайке Пончик, была правда. Во всяком случае, верно было то, что он действительно угодил на Дурацкий остров. После того как Незнайку, Козлика, Клюкву, Мизинчика, Чижика и других коротышек, ночевавших под мостом, задержал полицейский патруль, все они были посажены в полицейский фургон и доставлены в город Лос-Паганос. Там их посадили в трюм корабля, где уже томились сотни три таких же несчастных. Многие из них плакали, прощаясь с родной землёй. Глядя на других, и Незнайка заплакал, а какой-то толстенький, голопузенький коротышка взобрался на пустую бочку, стоявшую посреди трюма, и принялся всех утешать. Он был без рубашки и босиком, но зато в соломенной шляпе и с шерстяным шарфом, обмотанным вокруг шеи.

— Братцы! — говорил он, протягивая к коротышкам руки. — Послушайте меня, братцы! Не надо плакать. Чего нам жалеть? Здесь жалеть нечего, а там нам хоть сытно будет. Вот увидите: сыты будем — как-нибудь проживём. Не надо отчаиваться! Ведь и на Дурацком острове коротышки живут. А то, что там можно превратиться в баранов, так это, может, ещё и неправда. Кто сказал, что это правда? Мало ли чего говорят! Поживём — увидим.

— Вот, вот, поживёшь — увидишь, как станешь бараном! — проворчал Козлик.

— А ты молчи! — набросились на Козлика коротышки. — Его утешают, а он тут с баранами лезет!

— А мне и не надо, чтоб меня утешали.

— Тебе не надо, так не мешай тем, кому надо. Иди отсюда, пока не дали по шее!

Козлик обиделся и отошёл в сторону. Голопузый между тем продолжал речь, вставляя чуть ли не после каждого слова две свои самые любимые фразы: «Поживём — увидим» и «Сыты будем — как-нибудь проживём».

Эта речь успокоительно подействовала на бедных лунатиков. Постепенно они утешились и перестали плакать. Все сразу повеселели и заговорили. Со всех сторон только и слышалось:

— Поживём, братцы, — увидим! Сыты будем — как-нибудь проживём! Только Козлик всё хмурился.

— Нашли утешение! — ворчал он. — И баран проживёт, если сыт будет! Бежать надо отсюда.

— Как же ты убежишь? — спросил Незнайка.

— Отсюда, конечно, не убежишь, а вот приедем на остров, так надо не сидеть сложа руки, а сделать лодку да уплыть.

Скоро корабль отчалил от берега, и началось плавание. Путь был долог и труден. Два дня и две ночи корабль бросало по волнам. Коротышки, которые до того и вблизи не видели моря, боялись, что корабль вот-вот опрокинется и пойдёт ко дну.

В течение двух суток они не могли заснуть ни на минуту и к концу плавания еле на ногах держались. На третий день корабль наконец вошёл в тихую, спокойную бухту, и измученных коротышек выпустили из сырого, мрачного трюма.

Бедняжки испустили радостный крик, увидев зелёный берег с растущими пальмами, персиками, бананами, ореховыми и апельсинными деревьями. Уже и то хорошо казалось, что наконец можно было ступить на твёрдую почву и не чувствовать, как под ногами всё ходуном ходит. С диким визгом и гиканьем коротышки высыпали на берег и взапуски побежали к деревьям. Там они начали скакать и плясать от радости, рвать бананы и финики, персики и апельсины, сбивать палками орехи с деревьев. Наевшись досыта, они принялись качаться на качелях, которые во множестве были устроены между деревьями, вертеться на каруселях и чёртовых колёсах, спускаться на ковриках с деревянных горок и спиральных спусков.

Неожиданно послышались удары колокола. Недолго думая коротышки бросились в ту сторону, откуда доносился звон, и увидели здание столовой с большими, открытыми настежь окнами. У дверей стоял повар в белом колпаке и звал всех обедать. Есть, однако же, никому не хотелось, так как все насытились фруктами. Коротышки в раздумье остановились у входа, но в это время послышался звон с другой стороны. Бросившись, словно по команде, в другую сторону, они увидели здание кинотеатра, облепленное сверху донизу цветными афишами. На самой большой афише было написано огромными буквами: «Убийство на дне моря, или Кровавый знак». Новый захватывающий кинофильм из жизни преступного мира с убийствами, ограблениями, утоплениями, бросаниями под поезд и растерзаниями диких зверей. Только в нашем кинотеатре. Спешите видеть!»

Сообразив, что сейчас начнётся киносеанс, коротышки бросились занимать места. Не успели они усесться, как погас свет и на экране забегали, заметались различные подозрительные личности в масках и без масок, с ножами, финками, кинжалами и пистолетами в руках. Тут же появились вооружённые до зубов полицейские. Как те, так и другие преследовали друг друга, пользуясь всевозможными средствами передвижения: автомобилями, автобусами, вертолётами, самолётами, поездами, катерами, пароходами, подводными лодками. Все поминутно падали, куда-то проваливались, шлёпались в воду, тонули сами и топили других, дрались чем попало, палили друг в друга из пистолетов и автоматов. Бедные зрители визжали от страха, глядя на все эти ужасы.

Шум в зале, однако, становился всё тише и постепенно совсем утих. Коротышки, измученные дальней дорогой, один за другим уснули прямо на своих местах, не дождавшись конца картины. Нужно сказать, что места в кинотеатре были устроены на манер мягких кресел с откидными спинками, какие бывают в автобусах дальнего следования. Откинув спинку назад, можно было удобно улечься поспать, словно в кровати, не выходя из кино. Все устали настолько, что проспали весь день и всю ночь, а проснулись лишь на следующее утро.

Услышав колокол, призывавший к завтраку, коротышки вскочили на ноги и помчались в столовую. С аппетитом позавтракав, они выбежали из столовой и принялись играть в прятки, салочки, чехарду и другие интересные игры. Часть из них побежала к качелям и каруселям, другая часть, услышав звонок, вернулась в кинотеатр, сеансы в котором начинались с самого утра, вернее сказать, тотчас после завтрака.

Гоняясь друг за дружкой по апельсинной роще, коротышки обнаружили посреди деревьев полянку с большой четырёхугольной площадкой для игры в шарашки. Здесь же был обнаружен целый набор деревянных молотков с длинными ручками и пара шарашек, то есть всё, что требуется для этой увлекательной подвижной игры. Нужно сказать, что шарашкой у лунатиков называется большой деревянный шар, величиной с коротышечью голову. Таких шарашек для игры употребляется две — чёрная и белая. Играющие делятся на две команды по дюжине игроков. Первая дюжина, вооружившись деревянными молотками, гоняет белый шар по всему полю, стараясь загнать его в ямку, имеющуюся в центре площадки, и не допустить в то же время, чтобы вторая команда загнала в эту же ямку чёрный шар. Выигрывает, разумеется, та команда, которая первой загонит в ямку свой шар.

Эта на первый взгляд бесхитростная игра на самом деле очень увлекательна и пользуется широкой популярностью среди лунатиков. Как и всякая игра, игра в шарашки имеет свои правила, а также свою тактику и стратегию. Правила заключаются в том, что игроки не имеют права бить друг друга деревянными молотками по ногам и по головам; всё остальное разрешается: можно придерживать шарашку, наступая на неё ногой, можно выбивать её за линию площадки, можно отталкивать противника плечом или рукой. Тактика и стратегия заключаются в том, что капитан команды может поделить своих игроков на два отряда — отряд нападающих и отряд защитников. Задачей нападающих является — загнать в ямку шарашку соперников; задача защитников — защитить свою шарашку от чужих игроков. Иногда капитан делит команду поровну, и такая система игры называется «6 на 6». Иногда он считает нужным назначить в нападающий отряд семь игроков, а в защите оставить лишь пять. В таком случае система игры называется «7 на 5». Бывает также система «8 на 4», а также система «12», то есть когда капитан вовсе не делит на отряды команду. Правда, и в этом случае игроки заранее уславливаются между собой, кто из них будет играть в защите, кто в нападении, но по ходу игры меняются между собой ролями, чтоб сбить с толку противников. Ясно без слов, что обилие стратегических приёмов делает эту игру до чрезвычайности интересной.

Как только площадка была обнаружена, организовались сразу четыре команды шарашников, но поскольку все четыре не могли принимать участия в игре, то играли лишь две команды, а две другие стали ждать своей очереди. Правда, в этот день они так ничего и не дождались, зато на следующее утро проснулись пораньше и захватили площадку на весь день в свои руки. С тех пор в шарашку играли те, кто раньше проснётся и раньше других добежит до площадки. Кончилось тем, что самые заядлые игроки решили не покидать даже на ночь площадку, а ложились спать тут же. Это им нипочём было, тем более что климат на Дурацком острове очень тёплый, дождей почти не бывает и спать можно хоть под открытым небом. Таким образом, осталось только две команды шарашников, зато играли они с утра до вечера, не зная, как говорится, ни отдыха, ни срока.

К тому времени и все остальные коротышки разделились, если можно так выразиться, по интересам. Помимо шарашников, здесь были карусельщики, колесисты, чехардисты, киношники, картёжники и козлисты. Нетрудно догадаться, что карусельщиками называли тех коротышек,

которые по целым дням вертелись на каруселях; колесистами — тех, что предпочитали вертеться на чёртовом колесе. Чехардисты, естественно, были те, которые не признавали ничего, кроме игры в чехарду. Козлисты день-деньской сидели за столиками и изо всех сил стучали костяшками домино, играя в «козла». Картёжники, расположившись партиями по четыре, сидели на травке и играли в карты, преимущественно в подкидного дурака. Наконец, киношники с утра и до ночи сидели в кинотеатре и сеанс за сеансом смотрели различные кинофильмы. Нечего, конечно, и говорить, что такое однообразие в занятиях притупляло умственные способности коротышек, исподволь подготовляя переход их в животное состояние.

Считалось, между прочим, что смотрение кинофильмов является более интеллектуальным, то есть более полезным для ума занятием, нежели игра в шарашки или в «козла». Это, однако, ошибка, так как содержание фильмов было слишком бессмысленным, чтобы давать какую-нибудь пищу для ума. Глядя изо дня в день, как герои всех этих кинокартин бегали, прыгали, падали, кувыркались и палили из пистолетов, можно было лишь поглупеть, но ни в коем случае не поумнеть.

Нужно сказать, что Незнайка и Козлик также не избежали общего увлечения и по целым дням торчали в кинотеатре, неподвижно сидя на креслах и с утра до вечера пялясь на киноэкран. Однажды под вечер они вдруг почувствовали, что их спины словно одеревенели от неподвижности и даже не разгибаются, так что ни тот, ни другой не могли встать с места. Страшно перепугавшись, Незнайка и Козлик умудрились как-то соскочить со своих кресел на пол и, не разгибая спины, на четвереньках выползти из кинотеатра на воздух. Поползав на четвереньках по травке, они кое-как распрямили свои позвоночники и поднялись на ноги. Первое время они ошалело смотрели друг на друга, словно не понимали, в чём дело. Наконец у Незнайки на лице появилось осмысленное выражение, и он сказал:

— Слушай, Козлик, когда же мы с тобой будем лодку делать?

— Какую лодку? — с недоумением спросил Козлик.

— Ну, не знаешь, какие лодки бывают? На которой по воде плавать.

— А зачем нам по воде плавать?

— Так мы же собирались удрать с этого Дурацкого острова.

— Ах, это! — воскликнул Козлик. — Ну что ж, завтра начнём делать лодку.

Назавтра они, однако, забыли, что собирались делать лодку, и с утра побежали качаться на качелях, вертеться на каруселях и спускаться с горки на ковриках. Эти занятия так увлекли их, что всякие мысли о побеге снова вылетели у них из головы, и дни потекли по-прежнему. Правда, Незнайка иной раз к концу дня спохватывался и говорил:

— Ой, Козлик, чувствую, что мы с тобой превратимся в баранов!

— Да что ты! — махал рукой Козлик. — До сих пор не превратились и дальше не превратимся. Кто это сказал? Никто не сказал. Поживём — увидим.

— Так ведь будет поздно, когда увидим.

— Ну ладно, завтра начнём делать лодку.

Но опять приходило завтра, а всё оставалось, как было. Козлик, увлечённый катаньем, качаньем, верченьем и прочими развлечениями, уже и слышать ничего не хотел о побеге. Едва только Незнайка открывал рот, чтобы напомнить о лодке, Козлик нетерпеливо махал рукой и кричал:

— Завтра!

Кончилось тем, что и Незнайка перестал вспоминать о лодке.

Однажды друзья с утра забрались на карусель и довертелись до того, что Незнайка почувствовал головокружение и свалился на землю. С усилием поднявшись на ноги и пошатываясь словно пьяный, он принялся бродить по апельсинной роще. Перед глазами у него всё было словно в тумане. Через некоторое время он вышел на опушку рощи и увидел вдали плотный деревянный забор, покрашенный голубой краской. Не понимая, как попал сюда, Незнайка остановился и в это время услышал какие-то странные звуки, доносившиеся из-за забора:

— Бэ-э-э! Мэ-э-э!

Решив узнать, какое существо издаёт эти странные звуки, Незнайка подошёл к забору и хотел заглянуть в щель, но это ему не удалось, так как доски забора были пригнаны плотно. Недолго думая он ухватился за верхушки досок руками и залез на забор. Перед его взором открылся зелёный луг, невдалеке тёк ручей, а за ним чернел лес. На лугу, сбившись кучей, паслось стадо белых барашков. Два рыжих кудлатых пса стерегли их. Как только какой-нибудь из барашков отбивался от стада, собаки с лаем бросались к нему и загоняли обратно.

У забора, поблизости от Незнайки, словно стог сена возвышалась куча бараньей шерсти. Несколько коротышек сидели на корточках возле кучи и, вооружившись большими ножницами, стригли баранов. Бедные животные покорно лежали на земле со связанными ногами и не издавали ни звука. Закончив стрижку, один из коротышек развязал барашка и, подхватив под животик рукой, поставил на ноги. Неловко переставляя затёкшие от неподвижности ножки, барашек заковылял к стаду. Без своей пышной шубейки он казался чрезвычайно худеньким и до того комичным, что Незнайка, глядя на него, едва удерживался от смеха. Барашек между тем остановился и, повернув голову набок, жалобно заблеял:

— Бэ-э-э!

«Так вот кто здесь кричит!» — сообразил Незнайка.

От этой мысли ему почему-то стало не по себе.

В это время послышался шум мотора, и Незнайка увидел, что к шерстяной куче подкатила грузовая машина. Коротышки оставили стрижку и принялись грузить шерсть в кузов. Шофёр высунулся из кабины и, увидев Незнайку, весело замахал рукой.

— Эй, а тебе тоже сюда захотелось? — закричал он. — Погоди, скоро и тебя остригут! Ха-ха-ха!

От этого смеха у Незнайки пробежал по спине холодок. Мигом вспомнились ему все рассказы о том, что делается с бедными коротышками на Дурацком острове. Оторопев от испуга, он соскользнул с забора и, не чуя под собой ног, побежал обратно.

— Стойте, братцы! — закричал он, подбежав к коротышкам, которые вертелись на карусели. — Стойте! Надо бежать скорее!

Видя, что его никто не слушает, Незнайка схватил Козлика за шиворот и стащил с карусели. У бедняги Козлика от долгого верчения голова пошла кругом, и он присел, ухватившись руками за землю. Сколько ни тащил его Незнайка кверху за шиворот, он продолжал стоять на четвереньках, издавая какие-то мычащие звуки.

— Козлик, миленький, надо бежать, голубчик! — закричал Незнайка в отчаянии.

Козлик поглядел на него помутившимся взглядом и сказал заплетающимся языком:

— Послушай, Незнайка, я до того зар-вер-вер-вертелся, что ни бэ ни мэ не могу сказать.

Пролепетав эти слова, он залился бессмысленным смехом, потом пополз на четвереньках и принялся громко кричать:

— Бэ-э-э! Мэ-э-э!

— Козлик, миленький, не надо! Не надо! — взмолился Незнайка.

Схватив обезумевшего Козлика на руки, Незнайка побежал с ним к берегу моря. Ему казалось, что Козлик вот-вот превратится в барашка, и тогда его уже ничто не спасёт. Скоро они были на опушке пальмовой рощи. Сквозь редкие стволы деревьев засверкала искристая поверхность моря. Вдали виднелась пароходная пристань с высокой мачтой, верхушка которой была украшена развевающимся на ветру флагом. Напрягая последние силы, Незнайка выбежал на морской берег и в изнеможении упал на песок. Руки его сами собой разжались, и он потерял сознание.

Очутившись на берегу моря, Козлик некоторое время с недоумением озирался по сторонам. Прохладный морской ветерок освежил его, и голова у него перестала кружиться. Постепенно он понял, что сидит не на карусели, а на обыкновенном морском берегу. Рядом, раскинув руки, лежал Незнайка. Глаза у него были закрыты.

«Спит», — решил Козлик.

И он стал глядеть на волны, которые с шипением и рокотом ритмично накатывались на отлогий песчаный берег и, постепенно смолкая, убегали обратно в море. Неизвестно, сколько бы просидел Козлик, любуясь на волны, если бы его взгляд не приметил вдали тёмное пятнышко величиной с блоху. Сначала ему показалось, что какая-то птица реет над морем, но пятнышко постепенно приближалось, и скоро уже было ясно, что это не птица. Козлику стало казаться, что это не то дирижабль, не то самолёт, но прошло ещё немного времени, и он убедился, что это был пароход.

— Что за чудеса! — в изумлении пробормотал Козлик. — С каких это пор пароходы летают по воздуху?

Он принялся тормошить за плечо Незнайку. Увидев, что Незнайка не просыпается, Козлик страшно перепугался и принялся брызгать ему в лицо холодной водой. Это привело Незнайку в чувство.

— Где я? — спросил он, открывая глаза.

— Гляди — пароход! — закричал Козлик.

— Где пароход? — спросил Незнайка, приподнимаясь с земли и окидывая взглядом море.

— Да не там. Вон, вверху, — показал Козлик пальцем.

Незнайка задрал голову кверху и увидел паривший в воздухе пароход с трубами, мачтами, якорями и спасательными шлюпками, подвешенными над палубой. Незнайка застыл на месте от удивления. Пароход приближался, быстро вырастая в размерах. Уже на борту его можно было различить коротышек. Замирая от страха, Незнайка и Козлик смотрели на приближающуюся к ним громаду. От испуга у Козлика сам собою раскрылся рот, а глаза сделались совершенно круглыми. Он хотел что-то сказать, но слова застряли где-то внутри. Наконец ему удалось выдавить из себя:

— Что это?.. Почему это?..

— Невесомость! — закричал вдруг Незнайка. — Это не иначе как Знайка. Я так и знал, что он прилетит к нам на выручку! Ура!

Он подбросил кверху свою шляпу и от радости принялся скакать по берегу.

Пароход тем временем описал дугу над пристанью и плавно опустился на воду. Незнайка и Козлик, взявшись за руки, бросились бежать к пристани. Не успели они подняться по лесенке, как увидели, что с корабля сходят по трапу Знайка, доктор Пилюлькин, Винтик, Шпунтик, Пончик и несколько незнакомых лунатиков. От волнения сердце бешено заколотилось у Незнайки в груди, и он остановился, не смея ступить дальше ни шагу, только пробормотал:

— Кажется, мне сейчас распеканция будет!

Знайка в сопровождении остальных коротышек подошёл к Незнайке.

— Ну, здравствуй, — сказал он, протянув руку.

— А вы что же, голубчики, не могли прилететь раньше? — сказал Незнайка, даже не ответив на приветствие Знайки. — Мы тут их ждали, ждали, чуть не превратились в баранов, а им хоть бы что! Тоже спасители называются!

— Я с тобой, дураком, и разговаривать после этого не хочу! — сердито ответил Знайка.

— Ты бы лучше сказал спасибо, что хоть теперь прилетели, — сказал доктор Пилюлькин. — Как ты себя чувствуешь?

— Хорошо.

— Тогда марш сейчас же на пароход, а то здесь воздух, говорят, очень вредный. Нельзя находиться долго.

— Ну, капельку ещё побыть здесь, я думаю, можно, — ответил Незнайка. — Мне ведь нужно остальных коротышек спасти. Нас сюда много приехало.

— Это мы и без тебя сделаем, — сказал доктор Пилюлькин.

— Нет, нет, братцы, без меня вы ещё что-нибудь перепутаете, забудете кого-нибудь. Я сам должен всех разыскать. И ещё вот что: нет ли у вас лишнего приборчика невесомости?

— Это для чего ещё? — спросил Винтик.

— Я вот какую штуку придумал, — ответил Незнайка. — Мы зароем прибор невесомости на острове в землю, тогда вокруг образуется зона невесомости. Воздух над этой зоной уже не будет ничего весить и начнёт подниматься вверх, а на его место со всех сторон будет поступать свежий морской воздух. Таким образом атмосфера на острове очистится, и никто уже не будет превращаться в баранов.

— Гляди-ка, — сказал восхищённо Шпунтик, — наш Незнайка тоже изобретателем стал.

— А что ты думаешь? За последнее время я просто ужас до чего поумнел. А свой метод очистки воздуха я придумал, ещё когда сюда на пароходе ехал. В трюме, понимаешь, нечего было делать, вот я и принялся придумывать разные штучки.

— Ну ладно, — ответил Винтик. — Прибор невесомости у нас для тебя найдётся. Кроме того, я вижу, тебе и ботинки понадобятся. Ну, это на пароходе получишь, а сейчас веди-ка нас и показывай, где коротышки, пока кто-нибудь из них на самом деле не превратился в барана.

Глава тридцать пятая

ВРЕМЯ БОЛЬШИХ ПЕРЕМЕН

После того как скуперфильдовские рабочие овладели невесомостью и прогнали со своей фабрики Скуперфильда, все только и говорили об этом. Рабочие других фабрик тоже приезжали к космонавтам, а вернувшись, устраивали на своих фабриках невесомость. На некоторых фабриках рабочие до того осмелели, что даже без всякой невесомости брали власть в свои руки и прогоняли хозяев.

Полиция до такой степени была напугана всем происходящим, что перестала выступать против рабочих. Многие полицейские выбрасывали свои ружья и пистолеты, закапывали в землю свои полицейские мундиры и каски и, одевшись как обыкновенные коротышки, нанимались работать на фабрики и заводы. Они говорили, что это гораздо приятнее, чем летать сломя голову по воздуху в состоянии невесомости, получая ожоги, ранения и увечья.

Рабочие за свою работу теперь стали получать значительно больше, так как им уже не нужно было отдавать богачам часть своего заработка; товары же сильно подешевели. Поэтому каждый и питаться стал лучше, и покупал больше товаров. Поскольку товаров стало требоваться больше, все фабрики начали увеличивать выпуск продукции, а для этого им понадобилось больше рабочих. Безработных скоро совсем не стало, так как все, кто хотел работать, получали работу. В лакеях у богачей теперь никто не хотел служить. От них удрали и служанки, и горничные, и прачки, и швейцары, и полотёры, и в первую очередь повара. Все повара и поварихи предпочитали теперь работать в столовых и ресторанах, где они были сами себе хозяева. Столовых же и ресторанов с каждым днём становилось больше, так как многим теперь не хотелось затевать стряпню у себя дома. У каждого хватало денег, чтоб пообедать в ресторане или принести обед из столовой.

Бедняга Скуперфильд, который растерял все свои капиталы ещё до того, как у него отобрали фабрику, не знал, как ему теперь быть. Сначала он ходил обедать к своим знакомым, но потом убедился, что знакомым это особенного удовольствия не доставляет, и кончил тем, что поступил работать на свою бывшую макаронную фабрику. Никто не препятствовал ему в этом. Все знали, что макаронное дело он любит, и надеялись, что работать он станет исправно и добросовестно.

После того как Скуперфильд проработал несколько дней подручным на тестомешалке, ему поручили работу на макаронном прессе. Здесь обязанностью Скуперфильда было следить, как из макаронного пресса бесконечным пучком лезли макаронные трубочки, и регулировать их плотность и толщину. Если тесто становилось слишком жидким — а это сразу отражалось на толщине трубочек, — он давал сигнал тестомешальщикам подбавить муки; если же тесто становилось слишком густым, он давал сигнал прибавить водички. Как только трубочки достигали надлежащей длины, Скуперфильд нажимал кнопку, в результате чего приходил в движение электрический нож и разрезал трубочки, которые падали в паровой котёл, где их обдавало влажным горячим паром, после чего они попадали на конвейер, который тащил их в сушилку. Поработав у макаронного пресса с недельку, Скуперфильд придумал пристроить к прессу небольшое колёсико с выступом. Колёсико, вращаясь, время от времени нажимало на кнопку выступом и тем самым автоматически включало электрический нож. Благодаря этой рационализации Скуперфильду уже не нужно было нажимать каждый раз на кнопку, когда макаронина достигала необходимой длины, и он смог работать уже не на одном, а сразу на двух прессах. Он говорил, что на этом не остановится и добьётся того, чтоб машина автоматически регулировала густоту макаронного теста и сама добавляла сколько нужно муки и воды. Теперь, когда работать приходилось ему самому, Скуперфильд хорошо понял, как важно облегчать труд рабочего.

В общем, работать ему понравилось, тем более что вокруг всегда были коротышки, с которыми можно было поговорить, перекинуться шуткой, посоветоваться о каком-нибудь деле.

Теперь, окончив свой трудовой день, он часто покупал большую булку и, сунув её под мышку, отправлялся гулять в зоопарк. Он очень любил смотреть на животных, особенно на водоплавающих птиц. Увидев плавающих посреди пруда уток, он смеялся от радости и кричал:

— Смотрите, утки! Утки!

И принимался бросать кусочки булки на берег пруда. Утки сейчас же подплывали к берегу и начинали клевать угощение. Со временем они так привыкли к этому, что стали узнавать Скуперфильда и, завидев издали его чёрный цилиндр, спешили к берегу, что приводило Скуперфильда в умиление. Скормив уткам полбулки, он говорил обычно:

— Теперь идите, миленькие, поплавайте, а завтра я вам ещё принесу.

И уходил на площадку молодняка. Там он отдавал остатки булки маленьким медвежатам и, если поблизости публики было немного, просил у сторожа разрешения погладить кого-нибудь из зверят. Сторож иногда разрешал. Тогда Скуперфильд перелезал через ограду, гладил всех зверушек по очереди и, поцеловав на прощание какого-нибудь хорошенького медвежонка, совершенно счастливый отправлялся домой.

В дни отдыха он уезжал с кем-нибудь из своих новых приятелей за город — в лес или на реку. Там он дышал свежим воздухом, слушал пение птичек, глядел на цветочки. Со временем он запомнил названия многих цветов, и для него они были теперь не просто синенькие, красненькие или жёлтенькие цветочки, а незабудки, ромашки, кувшинки, ландыши, колокольчики, ноготки, фиалочки, одуванчики, васильки, мускарики или анютины глазки. С тех пор как Скуперфильд стал называть цветочки по именам, они сделались для него как бы близкими и родными, и он ещё больше радовался, когда видел их.

— Как прекрасен мир! — говорил он. — Как хороша природа! Раньше я ничего этого не видел: ни цветов, ни травки, ни милых пичужек, ни красивой реки с её чудесными берегами. Мне всегда было некогда. Я только и думал, как бы нажить побольше денег, а на всё остальное у меня не оставалось времени, провалиться мне на этом самом месте, если я вру! Зато теперь я знаю, что настоящие ценности — это не деньги, а вся эта красота, что вокруг нас, которую, однако, в карман не спрячешь, не съешь и в сундук не запрёшь!

Многие богачи, которые вместе с фабриками потеряли также свои доходы, вынуждены были поступить на работу и в конце концов поняли, что это даже лучше, чем по целым дням и ночам трястись над своими капиталами, теряя сон и аппетит и думая лишь о том, как бы облапошить кого-нибудь и не дать другим облапошить себя.

Были, однако же, богачи, которые хотя и потеряли заводы и фабрики, но зато сохранили свои капиталы. Рабочие считали, что эти деньги по праву принадлежат народу, так как богачи нажили их обманным путём, заставляя работать на себя других. Поэтому рабочие издали приказ все эти неправедно нажитые денежки сдать в общую кассу и построить на них большие театры, музеи, картинные галереи, стадионы, плавательные бассейны, больницы и прогулочные пароходики.

Пришлось богачам сдавать свои капиталы в общую кассу. Некоторые из них, однако, схитрили и часть своих денег припрятали для себя. Среди подобного рода хитрецов оказался и всемирно известный мануфактурщик Спрутс. Никто не знал в точности, сколько у него денег. Поэтому половину своего капитала он сдал, а другую половину оставил себе. Он рассчитывал, что, имея денежки, ему можно будет жить по-прежнему, не трудясь.

Жить, однако же, без труда и оставаться честным вообще невозможно. Каждый коротышка нуждается в услугах других, значит, и сам должен что-нибудь для других делать. Спрутс же захотел устроиться так, чтоб ничего для других не делать, а чтоб только другие делали для него. Ему в первую очередь надо было, чтоб кто-нибудь варил для него обед, но так как все слуги от него убежали, то он стал ходить обедать в столовую. Сначала его там кормили, но в один прекрасный день к нему подошёл главный повар и сказал:

— Слушайте, Спрутс, мы вот работаем на вас, готовим для вас разные кушанья, а вы для нас ничего не делаете, нигде не работаете, только едите.

— Но я же плачу за еду деньги, — возразил Спрутс.

— Откуда же у вас деньги, если вы нигде не работаете? Вы, стало быть, не все награбленные у народа денежки сдали?

Спрутс, конечно, не мог признаться, что утаил часть денег, и он сказал:

— Нет, я всё сдал. У меня осталось лишь несколько фертингов, но я их уже проел и теперь буду работать.

С тех пор он решил не ходить больше в столовую, а накупил в магазине яиц, картошки и других разных продуктов и понёс всё это домой. Половину яиц он

разбил по дороге, а из другой половины решил сделать яичницу, но за-
зевался, и яичница у него сгорела на сковороде. Тогда он принялся
жарить в горшке картошку, но картошка разварилась, и из неё получилась
какая-то несъедобная слизь вроде клейстера, который употребляется
для приклеивания обоев. Словом, за что он ни брался, у него каждый раз
получалось не то, что надо, а то, что надо, почему-то не получалось. Всё,
что он варил, ему приходилось есть либо в недоваренном, либо в пере-
варенном виде, а всё, что жарил, он съедал недожаренным или пережа-
ренным, а не то и вовсе сырым или горелым. От такой пищи у него часто
болел живот, и от этого он был злой, как пёс.

В доме у него был, как говорится, свинушник, так как наводить чистоту
теперь было некому, а самому Спрутсу было лень работать щёткой и шваб-
рой. К тому же он не любил мыть посуду. Позавтракав, пообедав или
поужинав, он ставил грязную посуду куда-нибудь на пол в угол, а на следующий день брал из шкафа чистую посуду. Поскольку посуды у него
было много, то все углы скоро были завалены грязными чашками, блюд-
цами и стаканами, ложками, вилками и ножами, тарелками, мисками,
соусницами, чайниками, кофейниками, молочниками, салатницами,
графинами, старыми консервными банками и бутылками разных форм
и размеров. На столах, на подоконниках и даже на стульях громоздились
покрытые сажей горшки, чугунки, кастрюли, судки, котелки, противни,
сковородки с остатками испорченных блюд. На полу всюду валялись
лимонные и апельсинные корки, банановая кожура, яичная и ореховая
скорлупа, обрывки бумаги, пустые пакеты, засохшие и покрытые зелено-
ватой плесенью хлебные корки, яблочные огрызки, куриные кости, селё-
дочные хвосты и головки. Нужно сказать, что эти хвосты и головки и даже
целые рыбьи скелеты можно было увидеть не только на полу, но и на
стульях, столах, шкафах, подоконниках, книжных полках, а также на спинках диванов и кресел.

Всё это обилие пищевых остатков издавало неприятный запах и привлекало полчища мух. Господин Спрутс сидел среди всей этой дряни,
надеясь, что новые порядки не продержатся долго, что постепенно всё
возвратится к старому и вернувшиеся к нему слуги наведут в доме чистоту и порядок. Время, однако, шло, перемен не было, а господин Спрутс
всё ещё продолжал на что-то надеяться, не замечая, что сидит уже по
самые уши в грязи.

Но беда, как иногда говорится, не является в одиночку. Скоро
у Спрутса кончились запасы угля, а так как топить печи чем-нибудь надо
было, он принялся жечь мебель. Помимо ворохов всяческой дряни, на полу теперь валялась обивка, содранная с диванов и кресел, а также

выдранные из них пружины и войлок, обломки кушеток, зеркальных шкафов и стульев. В общем, вид вокруг был такой, будто в доме разорвалась фугасная бомба или произошло сражение.

Но Спрутс даже как будто и не замечал произведённого им же самим разгрома. Время от времени он совершал из дому вылазки, чтобы пополнить запасы продуктов. Делать это было, однако, не очень легко, поскольку личность он был известная: как-никак бывший миллиардер, председатель большого бредлама, владелец многочисленных сахарных заводов и знаменитой Спрутсовской мануфактуры. До недавнего времени его фотографии печатались чуть ли не ежедневно в газетах, и поэтому все его хорошо знали. Как только он появлялся в каком-нибудь магазине, продавцы и продавщицы сейчас же начинали над ним посмеиваться, отпускать по его адресу разные шуточки; некоторые даже просто говорили, что пора бы ему уже перестать дурить и, вместо того чтоб жить на ворованные деньги, поступить куда-нибудь на работу и сделаться честным коротышкой.

— Смотрите, господин Спрутс, — говорили ему, — постарайтесь, голубчик, исправиться, а если будете продолжать дармоедничать, не будем отпускать вам продукты.

В ответ на это Спрутс обычно отделывался молчанием и только сердито сопел или же говорил, что он вовсе не Спрутс, а какой-то другой коротышка, что вызывало со стороны продавцов новые шуточки. Всё это чрезвычайно сердило Спрутса, а так как насмешки не прекращались и с каждым днём становились злей, он решил как можно реже появляться на улице и вылезал из дому только в случае крайней необходимости.

Однажды вечером, когда Спрутс сидел дома, в дверь постучал кто-то. Спустившись по лестничке и открыв дверь, Спрутс увидел при свете уличного фонаря коротышку со смуглым, широкоскулым лицом, украшенным небольшими чёрными, аккуратно причёсанными усиками, такой же небольшой чёрной остроконечной бородкой и узенькими, беспокойно шмыгающими по сторонам чёрными глазками.

Это лицо показалось Спрутсу совсем незнакомым, но, когда пришедший сказал, что его зовут Жулио, Спрутс начал припоминать, что уже где-то слыхал его имя.

Пригласив Жулио в комнату. Спрутс сказал:

— Ваше имя, кажется, мне знакомо. Не можете ли вы напомнить, где мы с вами встречались?

— Встречались? Нет, — ответил Жулио, с удивлением разглядывая громоздившиеся вокруг залежи мусора, обломки мебели и рыбьи скелеты. — Я лишь имел возможность оказать вам услугу, когда вы захотели разделаться с Обществом гигантских растений.

— Ах, верно! — воскликнул Спрутс. — Однако, помнится, вы тогда недёшево содрали с меня за эту услугу — три миллиончика фертингов, если не ошибаюсь.

— Не три, — хладнокровно ответил Жулио. — Разговор шёл о двух миллионах. Впрочем, мне-то от этих миллионов ровным счётом ничего не досталось, так как эта скотина Скуперфильд треснул меня палкой по голове, а эти двое животных Мига и Крабс бросили меня одного в лесу и скрылись со всеми деньгами. С тех пор я скитаюсь по свету, стараясь отыскать это животное Мигу, а теперь вот решил обратиться к вам, надеясь узнать, где можно увидеть эту скотину Крабса.

— К сожалению, я не могу удовлетворить ваше любопытство, так как скотина Крабс давно сбежал от меня, прихватив с собой около миллиона моих собственных денег, — ответил Спрутс.

— В таком случае, не можете ли вы дать мне поужинать, так как если я не удовлетворю чувство голода, то могу совершить преступление: я с утра ещё ничего не ел, — пояснил Жулио.

— Могу угостить вас только яичницей, — сухо пробормотал Спрутс.

Отправившись с гостем на кухню, Спрутс разломал пару стульев и растопил печь, после чего расколотил яйцо, но, вместо того чтоб выпустить его на сковородку, выпустил его на собственные штаны. Решив, что если дело пойдёт так дальше, то ему вовсе не придётся поужинать, Жулио отнял у Спрутса яйца и принялся за дело сам. Выбрав сковороду побольше, он соорудил гигантскую яичницу из двух десятков яиц, и они со Спрутсом уселись ужинать. Спрутс ел и только похваливал, так как ему уже давно не приходилось есть так хорошо приготовленную яичницу.

Сообразив, что Жулио может оказаться для него полезен, поскольку мог бы ходить за продуктами и помогать готовить обед, Спрутс предложил ему поселиться вместе. Жулио согласился, и с тех пор жизнь Спрутса приобрела более организованный характер. Доставку продуктов из магазинов Жулио целиком взял на себя, завтраки же, обеды и ужины они готовили вместе, причём Спрутс производил более грубую работу, то есть «делал» дрова из мебели, разжигал огонь в топке, чистил картошку, лук, репу, месил тесто; Жулио же осуществлял общее руководство и следил за качеством изготовляемых блюд.

Кроме заботы о пище, Жулио проявил также заботу о чистоте.

— У вас, голубчик, в этой комнате слишком много скопилось дряни, — сказал он однажды Спрутсу. — Однако убирать здесь не стоит. Мы попросту перейдём в другую комнату, а когда насвиним там, перейдём в третью, потом в четвёртую, и так, пока не загадим весь дом, а там видно будет.

Поскольку топить лишний раз печь им было лень, а по ночам бывало зябко, Жулио придумал спать не на кроватях, а в сундуках. Забравшись вместе с периной в сундук и закрывшись в нём крышкой, можно было согреть дыханием воздух и спать, не ощущая холода.

В те времена как для господина Жулио, так и для господина Спрутса самым большим удовольствием было усесться вечерком, после дневных забот, у телевизора и начать проклинать новые порядки. По телевидению тогда часто показывали рабочих, которые теперь самостоятельно, без господ управляли своими фабриками и заводами. Особенный интерес представляло то, что многие производственные процессы протекали теперь в состоянии невесомости. Господин Спрутс и господин Жулио невольно подсчитывали, какие выгоды могли бы иметь богачи, если бы невесомость досталась им, а не рабочим, и это прямо-таки выводило их из себя. Но больше всего выводили их из себя разговоры о гигантских растениях, которые и на самом деле росли не по дням, а по часам. Не проходило дня, чтоб по телевидению теперь не показывали зреющих гигантских огурцов, помидоров, капусты, свёклы, арбузов, дынь, которые к тому же были посажены на землях, отобранных у богачей. И Спрутсу

и Жулио становилось не по себе, когда они видели высоченные колосья наливающейся земной пшеницы.

— Вот она! Вот она где, погибель наша, растёт! — говорил, брызгая слюной, Спрутс и грозился кулаком на экран телевизора.

— Всё пропало! — горестно махал рукой Жулио. — Теперь уже нет никакой надежды на возвращение старого!

Однажды диктор объявил, что скоро будет передача из Космического городка, который построили прилетевшие космонавты. Спрутс и Жулио едва усидели на стульях, до того им не терпелось поскорей увидеть своих врагов. Наконец на экране появился Знайка. Он представил телезрителям своих друзей-космонавтов, с которыми прилетел на Луну, показал несколько маленьких уютных домиков, которые космонавты построили для себя сами. Зрители даже увидели один такой домик внутри. Потом были показаны различные научные приборы, и Фуксия рассказала о той научной работе, которая проводилась космонавтами на Луне. Тюбик показал лунатикам несколько земных пейзажей, которые он нарисовал тут же, и рассказал, чем отличается жизнь на Большой Земле от жизни на Луне. После него выступил Гусля, который сыграл на флейте несколько мелодий, чтоб познакомить лунатиков с музыкой, которая в ходу у земных коротышек.

После музыкального антракта телезрителям был показан опытный огород с созревающими овощами, среди которых особенно выделялись гигантские арбузы.

Знайка сказал, что все овощи выросли размером не меньше, а даже немного больше, чем обычно вырастают на Большой Земле, что можно объяснить меньшей силой тяжести на Луне. За огородом было пшеничное поле, которое лунатики приняли вначале за какой-то фантастический гигантский лес. Наконец телезрителям была показана космическая ракета, на которой был произведён беспримерный межпланетный полёт. Ракета уже не стояла, как прежде, на открытом воздухе, а была помещена в специальный ангар, который был построен позади пшеничного поля.

Как только Спрутс увидел ракету, он даже побледнел от злости.

— Всё из-за этой треклятой ракеты! — прошипел он. — Если бы у меня был динамит, я бы её тут же взорвал без всякого сожаления! Если бы не эта ракета, у нас всё было бы по-прежнему, и мы жили бы в своё удовольствие, вместо того чтоб торчать здесь и с утра до вечера заниматься этой противной стряпнёй!

— У меня есть динамит, то есть я могу достать, — сказал Жулио.

И он принялся рассказывать Спрутсу, что когда-то у него был магазин разнокалиберных товаров, в котором он вёл большую торговлю ружьями, пистолетами, порохом, пироксилином, динамитом и другими взрывчатыми веществами.

— Впоследствии я продал свой магазин, — сказал Жулио, — но так как мне спешно нужно было выехать из Давилона, то я не успел вывезти все товары, и у меня в тайнике на складе осталось несколько бочек пороха и два ящика с отличнейшим динамитом. Я уверен, что об этом тайнике никто ничего до сих пор не знает, и мы с вами можем проникнуть в него, но для этого потребуется съездить в Давилон.

— Завтра же поедем! — вскричал Спрутс, вскакивая от нетерпения со стула. — Я им покажу! Я этого больше терпеть не буду! Я их всех подниму на воздух!

В это время телепередача из Космического городка закончилась, и по телевидению начали показывать новую кинокомедию про какого-то бывшего богача, который не хотел работать, а так как его отказались кормить в столовой, он решил готовить для себя сам, только из его стараний ничего не выходило. Купленные яйца он положил на стул, а потом сел на них, пакет с маслом уронил на пол, тут же наступил на него ногой и, поскользнувшись, упал да зацепился рукой за чайник с горячей водой и выплеснул её себе прямо на лысину. Весь вечер он бился на кухне, наконец свалился в пустой сундук и заснул в нём, а наутро побежал устраиваться на работу.

— Это что? — кричал в возмущении Спрутс. — Это же про меня! Да как они смели? Разве они забыли, кто я? Я ведь им не какой-нибудь замухрышка! Я Спрутс! Пусть бы они попались мне раньше. Я б их скрутил! А теперь я кто? Кто, я вас спрашиваю! Теперь я для них никто, потому что всё полетело к чёрту! Раньше меня небось и кормили, и одевали, и купали, и спать укладывали, и катали, и пылинки с меня сдували, всю грязь за мной убирали, всячески заботились обо мне, во! А теперь я сам должен о себе заботиться, сам должен всё делать! Почему, я вас спрашиваю? С какой стати? Раньше все меня почитали и уважали за моё богатство, заискивали передо мной, низенько кланялись мне, а теперь все надо мной смеются да ещё кинокомедии про меня снимают! Это же оскорбление! Я не потерплю этого! Я им покажу! Я их за это в клочки! Вдребезги! Где динамит? Дайте мне динамиту! Завтра же едем за динамитом!

Он ещё долго так разорялся. Насилу Жулио успокоил его и, пообещав завтра же с утра отправиться за динамитом, уложил спать в сундук.

Глава тридцать шестая

К ЗЕМЛЕ

Прошло несколько дней, с тех пор как Незнайка приехал со своими друзьями в Космический городок. Здесь всё ему очень понравилось. Проснувшись поутру, он сейчас же отправлялся на огород и гулял там среди зарослей свёклы, моркови, огурцов, помидоров, арбузов или бродил среди высоченных стеблей гигантской земной пшеницы, ржи, проса, гречихи, чечевицы, а также овса, из которого делается замечательная крупа для очень вкусной овсяной кашки.

— Здесь всё почти как у нас в Цветочном городе, — говорил Незнайка. — Только в Цветочном городе было немножко лучше. Здесь как будто чего-то всё-таки не хватает.

Однажды Незнайка проснулся утром и почувствовал какое-то недомогание. У него ничего не болело, но было такое ощущение, будто он очень-очень устал и не в силах подняться с постели. Время, однако, подходило к завтраку, поэтому он кое-как встал, оделся, умылся, но когда сел завтракать, почувствовал, что абсолютно не хочет есть.

— Вот видите, какие ещё здесь на Луне штучки бывают! — проворчал Незнайка. — Когда хочется есть, так есть нечего, а когда есть, что есть, так не хочется есть!

Кое-как справившись со своей порцией, он положил ложку на стол и вышел во двор. Через минуту все увидели, что он возвращается обратно. Лицо его было испуганно.

— Братцы, а где же солнышко? — спросил он, с недоумением озираясь вокруг.

— Ты, Незнайка, какой-то осёл! — ответил с насмешкой Знайка. — Ну какое тут солнышко, когда мы на Луне или, вернее сказать, в Луне.

— У, а я и забыл! — махнул Незнайка рукой.

После этого случая он весь день вспоминал про солнышко, за обедом ел мало и только к вечеру успокоился. А на следующее утро всё началось снова.

— Где же солнышко? — хныкал он. — Хочу, чтоб было солнышко! У нас в Цветочном городе всегда было солнышко.

— Ты лучше вот что, голубчик, не дури! — сказал ему Знайка.

— А может быть, он у нас больной? — сказал доктор Пилюлькин. — Осмотрю-ка его, пожалуй.

Затащив Незнайку в свой кабинет, доктор Пилюлькин принялся тщательно обследовать его. Осмотрев уши, горло, нос и язык, Пилюлькин с недоумением покачал головой, после чего велел Незнайке снять рубашку и принялся стучать по его спине, по плечам, по груди и по животу резиновым молоточком, прислушиваясь при этом, какой получается звук. Видно, звук получался не такой, какой надо, поэтому Пилюлькин всё время морщился, пожимал плечами и тряс головой. Потом он велел Незнайке лечь на спину и начал нажимать ему ладонями на живот в разных местах, приговаривая:

— Так больно?.. Не больно?.. А так?..

И опять каждый раз сокрушённо качал головой. Наконец он измерил Незнайке температуру, а также пульс и кровяное давление, после чего велел ему оставаться в постели, а сам пошёл к коротышкам и потихоньку сказал:

— Беда, голубчики. Незнайка наш болен.

— А что у него болит? — спросила Селёдочка.

— В том-то и дело, что ничего не болит, но тем не менее он серьёзно болен. Болезнь у него очень редкая. Ею болеют коротышки, которые слишком долго пробыли вдали от своих родных мест.

— Ишь ты! — удивился Знайка. — Так его надо лечить.

— Как же его лечить? — ответил доктор Пилюлькин. — От этой болезни никакого лекарства нет. Он должен как можно скорей вернуться на Землю. Только воздух родных полей может помочь ему. Такие больные всегда очень тоскуют вдали от родины, и это может для них плохо кончиться.

— Значит, надо нам отправляться домой? Ты это хочешь сказать? — спросил Знайка.

— Да, и притом как можно скорей, — подтвердил доктор Пилюлькин. — Думаю, что если мы сегодня же отправимся в путь, то успеем долететь до Земли с Незнайкой.

— Значит, нужно отправляться сегодня же. И нечего тут больше думать, — сказала Фуксия.

— А как же быть с Пончиком? — спросил Знайка. — Он ведь остался в Лос-Паганосе со своими крутильщиками. Не можем же мы покинуть его здесь одного.

— Мы со Шпунтиком сейчас же отправимся за Пончиком на вездеходе, — сказал Винтик. — К вечеру туда приедем, завтра утром обратно. В полдень здесь будем.

— Придётся отлёт назначить на завтра, — сказал Знайка. — Раньше никак не управимся.

— Ну что ж, до завтра, я думаю, Незнайка выдержит, — сказал доктор Пилюлькин. — Только вы, братцы, действуйте без промедления.

Винтик и Шпунтик тотчас же выкатили из гаража вездеход, взяли с собой Козлика, которого учили управлять вездеходом, и все трое покатили в Лос-Паганос. Доктор Пилюлькин поспешил сообщить Незнайке, что принято решение отправляться в обратный путь. Эта весть очень обрадовала Незнайку. Он даже вскочил с постели, стал говорить, что, как только вернётся домой, сейчас же напишет письмо Синеглазке, так как когда-то он обещал ей, и теперь его мучит совесть за то, что он не выполнил обещания. Решив исправить свою ошибку, он заметно повеселел и принялся распевать песни.

— Не горюй, братцы! — говорил он. — Скоро увидим солнышко!

Доктор Пилюлькин сказал, чтоб он вёл себя поспокойнее, так как его организм ослаблен болезнью и ему нужно беречь силы.

Вскоре радость Незнайки понемногу утихла и сменилась нетерпением.

— Когда же Винтик и Шпунтик вернутся? — то и дело приставал он к Пилюлькину.

— Они сегодня не могут приехать, голубчик. Они завтра приедут. Ты уж как-нибудь потерпи, а сейчас лучше ляг и поспи, — уговаривал его доктор Пилюлькин.

Незнайка ложился в постель, но, полежав минуточку, вскакивал:

— А вдруг они не приедут завтра?

— Приедут, голубчик, приедут, — успокаивал его Пилюлькин.

В те дни в Космическом городке гостили астроном Альфа и лунолог Мемега и приехавшие вместе с ними два физика Квантик и Кантик. Все четверо приехали специально, чтоб познакомиться с устройством космической ракеты и скафандров, так как сами собирались построить ракету и совершить космический полёт к Земле. Теперь, когда тайна невесомости была раскрыта, межпланетные полёты стали доступны и для лунатиков. Знайка решил подарить лунным учёным точные чертежи ракеты и велел, чтоб им отдали оставшиеся запасы лунита и антилунита. Альфа сказал, что лунные учёные сохранят Космический городок в порядке и устроят

430

здесь космодром с площадкой для посадки прибывающих на их планету космических кораблей и для запуска ракет на другие планеты.

Когда космонавты пришли к решению возвратиться на Землю, Знайка, Фуксия и Селёдочка отправились в ангар, чтобы произвести тщательную проверку работы всех узлов и механизмов ракеты. В проверке участвовали и Альфа с Мемегой, а также Кантик и Квантик. Для них это было чрезвычайно полезно, так как они получили возможность практически ознакомиться с устройством ракеты. К тому же было решено, что Альфа и Мемега совершат полёт на ракете вместе с космонавтами. Достигнув поверхности Луны, космонавты пересядут в ракету НИП, а Альфа с Мемегой возвратятся на ракете ФИС обратно в Космический городок.

Проверка механизмов ракеты заняла всё оставшееся в распоряжении космонавтов время и закончилась только к вечеру.

Завершив последние испытания, Знайка сказал:

— Теперь ракета готова к полёту. Завтра утром включим невесомость и отбуксируем космический корабль на стартовую площадку. А сейчас — спать. Перед полётом надо хорошо отдохнуть.

Выйдя из ангара и закрыв дверь на ключ, космонавты отправились в Космический городок. Не успели они скрыться вдали, как из-за забора высунулись две головы в чёрных масках. Некоторое время они безмолвно торчали над забором и только посапывали носами. Наконец одна голова сказала голосом Жулио:

— Наконец-то убрались, чтоб им провалиться сквозь землю!

— Ничего. Пусть лучше взлетят на воздух! — проворчала другая голова голосом Спрутса.

Это на самом деле были Спрутс и Жулио. Подождав ещё немного и убедившись, что поблизости никого нет, Жулио сказал:

— Ну-ка, перелезай через забор, я тебе подам ящик с динамитом.

Спрутс, кряхтя, залез на забор и спрыгнул с другой стороны. Жулио поднял с земли ящик и стал подавать его Спрутсу через забор. Спрутс протянул кверху руки, стараясь подхватить ящик. Но ящик оказался очень тяжёлый. Спрутс не удержал его и полетел вместе с ним на землю.

— Что ж ты швыряешь! — зашипел на него Жулио. — Там ведь динамит, а не макароны! Так шарахнет, что и мокрого места не останется!

Он перелез через забор вслед за Спрутсом и попытался открыть дверь ангара.

— Закрыта! — пробормотал он со злостью. — Придётся делать подкоп.

Включив потайной фонарь и присев у стены, оба злоумышленника вытащили из карманов ножи и принялись рыть ими землю.

Коротышки в Космическом городке уже давно спали. Никто не ждал ничего плохого. Не спали лишь Знайка и профессор Звёздочкин. Они были заняты математическими расчётами: необходимо было вычислить траекторию полёта космического корабля, для того чтоб, поднявшись, он точно попал в отверстие, имевшееся в лунной сфере, сквозь которое можно было выбраться на поверхность Луны.

Уже было далеко за полночь, когда Знайка и профессор Звёздочкин закончили все расчёты и стали ложиться спать.

Раздевшись, Знайка выключил электричество и, забравшись в постель, уже хотел натянуть на себя одеяло, но как раз в это время раздался взрыв. Стены комнаты затряслись, с потолка с грохотом посыпалась штукатурка, стёкла из окон вылетели, кровать, на которой лежал Знайка, перевернулась, и он выкатился из неё на пол. Профессор Звёздочкин, который спал в этой же комнате, тоже оказался на полу. Закутавшись в одеяло, Знайка моментально выскочил во двор и увидел поднимающийся кверху столб пламени и дыма.

— Ракета! Там ведь ракета! — закричал он выскочившему вслед за ним профессору Звёздочкину.

Они бросились вперёд, не обращая внимания на падавшие сверху обломки дерева, и, подбежав к месту, где раньше стоял ангар, увидели груду дымящихся развалин. К месту происшествия уже бежали остальные коротышки.

— Здесь произошёл взрыв! Кто-то взорвал ракету! — закричал Знайка голосом, прерывающимся от волнения.

— Это не иначе, как полицейские! — воскликнул Квантик. — Они решили отомстить нам!

— Как же мы теперь полетим обратно? — спрашивали коротышки.

— Может быть, удастся починить ракету? — сказал Ме мега.

— Как же чинить? Может быть, тут и самой ракеты не осталось, — ответила Фуксия.

— Спокойствие, братцы! — сказал Знайка, который первым овладел собой. — Надо быстренько растащить обломки и выяснить, что с космическим кораблём.

Коротышки принялись за работу. К рассвету место было расчищено, и все увидели, что силой взрыва ракету перевернуло набок. У неё начисто был оторван хвост, повреждён основной двигатель и вышиблены стёкла иллюминаторов.

— Такие повреждения не удастся исправить и в две недели, — озабоченно сказал Знайка. — Придётся отложить полёт.

— Что ты, что ты! — воскликнул доктор Пилюлькин. — Об этом и думать не смей! Незнайка не выдержит две недели. Его надо отправить сегодня же.

— Ты же видишь, — ответил Знайка, показывая рукой на изувеченную ракету.

— А может быть, можно подняться на поверхность Луны просто в скафандрах? — сказала Селёдочка. — Ведь наши скафандры приспособлены для полётов в состоянии невесомости. Поднявшись на поверхность Луны, мы сядем в ракету НИП и полетим к Земле.

— Это верная мысль! — обрадовался Знайка. — Но не повреждены ли скафандры? Они ведь в ракете.

Фуксия и Селёдочка бросились к кабине ракеты и принялись нажимать кнопку, которая приводила в действие электромотор, открывавший дверь в шлюзовую камеру. Мотор, однако, не действовал, и дверь оставалась закрытой. Тогда инженер Клёпка, который к тому времени совершенно поправился после ранения, залез внутрь кабины через разбитый иллюминатор и открыл дверь скафандрового отсека.

— Братцы, скафандры целы! — закричал он, убедившись, что скафандры были невредимы.

— Ура! — закричали, обрадовавшись, коротышки.

Инженеру Клёпке удалось исправить электромотор и открыть дверь шлюзовой камеры. Коротышки тотчас же принялись вытаскивать наружу скафандры и тщательно проверять их.

К полудню в Космический городок вернулись Винтик, Шпунтик и Козлик с Пончиком, и космонавты начали приготовления к отлёту.

Весть о том, что космонавты собираются улетать, быстро разнеслась среди нееловцев, и они всей деревней пришли, чтоб попрощаться со своими друзьями.

— Весь опытный огород и все посадки вокруг Космического городка мы дарим вам, — сказал нееловцам Знайка. — Теперь плоды уже скоро созреют, и вы уберёте их. Вам одним это будет не под силу, но вы позовите на помощь других коротышек из других деревень. Вместе вам легче будет. И в дальнейшем старайтесь выращивать побольше гигантских растений. Пусть гигантские растения распространятся по всей вашей планете, и тогда никакой нужды у вас больше не будет.

Нееловцы плакали от радости. Они целовали Знайку и всех остальных коротышек. А Козлик тоже был рад, так как Винтик и Шпунтик подарили ему свой вездеход.

— Как жаль, — говорил Козлик Незнайке. — У нас теперь самая настоящая жизнь начинается, а ты улетаешь!

— Ничего, — говорил Незнайка. — Мы ещё прилетим к вам, и вы к нам прилетайте. А мне сейчас уже нельзя больше здесь оставаться. Мне очень хочется увидеть солнышко.

Как только Незнайка вспомнил про солнышко, слёзы сейчас же закапали из его глаз. Силы покинули его, и он опустился прямо на землю. Доктор Пилюлькин подбежал и, увидев, что у Незнайки глаза сами собой закрылись, поскорей дал понюхать ему нашатырного спирта. Незнайка пришёл в себя, но был очень бледен.

— Ну, как нам лететь с тобой? — убивался доктор Пилюлькин. — Тебе надо в постели лежать, а не в космический полёт отправляться. Не знаю, как ты в таком состоянии до Земли доберёшься!

— Ничего, — сказал Винтик. — Мы со Шпунтиком возьмём кресло-качалку и приспособим к нему колёсики. Можно будет возить Незнайку в этом кресле, чтоб он не тратил лишних сил.

Так они и сделали. Как только кресло было готово, Знайка отдал команду надеть всем скафандры. Коротышки тотчас принялись надевать скафандры, а Кантик и Квантик надели скафандр на Незнайку.

Нужно сказать, что скафандры эти несколько отличались от тех, которыми пользовались Незнайка и Пончик. На макушке гермошлема такого скафандра был установлен небольшой электродвигатель с четырёхлопастным пропеллером вроде вентилятора. Пропеллер, вращаясь, поднимал космонавта в воздух. Придавая своему телу то или иное положение в пространстве, космонавт мог направлять свой полёт в любую сторону. Помимо этого, пропеллер мог действовать на манер парашюта. При падении с большой высоты космонавт мог включить электродвигатель, и быстро вращающийся пропеллер тотчас бы замедлил падение.

Как только скафандры были надеты, Знайка приказал всем привязаться к длинному капроновому шнуру, который был приготовлен заранее. Все тотчас выполнили приказание. В то же время Кантик и Квантик и Альфа с Мемегой усадили Незнайку в кресло-качалку, прикрепили его ремнями к сиденью, чтоб он не вывалился в пути, а кресло тоже привязали к капроновому шнуру.

Наконец все приготовления были закончены. Космонавты прикрепили к поясам альпенштоки, ледорубы и геологические молотки и выстроились в цепочку. Знайка, стоявший впереди всех, включил прибор невесомости, который был прикреплён к скафандру у него за спиной, и нажал кнопку электродвигателя. Послышалось мерное жужжание. Это завертелся пропеллер. Знайка, потеряв вес, плавно поднялся в воздух и потащил за собой остальных космонавтов.

Лунатики ахнули от изумления, увидев, как космонавты длинной вереницей поднялись в воздух. Все закричали, замахали руками, захлопали в ладоши, стали подбрасывать в воздух шапки. Некоторые даже прыгали от возбуждения. Многие плакали.

Космонавты между тем всё быстрей и быстрей поднимались кверху. Скоро они превратились в едва заметные точки и наконец совсем скрылись из виду. Лунатики, однако, не расходились, словно надеялись, что пришельцы с далёкой планеты Земля ещё вернутся и они снова увидят их. Прошёл целый час, и два часа прошло, наконец прошло три часа. Лунные коротышки начали терять надежду снова увидеть своих друзей.

И действительно, ждать больше было нечего. Космонавты в это время уже пробирались по наклонному ледяному тоннелю в оболочке Луны. Воздух здесь был крайне разрежён, поэтому пропеллер создавал слишком слабую тягу. Всё же с помощью ледорубов, которыми вооружились космонавты, им удалось преодолеть все препятствия и пробраться в сосульчатый грот, а оттуда проникнуть в пещеру, из которой был выход на поверхность Луны.

Здесь Знайка решил поделить весь отряд на две группы. Первую группу необходимо было отправить вперёд, чтобы, не теряя ни минуты, произвести проверку ракеты. Ведь с тех пор как ракета НИП опустилась на поверхность Луны, прошло много времени, и она могла быть повреждена метеорами, не говоря уже о том, что в космический полёт невозможно было отправляться без тщательнейшей проверки работы всех приборов и механизмов. В первую группу Знайка решил назначить себя, профессора Звёздочкина, а также Фуксию и Селёдочку. Остальным велел пока остаться в пещере и заняться добычей кристаллов лунита и антилунита, запас которых необходимо было доставить на Землю.

Доктор Пилюлькин сказал, что Незнайка чувствует себя очень плохо, поэтому его нужно немедля отправить в ракету, где он может освободиться от тяжёлого скафандра. Но Знайка сказал:

— Сейчас наступила лунная ночь. Солнце зашло, и на поверхности Луны очень холодно. Если ракета повреждена, то и в ней нельзя будет находиться без скафандра. Лучше вы пока побудьте с Незнайкой в пещере. Здесь всё же теплей. Если же выяснится, что ракета в исправности, мы сообщим вам, и вы сейчас же доставите Незнайку к нам.

Отдав распоряжение никому не выходить из пещеры, чтобы не подвергаться лишний раз действию космических лучей, Знайка отправился в обратный путь в сопровождении Фуксии, Селёдочки и профессора Звёздочкина.

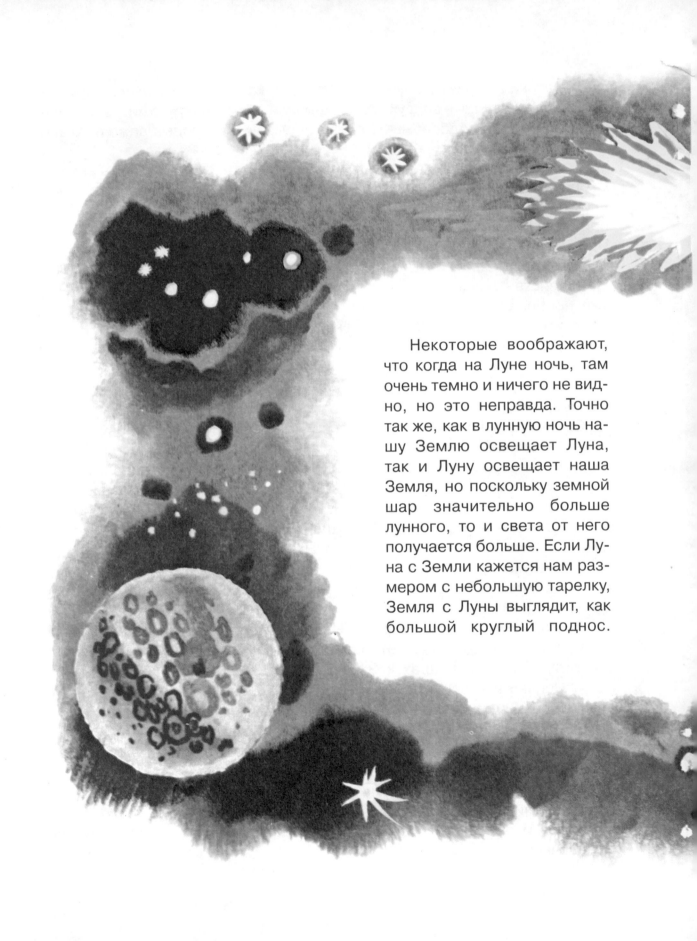

Некоторые воображают, что когда на Луне ночь, там очень темно и ничего не видно, но это неправда. Точно так же, как в лунную ночь нашу Землю освещает Луна, так и Луну освещает наша Земля, но поскольку земной шар значительно больше лунного, то и света от него получается больше. Если Луна с Земли кажется нам размером с небольшую тарелку, Земля с Луны выглядит, как большой круглый поднос.

Наука установила, что свет Солнца, отражаемый нашей Землёй, освещает Луну раз в девяносто сильней, чем тот свет, которым Луна освещает Землю. Это значит, что в той части Луны, с которой видна Земля, ночью можно свободно читать, и писать, и рисовать, и заниматься разными другими делами.

Как только Знайка и его спутники вышли из пещеры, они увидели над собой чёрное, бездонное небо с мириадами сверкающих звёзд и огромным светящимся диском ярко-белого и даже слегка голубоватого цвета. Этот диск и была наша Земля, которая на этот раз была видна не в форме серпа или полумесяца, а в виде полного круга, так как Солнце освещало её уже не боковыми, а прямыми лучами.

Освещённые земным диском, поверхность Луны и видневшиеся вдали горы были красноватого цвета — от светло-вишнёвого до пурпурного или тёмно-багрового, а всё, что оставалось в тени, всё, куда не проникал свет, вплоть до мельчайших трещинок под ногами, светилось мерцающим изумрудно-зелёным цветом. Это объяснялось тем, что поверхность лунных пород обладала способностью светиться под воздействием невидимых космических лучей. Куда бы космонавты ни обратили свой взор, они везде наблюдали как бы борьбу двух цветов — красного и зелёного, и только видневшаяся вдали ракета светилась ярко-голубым цветом, словно кусочек весеннего, светло-голубого земного неба.

Космонавты, оставшиеся в пещере, решили не терять времени зря и принялись за добычу лунита и антилунита. Ледорубы и геологические молотки дружно застучали о скалы. Впрочем, никакого стука не было слышно, потому что звук, как это теперь уже всем известно, не распространяется в безвоздушной среде.

В напряжённой работе прошло около часа. Скоро от Знайки было получено по радиотелефону распоряжение доставить Незнайку в ракету. Знайка сообщил, что ракета не пострадала от метеоров, герметизация не нарушена, однако многие механизмы нуждаются в регулировке, а аккумуляторы — в смене электролита и зарядке. На всё это потребуется не менее двенадцати часов, поэтому всё оставшееся время Знайка велел использовать для добычи и погрузки в ракету лунита и антилунита.

Доктор Пилюлькин, ни секунды не медля, отправился в путь, везя перед собой кресло-качалку, на котором лежал Незнайка в своём скафандре. Когда Пилюлькин наконец доковылял до ракеты, Незнайка ослабел настолько, что не мог встать с кресла, и его пришлось нести на руках. С помощью Знайки, Фуксии и Селёдочки Пилюлькину удалось втащить Незнайку в ракету. Здесь с Незнайки стащили скафандр, сняли одежду и уложили на койку в каюте.

Освободившись от тяжёлого скафандра, Незнайка почувствовал некоторое облегчение и даже порывался встать с койки, но постепенно силы снова покинули его. Слабость наступила такая, что ему трудно было пошевелить рукой или ногой.

— Что это за болезнь такая? — говорил Незнайка. — Мне кажется, будто я весь свинцовый и моё тело весит втрое больше, чем нужно.

— Этого не может быть, — отвечал ему Знайка. — Ты ведь на Луне и должен весить не втрое больше, а вшестеро меньше. Вот если бы ты попал на планету Юпитер, то действительно весил бы там втрое или, точнее говоря, в два и шестьдесят четыре сотых раза больше, чем на Земле. Зато на Марсе ты весил бы втрое меньше. А вот если бы ты угодил на Солнце...

— Ну ладно, ладно, — перебил его доктор Пилюлькин. — Не утруждай его этими цифрами. Позаботься лучше, чтоб скорей отправляться в полёт.

Знайка ушёл, и они вместе со Звёздочкиным занялись проверкой работы электронной вычислительной машины. Через несколько часов все механизмы были проверены, но ракета не могла отправиться в полёт до тех пор, пока не закончится зарядка аккумуляторов, от которых зависела исправная работа всех приборов и двигателей.

Доктор Пилюлькин не отходил ни на шаг от Незнайки. Видя, что силы Незнайки падают, он не знал, что предпринять, и очень нервничал. Правда, как только была включена невесомость и ракета отправилась наконец в путь, самочувствие Незнайки сделалось лучше. Но опять ненадолго. Скоро он снова начал жаловаться, что его давит тяжесть, хотя, конечно, никакой тяжести не могло быть, поскольку он, как и все остальные в ракете, находился в состоянии невесомости. Доктор Пилюлькин понимал, что эти болезненные ощущения являются следствием угнетённого психического состояния больного, и старался отвлечь Незнайку от мрачных мыслей, ласково разговаривая с ним и рассказывая ему сказки.

Все остальные коротышки заглядывали в каюту и вспоминали, какие ещё бывают сказки, чтоб рассказать Незнайке. Все только и думали, чем бы помочь больному.

Спустя некоторое время они заметили, что Незнайка перестал проявлять интерес к окружающему и уже не слушает, что ему говорят. Глаза его медленно блуждали по потолку каюты, пересохшие губы что-то беззвучно шептали. Доктор Пилюлькин изо всех сил прислушивался, но не мог разобрать ни слова.

Скоро глаза у Незнайки закрылись, и он заснул. Грудь его по-прежнему тяжело вздымалась. Дыхание со свистом вырывалось изо рта. Щёки горели лихорадочным румянцем. Постепенно дыхание его успокоилось. Грудь вздымалась всё меньше и реже. Наконец Пилюлькину стало казаться, что Незнайка и вовсе не дышит. Почувствовав, что дело неладно, Пилюлькин схватил Незнайку за руку. Пульс едва прощупывался и был очень медленный.

— Незнайка! — закричал, испугавшись, Пилюлькин. — Незнайка, проснись!

Но Незнайка не просыпался. Пилюлькин поскорей сунул ему под нос склянку с нашатырным спиртом. Незнайка медленно открыл глаза.

— Мне трудно дышать! — прошептал он с усилием.

Увидев, что Незнайка снова закрыл глаза, доктор Пилюлькин принялся трясти его за плечо.

— Незнайка, не спи! — закричал он. — Ты должен бороться за жизнь! Слышишь? Не поддавайся! Не спи! Ты должен жить, Незнайка! Ты должен жить!

Заметив, что лицо Незнайки заливает какая-то странная бледность, Пилюлькин снова схватил его за руку. Пульс не прощупывался. Пилюлькин прижался ухом к груди Незнайки. Биения сердца не слышалось. Он снова дал понюхать Незнайке нашатырного спирта, но это не произвело никакого действия.

— Кислород! — закричал Пилюлькин, отбрасывая склянку с нашатырным спиртом в сторону.

Винтик и Шпунтик схватили резиновую подушку и помчались в газовый отсек, где хранились баллоны с кислородом, а Пилюлькин, не теряя ни секунды времени, принялся делать Незнайке искусственное дыхание. Коротышки, собравшиеся у дверей каюты, с тревогой следили, как доктор Пилюлькин ритмически поднимал руки Незнайки кверху и тут же опускал их вниз, плотно прижимая к груди. По временам он на минуточку останавливался и, прислонившись ухом к груди Незнайки, старался уловить биение сердца, после чего продолжал делать искусственное дыхание.

Никто не мог сказать, сколько прошло времени. Всем казалось, что очень много. Наконец Пилюлькину послышалось, будто Незнайка вздохнул. Пилюлькин насторожился, но продолжал поднимать и опускать руки Незнайки, пока не убедился, что дыхание восстановилось. Увидев, что Винтик и Шпунтик принесли подушку с кислородом, он велел понемногу выпускать кислород из трубочки около рта больного. Коротышки с облегчением заметили, как страшная бледность стала исчезать с лица Незнайки. Наконец он открыл глаза.

— Дыши, дыши, Незнайка, — ласково сказал доктор Пилюлькин. — Теперь дыши, голубчик, самостоятельно. Глубже дыши. И не спи, дорогой, не спи! Потерпи капельку!

Он велел ещё некоторое время давать больному кислород, а сам принялся вытирать со лба пот платочком. В это время кто-то из коротышек взглянул в иллюминатор и сказал:

— Смотрите, братцы, уже Земля близко.

Незнайка хотел приподняться, чтоб посмотреть, но от слабости не мог даже повернуть голову.

— Поднимите меня, — прошептал он. — Я хочу ещё хоть разочек увидать Землю!

— Поднимите его, поднимите! — разрешил доктор Пилюлькин.

Фуксия и Селёдочка взяли Незнайку под руки и поднесли к иллюминатору. Незнайка взглянул в него и увидал Землю. Теперь она была видна не так, как с Луны, а в виде огромного шара со светлыми пятнами материков и тёмными морями и океанами. Вокруг земного шара был светящийся ореол, который окутывал всю Землю, словно тёплое, мягкое пуховое одеяло. Пока Незнайка смотрел, Земля заметно приблизилась, и земной шар уже невозможно было охватить полностью взором.

Увидев, что Незнайка устал и тяжело дышит, Фуксия и Селёдочка понесли его обратно в постель, но он сказал:

— Оденьте меня!

— Хорошо, хорошо, — сказал доктор Пилюлькин. — Отдохни немного. Сейчас мы оденем тебя.

Фуксия и Селёдочка уложили Незнайку в постель, надели на него жёлтенькие, канареечные брюки и оранжевую рубашку, натянули на ножки чулочки и обули ботиночки, наконец повязали на шею зелёный галстук и даже надели на голову его любимую голубую шляпу.

— А теперь несите меня! Несите! — зашептал прерывающимся голосом Незнайка.

— Куда же тебя нести, голубчик? — удивился Пилюлькин.

— На Землю! Скорее!.. На Землю надо!

Увидев, что Незнайка снова лихорадочно дышит и весь дрожит, Пилюлькин сказал:

— Хорошо, хорошо. Сейчас, голубчик! Несите его в кабину.

Фуксия и Селёдочка вынесли Незнайку из каюты. Доктор Пилюлькин открыл кабину лифта, и все четверо спустились в хвостовую часть ракеты. Вслед за ними спустились Винтик и Шпунтик, профессор Звёздочкин и другие коротышки. Увидев, что Фуксия и Селёдочка остановились у двери, Незнайка забеспокоился:

— Несите, несите! Что же вы?.. Откройте дверь!.. На Землю! — шептал он, жадно ловя воздух губами.

— Сейчас, миленький, погоди! Сейчас откроем, — отвечал Пилюлькин, стараясь успокоить Незнайку. — Сейчас, голубчик, спросим у Знайки, можно ли открыть дверь.

И сейчас же, словно в ответ на это, в громкоговорителе послышался голос Знайки, который продолжал оставаться на своём посту в кабине управления:

— Внимание! Внимание! Начинаем посадку. Приготовьтесь к включению тяжести! Всем приготовиться к тяжести!

Коротышки, не успевшие сообразить, что должно произойти, неожиданно ощутили тяжесть, которая подействовала на них, словно толчок, сбивший всех с ног. Винтик и Шпунтик первые сообразили, что произошло, и, вскочив на ноги, подняли с пола больного Незнайку, а Пилюлькин и Звёздочкин помогли подняться Фуксии и Селёдочке.

Не успели коротышки освоиться с тяжестью, как последовал второй толчок, и все снова очутились на полу.

— Земля!.. Приготовиться к высадке! — раздался голос Знайки. — Открыть двери шлюза.

Профессор Звёздочкин, который находился ближе всех к выходу, решительно нажал на кнопку. Луч света сверкнул в открывшейся двери.

— Несите меня! Несите! — закричал Незнайка и потянулся руками к свету.

Винтик и Шпунтик вынесли его из ракеты и стали спускаться по металлической лестничке. У Незнайки захватило дыхание, когда он увидел над головой яркое голубое небо с белыми облаками и сияющее в вышине солнышко. Свежий воздух опьянил его. Всё поплыло перед его глазами: и зелёный луг с пестревшими среди изумрудной травы жёлтенькими одуванчиками, беленькими ромашками и синими колокольчиками, и деревья с трепещущими на ветру листочками, и синевшая вдали серебристая гладь реки.

Увидев, что Винтик и Шпунтик уже ступили на землю, Незнайка страшно заволновался.

— И меня поставьте! — закричал он. — Поставьте меня на землю!

Винтик и Шпунтик осторожно опустили Незнайку ногами на землю.

— А теперь ведите меня! Ведите! — кричал Незнайка.

Винтик и Шпунтик потихонечку повели его, бережно поддерживая под руки.

— А теперь пустите меня! Пустите! Я сам!

Видя, что Винтик и Шпунтик боятся отпустить его, Незнайка принялся вырываться из рук и даже пытался ударить Шпунтика. Винтик и Шпунтик отпустили его. Незнайка сделал несколько неуверенных шагов, но тут же

444

рухнул на колени и, упав лицом вниз, принялся целовать землю. Шляпа слетела с его головы. Из глаз покатились слёзы. И он прошептал:

— Земля моя, матушка! Никогда не забуду тебя!

Красное солнышко ласково пригревало его своими лучами, свежий ветерок шевелил его волосы, словно гладил его по головке. И Незнайке казалось, будто какое-то огромное-преогромное чувство переполняет его грудь. Он не знал, как называется это чувство, но знал, что оно хорошее и что лучше его на свете нет. Он прижимался грудью к земле, словно к родному, близкому существу, и чувствовал, как силы снова возвращаются к нему и болезнь его пропадает сама собой.

Наконец он выплакал все слёзы, которые у него были, и встал с земли. И весело засмеялся, увидев друзей-коротышек, которые радостно приветствовали родную Землю.

— Ну вот, братцы, и всё! — весело закричал он. — А теперь можно снова отправляться куда-нибудь в путешествие!

Вот какой коротышка был этот Незнайка.

СОДЕРЖАНИЕ

Носов Н.Н.

Н 84   Незнайка на Луне. — М.: Издание И.П. Носова, Эксмо, 2007. —
448 с.: ил.

УДК 82-93
ББК 84(2Рос-Рус)6-4

ISBN 978-5-699-13711-4

Литературно-художественное издание

Для младшего школьного возраста

Носов Николай Николаевич

НЕЗНАЙКА НА ЛУНЕ

Ответственный редактор *Л. Кондрашова*
Препресс *Г. Гуров*
Дизайн переплета *Б. Волков*
Художник *А. Борисов*
Компьютерная верстка *А. Козлов*
Корректоры *С. Мосейчук, Л. Агафонова*

Издание И.П. Носова
121165, Москва, а/я 10

ООО «Издательство «Эксмо»
127299, Москва, ул. Клары Цеткин, д. 18/5. Тел. 411-68-86, 956-39-21.
Home page: **www.eksmo.ru**   E-mail: **info@eksmo.ru**

Оптовая торговля книгами «Эксмо»:
ООО «ТД «Эксмо». 142700, Московская обл., Ленинский р-н, г. Видное,
Белокаменное ш., д. 1, многоканальный тел. 411-50-74.
E-mail: **reception@eksmo-sale.ru**

По вопросам приобретения книг «Эксмо» зарубежными оптовыми
покупателями обращаться в ООО «Дип покет»
E-mail: **foreignseller@eksmo-sale.ru**

International Sales: International wholesale customers should contact «Deep Pocket» Pvt. Ltd.
for their orders. **foreignseller@eksmo-sale.ru**

По вопросам заказа книг корпоративным клиентам, в том числе в специальном оформ-
лении, обращаться в ООО «Форум»: тел. 411-73-58 доб. 2598. E-mail: **vipzakaz@eksmo.ru**

Подписано в печать 18.09.2007
Формат 84×108 $\frac{1}{16}$. Печать офсетная. Бумага офсетная. Усл. печ. л. 47,04
Тираж 5000 экз. Заказ № 2967.

Отпечатано в ОАО «ИПК «Звезда».
614990, г. Пермь, ГСП-131, ул. Дружбы, 34.